FANETTE

De la même auteure

ROMANS

Fanette, tome 4, *L'encre et le sang*, Libre Expression, 2011.

Fanette, tome 3, *Le secret d'Amanda*, Libre Expression, 2010.

Fanette, tome 2, *La vengeance du Lumber Lord*, Libre Expression, 2009.

Fanette, tome 1, *À la conquête de la haute ville*, Libre Expression, 2008.

Le Fort intérieur, Libre Expression, 2006; collection « 10/10 », 2012.

THÉÂTRE

La Nuit des p'tits couteaux, Leméac, 1987.

Suzanne Aubry

FANETTE

 TOME 5

Les ombres
du passé

Roman

Libre Expression

Une société de Québecor Média

Catalogage avant publication de Bibliothèque et Archives nationales du Québec et Bibliothèque et Archives Canada

Aubry, Suzanne

    Fanette : roman
    L'ouvrage complet comprendra 6 v.
    Sommaire: t. 5. Les ombres du passé.

    ISBN 978-2-7648-0369-1 (v. 5)

    I. Titre. II. Titre: Les ombres du passé.

PS8551.U267F36 2007   C843'.54
C2007-942350-7
PS9551.U267F36 2007

Direction littéraire: MONIQUE H. MESSIER
Révision linguistique: MARIE PIGEON LABRECQUE
Correction d'épreuves: VÉRONIQUE PERRON
Couverture et grille graphique intérieure: CHANTAL BOYER
Mise en pages: CHANTAL BOYER
Photo de l'auteure: SARAH SCOTT
Illustration de la couverture: JEAN-LUC TRUDEL

Bien qu'inspiré par certains faits et personnages historiques, cet ouvrage est une œuvre de fiction et le fruit de l'imagination de l'auteure.

Remerciements
Nous reconnaissons l'aide financière du gouvernement du Canada par l'entremise du Fonds du livre du Canada pour nos activités d'édition.
Nous remercions le Conseil des Arts du Canada et la Société de développement des entreprises culturelles du Québec (SODEC) du soutien accordé à notre programme de publication.
Gouvernement du Québec – Programme de crédit d'impôt pour l'édition de livres – gestion SODEC.

Les Éditions Libre Expression
Groupe Librex inc.
Une société de Québecor Média
La Tourelle
1055, boul. René-Lévesque Est
Bureau 800
Montréal (Québec) H2L 4S5
Tél.: 514 849-5259
Téléc.: 514 849-1388
www.edlibreexpression.com

Dépôt légal – Bibliothèque et Archives nationales du Québec et Bibliothèque et Archives Canada, 2012

ISBN 978-2-7648-0369-1

Distribution au Canada
Messageries ADP
2315, rue de la Province
Longueuil (Québec) J4G 1G4
Tél.: 450 640-1234
Sans frais: 1 800 771-3022
www.messageries-adp.com

Diffusion hors Canada
Interforum
Immeuble Paryseine
3, allée de la Seine
F-94854 Ivry-sur-Seine Cedex
Tél.: 33 (0)1 49 59 10 10
www.interforum.fr

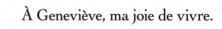

À Geneviève, ma joie de vivre.

« Adieu, reste, pars, seulement ne me dis pas que
je ne souffre pas. Il n'y a que cela qui puisse me faire souffrir
davantage, mon amour, ma vie, mes entrailles, mon frère,
allez-vous-en, mais tuez-moi en partant. »

Lettre de George Sand à Alfred de Musset

« 'Tis well I do remember that bleak December day
When the bailiff and the landlord came to drive us allaway
They set the roof on fire with their cursed English spleen
And that's another reason why I left old Skibbereen. »

Chanson folklorique irlandaise

Prologue

Montréal
Avril 1864

Fanette était dans tous ses états lorsqu'elle sortit de la geôle de la prisonnière. Ce que cette dernière lui avait confié changeait la cause du tout au tout. Elle aurait tout donné pour savoir où habitait Julien Vanier. Il faudrait qu'elle trouve le moyen de rencontrer l'avocat avant l'ouverture du procès, le lendemain matin. *Pourvu que je puisse lui parler avant qu'il soit trop tard...*

La jeune femme franchit la guérite d'un pas machinal, saluant à peine les gardiens tellement l'aveu d'Aimée Durand l'avait bouleversée. Une fois dehors, elle s'aperçut qu'il avait recommencé à pleuvoir. Une brume épaisse s'était levée. N'ayant pas apporté de parapluie, elle releva le capuchon de son manteau et marcha vers sa voiture. Elle perçut un bruit de pas derrière elle. Elle se retourna, mais il n'y avait personne. La rue luisante de pluie était déserte.

Sentant l'anxiété la gagner, Fanette pressa le pas. Soudain, un claquement sec retentit. Cette fois, elle crut entrevoir une silhouette à travers le brouillard, mais celle-ci disparut aussitôt derrière une porte cochère. Son cœur se mit à battre plus vite.

— Qui va là ? dit-elle.

Sa voix résonna étrangement dans le silence. Retenant son souffle, Fanette fit quelques pas en direction de la porte cochère et constata que celle-ci était entrouverte. Elle tendit l'oreille, mais ne perçut que le bruissement de la pluie. Elle répéta, la gorge nouée par l'inquiétude :

— Il y a quelqu'un ?

Tout à coup, une ombre surgit. Une main lui agrippa brusquement un bras et la tira en avant. Fanette laissa échapper un cri de frayeur et tenta de se dégager, mais l'inconnu resserra son étau et l'entraîna vers ce qui semblait être une cour intérieure. La porte se referma avec un grincement sinistre. La jeune femme sentit un souffle chaud effleurer sa joue. Elle distingua un haut-de-forme, puis des traits en lame de couteau. *Mon Dieu, ce visage…* Une voix rauque s'éleva :

— Ce n'est pas prudent pour une jeune et jolie femme de se promener toute seule.

Cette voix…

— Il y a longtemps que je souhaitais vous revoir, mademoiselle.

L'homme souleva son chapeau, révélant ainsi son visage. Lorsqu'elle le reconnut, son sang se glaça dans ses veines.

Première partie

Perdition

I

La salle de rédaction du journal *L'Époque* bourdonnait de conversations animées. Il y avait de l'électricité dans l'air. Prosper Laflèche, le rédacteur en chef, avait convoqué tous les journalistes ainsi que les typographes, les imprimeurs et même les apprentis, afin d'inaugurer la nouvelle presse à cylindre qu'il avait rachetée à un prix raisonnable d'une imprimerie de Boston en faillite. Laflèche l'avait fait venir par bateau jusqu'à Montréal. Il avait fallu pas moins d'une dizaine d'hommes pour la déposer ensuite dans une charrette attelée à quatre chevaux et la transporter jusqu'au journal.

Madeleine Portelance, portant son costume masculin, son haut-de-forme à la main, se tenait au premier rang, accompagnée de Fanette et de la petite Marie-Rosalie. Cette dernière avait tellement insisté pour aller à l'inauguration que Madeleine avait accepté de bonne grâce. De toute manière, elle ne pouvait résister longtemps aux désirs de la fillette, qu'elle adorait. Il lui avait fallu toutefois user de tout son pouvoir de persuasion pour convaincre son patron de laisser sa nièce et sa petite-nièce assister à l'événement. Prosper Laflèche avait d'abord refusé, prétendant qu'une salle de rédaction n'était pas un endroit convenable pour une jeune femme de bonne famille, encore moins pour une enfant.

— Fanette est non seulement ma nièce, mais aussi ma secrétaire particulière, avait rétorqué Madeleine, indignée. Je tiens mordicus à ce qu'elle soit présente. Quant à sa fille, elle est très bien élevée et ne dérangera personne.

Point final, comme le surnommait Madeleine parce qu'il terminait toujours ses phrases par ces mots expéditifs, avait cédé de guerre lasse, non pas tant à cause de l'entêtement proverbial de cette femme au caractère imprévisible, mais surtout pour ménager sa susceptibilité. La plume de Jacques Gallant, pseudonyme de Madeleine Portelance, valait en effet de l'or : son dernier feuilleton, intitulé *Perdition*, avait connu beaucoup de succès et apporté de nouveaux abonnés au journal, facilitant même l'acquisition de sa nouvelle presse. Le rédacteur en chef avait donc décidé de mettre de l'eau dans son vin : son portefeuille pesait plus lourd que des considérations de bienséance.

Madeleine jeta un coup d'œil affectueux à sa nièce. Il y avait déjà près de huit mois que Fanette était sa secrétaire particulière, et elle se félicitait chaque jour d'avoir eu la présence d'esprit de l'employer à son service. La jeune femme possédait une bonne plume et avait également un excellent sens de l'observation, sans compter son talent pour le dessin. Leur seul différend s'était produit au sujet de son feuilleton *Perdition*. En lisant le premier chapitre, Fanette avait tout de suite reconnu sa meilleure amie dans le personnage d'Angéline, une fille de bonne famille séduite et enlevée par un poète sans le sou.

— Si j'avais su que vous feriez de Rosalie un personnage de votre feuilleton, je ne vous aurais jamais fait de confidences à son sujet, avait-elle reproché à sa tante.

— Mais j'ai changé son nom ! s'était défendue Madeleine.

— Vous vous êtes quand même inspirée de sa vie privée.

— J'ai pris quelques éléments, ici et là, mais c'est à peine si mon héroïne lui ressemble.

Médusée par la mauvaise foi de sa tante, Fanette avait lu un passage du feuilleton à voix haute :

— « Angéline ne se trouvait pas jolie, bien qu'elle eût des traits fins et de beaux yeux noirs. De santé fragile à la suite d'une méningite qui avait failli l'emporter dans son enfance, la jeune femme n'avait jamais trouvé grâce aux yeux des jeunes gens, de sorte qu'elle n'était pas encore mariée, malgré ses vingt-cinq ans bien sonnés. Elle était cependant secrètement amoureuse d'un jeune homme, Vincent Lasnier, un poète pauvre mais d'une grande beauté, que la mère d'Angéline, une veuve riche qui tenait un salon très couru par toute la bonne société de Montréal, avait pris sous son aile. La jeune femme passait le plus clair de ses journées à rêvasser, poussant parfois l'audace jusqu'à imaginer Vincent lui embrassant délicatement la main ou lui faisant des déclarations d'amour passionnées, mais elle n'avait jamais osé dévoiler son amour au jeune homme. Pour quelle raison Vincent, qui était beau comme un astre, se serait-il intéressé à une vieille fille sans charme comme elle, alors que toutes les jolies femmes qui couraient les salons de sa mère lui tournaient autour comme des mouches attirées par le miel ? Angéline était loin de se douter qu'un jour ses rêves deviendraient réalité et que, bientôt, elle commettrait un geste si audacieux, si fou, qu'il la mettrait au ban de la société. »

— Le portrait est assez ressemblant, avait admis Madeleine, mais il s'agit tout de même de fiction.

— Avez-vous songé une seconde au tort que vous risquez de faire à Rosalie en exposant ainsi sa vie dans un roman ? s'était exclamée Fanette, les joues en feu. Ne croyez-vous pas que sa situation est déjà assez délicate comme cela ?

— Mais elle l'a finalement épousé, son Lucien Latourelle ! Je ne vois pas en quoi mon feuilleton pourrait lui porter préjudice.

— Sa vie lui appartient. Vous n'aviez pas le droit de vous en servir sans son assentiment.

Madeleine avait défendu bec et ongles la liberté de l'écrivain :

— Crois-en mon expérience, ma chère nièce, les gens ne se reconnaissent jamais dans les personnages inspirés de leur propre vie. Et quand bien même ils le feraient, l'écrivain leur donne la parole et immortalise leur bref passage terrestre. Et puis ton amie est loin d'être ma seule source d'inspiration. Figure-toi que j'ai déjà eu une vie amoureuse, moi aussi !

Les remontrances de sa nièce avaient malgré tout fait réfléchir Madeleine. Envahie par le remords, elle avait rendu discrètement visite à Rosalie, sans en toucher un mot à Fanette. Bien qu'elle eût semblé surprise de la voir, la jeune femme l'avait accueillie avec un sourire radieux. Ses formes rondes commençaient à paraître sous les plis de sa robe.

— Je venais simplement aux nouvelles, avait dit Madeleine. Alors, comment se porte la future maman ?

Rosalie avait effleuré son ventre avec une main.

— Bientôt, il commencera à bouger.

— Il ?

— Je mettrais ma main au feu que c'est un garçon, avait répondu Rosalie, les yeux brillants. Il aura des yeux bleus et des cheveux blonds, comme son père.

— Ainsi, vous êtes heureuse, Rosalie ?

— Quelle question ! Bien sûr que je suis heureuse !

Le bonheur irradiait en effet de tout son être. Il n'y avait aucune trace d'inquiétude ou de contrariété dans ses traits. Rosalie n'avait peut-être pas lu le feuilleton de Madeleine, ou bien cette dernière avait peut-être raison de prétendre que les gens ne se reconnaissent pas dans les personnages qu'ils ont inspirés. Chose certaine, cette visite lui avait enlevé toute culpabilité. Fanette n'avait plus abordé le sujet avec elle, et leurs relations étaient redevenues harmonieuses. Madeleine ne pouvait plus imaginer son existence sans sa nièce et la petite Marie-Rosalie. Dire qu'il n'y avait pas si longtemps, elle ne jurait que par sa sacro-sainte solitude !

❧

La fumée de tabac montait en volutes épaisses vers le plafond de la salle de rédaction. Fanette, tenant sa fille par la main, attendait avec impatience de voir enfin la nouvelle presse, qui avait été recouverte d'une grande bâche lui donnant l'allure d'un mastodonte assoupi. Pendant le trajet vers le journal, sa tante avait expliqué que de grands journaux comme le *New York Daily Times*, le *Philadelphia Public Ledger* et *La Presse*, à Paris, utilisaient des presses rotatives depuis plusieurs années, augmentant ainsi considérablement leur tirage.

— La presse écrite connaîtra bientôt son âge d'or à Montréal ! avait-elle prédit, enthousiaste.

Fanette partageait la passion de sa tante pour tout ce qui relevait de l'univers des journaux. Chaque fois qu'elle entrait dans la salle de rédaction de *L'Époque*, elle était fascinée par l'ambiance qui y régnait, l'odeur d'encre et de papier, le va-et-vient continuel des journalistes, le travail des typographes, des hommes de marbre, des imprimeurs… Elle s'y sentait étrangement à l'aise, malgré le fait qu'il y eût très peu de femmes au journal, à part quelques ouvrières, les *press feeders*, comme on les appelait, qui plaçaient le papier dans les presses. C'était un travail très dur. Les employées devaient porter des gants pour ne pas se couper les mains. Fanette en avait parlé à sa tante, qui avait soupiré en disant :

— Au moins, ces femmes ont un travail et peuvent nourrir leur famille. Par les temps qui courent, ce n'est pas rien.

Bien que sa mère, Emma, lui manquât beaucoup, Fanette aimait sa nouvelle vie à Montréal et n'avait aucun regret d'avoir accepté de devenir la secrétaire particulière de sa tante. Celle-ci avait beau être excentrique et avoir parfois un caractère ombrageux, c'était une femme attachante et généreuse. Elle lui payait un salaire décent, en plus du gîte et du couvert. Entre une course à faire, une lettre à envoyer à l'un des fervents lecteurs de sa tante ou encore des épreuves à corriger, Fanette devait bien sûr s'occuper de sa fille. Heureusement que la dévouée Berthe était là pour lui donner un coup de main ! La fillette, intelligente et espiègle, avait toujours son nez fourré partout, et il fallait garder constamment un œil sur elle, à tel point que Berthe l'avait surnommée « Vif argent ».

Comme pour justifier son surnom, Marie-Rosalie commença à tirer sur la main de sa mère.

— Maman, est-ce que ça va commencer bientôt, l'argunation ?

— *L'inauguration*. Mais oui, ma chouette. Un peu de patience.

Sentant un regard braqué sur elle, Fanette tourna la tête et aperçut Arsène Gagnon, un des journalistes de *L'Époque*. Une plume plantée derrière l'oreille, le reporter l'examinait sans vergogne, comme s'il cherchait à deviner ses formes sous le tissu de sa robe. Fanette fixa le reporter sans ciller, jusqu'à ce qu'il cligne des yeux, mal à l'aise. *Quel goujat*, pensa-t-elle.

Une porte claqua. Prosper Laflèche, en manches de chemise, un cigare à la bouche, s'avança d'un pas vif vers la machine. Une grosse moustache jaunie par le tabac lui donnait un air renfrogné, mais ses yeux pétillants trahissaient une humeur guillerette. Tous dirigèrent leur attention vers lui.

— Mes chers amis, c'est aujourd'hui un grand jour pour notre journal, annonça-t-il d'une voix tonitruante.

Il désigna la machine.

— Gutenberg a révolutionné le monde avec l'invention de l'imprimerie. Avec les presses rotatives à cylindre, l'imprimé connaîtra une seconde révolution ! Et *L'Époque* sera le premier journal montréalais à la mettre en œuvre. Messieurs, une page d'histoire se vit sous vos yeux !

Madeleine toussota dans un mouchoir, comme pour rappeler à son patron que, bien qu'elle portât un costume d'homme, elle faisait encore partie de la gent féminine. Arsène Gagnon émit un gloussement moqueur, puis enleva sa casquette et lança une œillade appuyée à Fanette. Quelques rires se firent entendre, aussitôt étouffés par un regard sévère du patron.

— Gagnon, garde tes pitreries pour toi !

Le reporter baissa le nez vers ses chaussures. Le rédacteur en chef attendit que le silence revienne, puis tira d'un geste théâtral sur la bâche, révélant une énorme presse rotative déposée sur des briques. Des exclamations de surprise accueillirent le dévoilement de la machine, qui ressemblait à un éléphant appuyé sur ses pattes de devant. Fanette la contempla, fascinée. Elle put distinguer les lettres « R. Hoe & Co. » et « New York » gravées dans la fonte. La structure de métal était surmontée d'un immense cylindre.

— Regardez-moi cette merveille ! s'écria Laflèche, d'un ton enflammé. Plus besoin de platine. Le papier s'enroule autour du cylindre, dont la rotation permet d'imprimer avec une vitesse beaucoup plus rapide, et des deux côtés de la feuille, s'il vous plaît ! Cette presse peut tirer jusqu'à huit mille exemplaires à l'heure. *Huit mille*, vous vous rendez compte ? Cela signifie que l'on serait en mesure d'imprimer jusqu'à près de cinquante mille journaux en une seule nuit !

Des journalistes et des imprimeurs hochèrent la tête, médusés par ce chiffre astronomique. Fanette et Marie-Rosalie avaient les yeux rivés sur l'étonnante machine. Même Madeleine, à qui il en fallait beaucoup pour être impressionnée, n'en revenait pas de la taille et des rouages complexes de la presse. Le patron fit signe à une demi-douzaine d'ouvriers qui se tenaient discrètement à l'arrière de la salle.

— Nous allons vous faire une petite démonstration de son fonctionnement.

Les artisans s'approchèrent de la machine, presque intimidés. L'un d'eux transportait une forme qui avait déjà été composée. Il l'installa sur une plaque tandis qu'un imprimeur disposait une pile de feuilles dans le magasin et qu'un autre imbibait les bobines d'encre. Un mécanicien abaissa une manette. Le moteur, qui fonctionnait à la vapeur, se mit en branle. Un bruit infernal, fait de cliquetis de métal et de ronflement du moteur, remplit toute la pièce. Marie-Rosalie dut se boucher les oreilles à cause du vacarme. L'un des ouvriers s'exclama soudain :

— Coupez le moteur !

La machine grinça, puis s'arrêta dans un dernier tremblement de ferraille.

— Qu'est-ce qui se passe ? s'écria Prosper Laflèche, inquiet.

Un ouvrier, penaud, expliqua que des feuilles s'étaient coincées entre le cylindre et la plaque, enrayant le mécanisme.

Le rédacteur en chef poussa un juron de dépit.

— Vous avez les mains pleines de pouces ! Décoincez-moi tout ça, point final !

Les ouvriers s'affairèrent nerveusement, mais en tentant d'extraire le papier, l'un d'eux se prit un doigt dans un engrenage. Du sang gicla. Un pressier commença à maugréer entre ses dents :

— C'est une machine du diable. Les presses à bras, c'est fiable pis ç'a jamais blessé personne.

Des ouvriers l'approuvèrent. Prosper Laflèche les fusilla du regard.

— Assez de rouspétage !

Il se tourna vers le travailleur blessé.

— Lebeault, je t'accorde la journée pour te faire soigner. Quant à vous autres, déclara-t-il en fixant les artisans regroupés autour de la machine, je vous donne une heure pour réparer ma machine, ou ça va barder.

Les hommes se remirent au travail, la mine basse, tandis que Laflèche retournait dans son bureau en claquant brusquement la porte.

Cet incident n'atténua en rien l'enthousiasme de Fanette, qui ne pouvait s'empêcher de songer aux possibilités extraordinaires qu'offrait cette presse qu'un ouvrier avait qualifiée de « machine du diable ». *On craint toujours ce que l'on ne connaît pas*, se dit-elle. Un *press boy* passa près d'elle, transportant une pile de journaux dans ses bras. Fanette le suivit des yeux, songeuse. Un rêve commençait à prendre forme. À plusieurs reprises, elle avait été tentée d'en faire part à sa tante, mais elle s'en était abstenue, se disant que le moment n'était pas encore venu, que c'était présomptueux de sa part d'imaginer qu'elle pourrait un jour l'accomplir, mais le rêve refusait de disparaître. Aujourd'hui, dans l'atmosphère fébrile de la salle de rédaction, il ne lui semblait plus aussi inaccessible. Ce rêve, elle osait maintenant le nommer : devenir journaliste. *Ce soir, je parlerai à ma tante*, décida-t-elle.

II

Lorsqu'elles arrivèrent à la maison, Madeleine, Fanette et Marie-Rosalie furent accueillies par les jappements frénétiques de la chienne George, qui frétilla joyeusement de la queue en les apercevant. Berthe, endormie dans un fauteuil, se réveilla en sursaut. Son visage ahuri provoqua un éclat de rire général. Piquée, la bonne se leva en maugréant.

— C'est le temps gris qui me donnions l'endormitoire.

Tandis qu'Alcidor dételait la voiture et soignait la jument, qu'il avait achetée au propriétaire d'une foire foraine et baptisée Anastazia, Fanette regagna sa chambre, écrivit une lettre à sa mère, puis entendit la cloche qui annonçait le souper. Après le repas, elle donna un bain à sa fille, lui fit la lecture et la borda. La maison était redevenue silencieuse. À peine si l'on entendait de légers craquements dans les murs. Profitant de la tranquillité, la jeune femme descendit au rez-de-chaussée et rejoignit sa tante dans son bureau, aménagé dans une petite pièce en forme d'hexagone, derrière le salon. Celle-ci écrivait fiévreusement, la tête penchée au-dessus de son pupitre. Une mèche s'était échappée de son chignon et tombait sur son front.

— Ma tante, puis-je vous déranger quelques minutes?

— Tu sais bien que tu ne me déranges jamais. Enfin, presque jamais, ajouta Madeleine avec une lueur taquine dans l'œil.

Fanette se recueillit un moment avant de reprendre la parole. Durant le trajet qui les avait ramenées du journal à la maison, elle avait réfléchi à la façon dont elle aborderait avec sa tante ce sujet délicat.

— Voilà huit mois que je travaille pour vous comme secrétaire particulière.

Madeleine la regarda avec inquiétude.

— Tu veux me quitter ?

Sans laisser à sa nièce le temps de répondre, elle enchaîna :

— Ne t'ai-je pas toujours traitée comme il faut ? As-tu sujet à te plaindre de moi ? Si c'est une augmentation de salaire que tu souhaites, je te l'accorde les yeux fermés !

Fanette ne put s'empêcher de sourire.

— Je ne veux pas d'augmentation de salaire. Vous avez toujours fait preuve de générosité à mon égard, et je vous en suis très reconnaissante.

— Alors, de quoi s'agit-il ? Parle ! Je n'aime les mystères que dans mes feuilletons, et encore…

Le roulement d'une voiture leur parvint, puis s'éloigna.

— J'ai un rêve, reprit Fanette. Un rêve qui ne m'a pas quittée depuis mon arrivée à Montréal.

Madeleine observa sa nièce sans répondre, visiblement intriguée. Elle remarqua le teint animé de la jeune femme, ses yeux lumineux, et crut comprendre.

— Tu es amoureuse ! s'exclama-t-elle, croyant qu'il s'agissait du docteur Brissette, qui rendait visite à Fanette chaque dimanche après-midi, à deux heures précises.

Les joues légèrement rosies par la timidité, le médecin demandait des nouvelles de leur santé, puis s'installait toujours dans le même fauteuil de style victorien. Madeleine s'éclipsait à regret, mourant d'envie d'entendre leur conversation. Une heure plus tard, le médecin repartait, promettant de revenir la semaine suivante. Madeleine se précipitait alors au salon pour aller aux nouvelles, craignant que le jeune homme n'ait fait la « grande demande », mais jusqu'à présent il n'avait pas été question de mariage. Fanette, devant les questions pressantes de sa tante, répondait invariablement qu'elle considérait le jeune médecin comme un ami, sans plus. Madeleine n'arrivait pas à comprendre pour quelle raison un jeune homme normalement constitué rendait visite chaque semaine à une jolie jeune femme si ce n'était pas pour lui faire la cour et la demander un jour en mariage.

— Alors ? renchérit-elle, cachant mal son anxiété.

— Il ne s'agit pas d'amour, répliqua Fanette. En tout cas, pas du genre d'amour auquel vous pensez.

Sa tante la regarda, perplexe. La jeune femme poursuivit, la voix chargée d'émotion :

— Je voudrais devenir journaliste.

La surprise cloua Madeleine dans son fauteuil. Puis elle se leva d'un bond, fit quelques pas dans son bureau, tira impatiemment un rideau et se tourna de nouveau vers sa nièce.

— Journaliste ! Les poules auront des dents avant que les patrons de journaux engagent des femmes !

— Mais vous, tante Madeleine ?

— Je signe mes écrits sous un pseudonyme masculin, Jacques Gallant, ne l'oublie jamais. Sans compter que je ne suis pas un reporter, mais une simple feuilletoniste, ce qui n'est pas pris au sérieux par la gent masculine.

Fanette voulut parler, mais sa tante l'en empêcha :

— Et puis j'ai besoin de toi ! Comment peux-tu songer à m'abandonner, après tout ce que j'ai fait pour toi ?

Elle regretta aussitôt sa dernière phrase, qui lui sembla geignarde et remplie d'apitoiement sur elle-même. Fanette mit gentiment sa main sur le bras de sa tante.

— Qui dit que je cherche à vous abandonner ? Je veux continuer à travailler pour vous. Tout ce que je souhaite, c'est apprendre les rudiments du métier.

Madeleine garda un silence buté. La déception de Fanette était si vive qu'elle en eut les larmes aux yeux.

— Vous croyez donc que je n'ai aucun talent ?

Les réserves de Madeleine fondirent en voyant la mine altérée de sa nièce. Pendant de longues années, elle s'était battue pour se faire une place dans une société où les femmes n'avaient pas le droit de vote, ni le droit de posséder un compte bancaire, ni même celui de signer leurs propres œuvres. Un sentiment qu'elle n'avait jamais éprouvé auparavant fit son chemin dans son cœur : le besoin de protéger sa nièce, comme une mère qui cherche à aplanir les obstacles pour son enfant.

— Au contraire, Fanette. Tu as une excellente plume. Seulement, je ne veux pas que tu te fasses d'illusions. La rédaction d'un journal est un monde d'hommes. Jamais Prosper Laflèche ne t'engagera.

— Je suis prête à commencer au bas de l'échelle. Même à devenir une *press feeder*, s'il le faut.

Madeleine fut frappée par la détermination de la jeune femme.

— Ma foi, tu as la tête aussi dure qu'Alcidor !

Après un long silence, elle finit par déclarer, non sans avoir poussé un soupir qui en disait long sur son état d'esprit :

— Très bien. Je parlerai de toi à Point final demain. Je lui demanderai de te prendre comme stagiaire.

Fanette sauta de joie et se jeta dans les bras de sa tante.

— Merci, ma tante, merci, merci ! Vous ne savez pas à quel point je vous en suis reconnaissante.

Madeleine reçut cette marque d'affection avec embarras, elle qui n'avait pas l'habitude des épanchements. Elle ressentit tout de même le besoin de mettre encore une fois sa nièce en garde.

— Surtout, n'attends rien de cette démarche.

III

Le lendemain, Madeleine endossa son costume masculin et se rendit au journal dans sa calèche. Lorsqu'elle entra dans l'immeuble, elle remarqua tout de suite que la porte du rédacteur en chef était close, ce qui était généralement signe qu'il ne voulait recevoir personne. *Tant pis*, se dit-elle. *Une promesse est une promesse.* Une main se posa sur son épaule. En se retournant, Madeleine reconnut Arsène Gagnon, qui arborait une mine obséquieuse.

— Si c'est le patron que vous voulez voir, je vous avertis tout de suite, il est d'une humeur de chien.

Il désigna la presse rotative autour de laquelle s'affairaient des ouvriers.

— La « Hoe » n'est pas encore réparée.

Madeleine repoussa le journaliste d'un geste impatient, comme elle l'aurait fait d'une mouche importune, et se dirigea vers le bureau de Laflèche. Le reporter haussa les épaules, vexé, tandis que la romancière cognait à la porte avec fermeté. Une voix rogue se fit entendre, à peine amortie par le panneau de chêne.

— C'est mieux d'être important !

Après une légère hésitation, Madeleine entra dans le bureau. Point final était installé derrière son pupitre encombré, les manches de sa chemise roulées, son gilet déboutonné, une pipe éteinte au coin des lèvres. Il corrigeait un article. Ses sourcils épais formaient une ligne opaque au-dessus de ses yeux. Madeleine prit place sur une chaise. Après avoir raturé rageusement un passage, le rédacteur poussa un soupir.

— Ça se dit journaliste, et ce n'est même pas capable d'écrire sans faire une faute par ligne.

Madeleine se racla la gorge pour signaler sa présence. Laflèche leva brièvement la tête et se rembrunit en la voyant.

— Ça tombe bien, madame Portelance, je voulais justement vous voir.

Le ton sec de son patron ne présageait rien de bon, mais Madeleine passa outre.

— Les grands esprits se rencontrent, répliqua-t-elle en s'efforçant d'avoir l'air aimable. Je souhaitais moi-même vous dire deux mots concernant ma nièce.

Comme s'il ne l'avait pas entendue, le rédacteur désigna des lettres empilées sur son pupitre.

— Voici quelques missives que nous avons reçues de la part d'abonnés au sujet de *Perdition*. La plupart sont plutôt positives.

— Vous les avez ouvertes ? s'écria Madeleine, scandalisée.

— Ces lettres sont adressées aux soins du journal. Elles ne sont donc pas de nature privée. Je vous invite à lire celle-ci en particulier.

Il prit une enveloppe au-dessus de la pile et la tendit à la feuilletoniste. Intriguée, elle la saisit et y jeta un coup d'œil. Le papier était épais et de bonne qualité. Une écriture nette et élégante avait adressé la lettre à monsieur Jacques Gallant, aux soins de la rédaction du journal *L'Époque*.

— Lisez, lisez, s'impatienta Laflèche.

Retirant trois feuillets de l'enveloppe, la romancière s'attarda d'abord à la signature.

I. G. Évêque de Montréal
Par Monseigneur Ignace Bourget,
J. O. Paré, Chanoine secrétaire.

Madeleine blêmit. *Monseigneur Ignace Bourget.* Le célèbre prélat avait la réputation d'être un bourreau de travail, qui dormait à peine quelques heures par nuit afin de se consacrer à ses nombreuses tâches épiscopales et évangéliques. Elle s'étonnait qu'un personnage si important eût pris la peine de lui écrire. Elle commença la lecture de la lettre.

Monsieur,

L'un de nos paroissiens, que je ne nommerai pas dans cette missive pour ne pas le compromettre, nous a signalé l'existence de votre ouvrage intitulé *Perdition*. La description que notre dévoué fidèle nous a faite de vos écrits nous a plongés dans la plus profonde indignation.

Notre jeunesse, nos familles sont déjà exposées à tant de mauvaise littérature, sans compter des lieux de perdition comme les théâtres, faut-il encore que nos journaux leur jettent en pâture des sujets et des propos que la décence ne nous permet pas d'aborder dans cette missive ? Nos efforts zélés et constants afin de propager la bonne parole et de conduire nos ouailles dans les chemins de la vertu et de la grâce se butent constamment aux mauvais exemples dont les romans regorgent. C'est pour protéger nos paroissiens de ces influences néfastes pour leur bien-être moral et spirituel que nous avons ainsi mis à l'Index les ouvrages impies des Hugo, Balzac, Sand et consorts qui, par leur absence de morale chrétienne et de bienséance, représentent un véritable danger pour la sauvegarde des âmes de nos fidèles.

Je vous conjure donc, au nom de votre foi et du respect des valeurs qu'elle représente, de ne plus donner en pâture à vos lecteurs des écrits dépeignant des comportements indignes. Réfléchissez à la grâce que Dieu vous a donnée en vous dotant de la capacité d'écrire, et servez-vous de votre plume pour l'édification des âmes, et non pour leur perte.

Bien sûr, le prélat n'avait pas rédigé lui-même la missive, mais il en avait dicté l'essentiel à son secrétaire. L'étonnement de Madeleine fut vite remplacé par la colère. Monseigneur Bourget ne lésinait pas sur la morale. Depuis qu'il avait succédé à monseigneur Lartigue à la tête de l'évêché de Montréal, en 1840, il avait déployé une ardeur peu commune à condamner les œuvres qu'il jugeait trop licencieuses. Comment pouvait-on interdire de grands écrivains comme Hugo ou Sand sans être soi-même un bigot invétéré? Le fait que l'évêque de Montréal pousse le zèle jusqu'à s'immiscer dans l'écriture d'un simple feuilleton en disait long sur sa pugnacité. Gagnée par l'anxiété, Madeleine sortit un cigare d'une poche de sa redingote et l'alluma, au grand dam du rédacteur en chef.

— Vous savez bien que je n'approuve pas les femmes qui fument.

— Aujourd'hui, je m'appelle Jacques Gallant, rétorqua Madeleine. Le fait que je fume ne devrait donc pas vous incommoder.

Elle fit quelques ronds avec la fumée de son cigare, consciente que son geste était un tantinet provocant, mais c'était pour elle une façon de montrer à son patron qu'il ne l'intimidait pas. Irrité, Laflèche se retint toutefois de lui asséner une réplique cinglante comme il en avait le don. Il était dans son intérêt de se concilier les bonnes grâces de la romancière, dont le succès ne se démentait pas. Il mit ses coudes sur le pupitre et se pencha vers la feuilletoniste.

— Je serai franc avec vous, madame Portelance. Vous nous avez mis dans un sacré pétrin. Vous rendez-vous compte du pouvoir de monseigneur Bourget? Il pourrait faire fermer notre journal par un simple mandement.

Madeleine haussa les épaules.

— Croyez-vous qu'un homme aussi important s'en prendrait à un journal comme le nôtre pour des vétilles?

Laflèche donna un coup de poing sur la table, faisant trembler un pot d'encre.

— Des vétilles?

Il saisit la lettre et en lut un passage:

— « Notre jeunesse, nos familles sont déjà exposées à tant de mauvaise littérature, sans compter des lieux de perdition comme les théâtres, faut-il encore que nos journaux leur jettent en pâture des sujets et des propos que la décence ne nous permet pas d'aborder dans cette missive ? » Vous osez appeler ça des vétilles ?

Un lourd silence succéda à sa diatribe.

— Qu'attendez-vous de moi ? finit par dire Madeleine, sur les charbons ardents.

— Je vous demande de mettre de l'eau dans votre vin. Fabriquez une fin édifiante, cela rassurera son éminence. Tenez, votre héroïne pourrait avoir une tante religieuse, qui l'inciterait à entrer en communauté. Vous ferez pleurer vos lectrices, monseigneur Bourget sera satisfait et la morale sera sauve.

— Mais c'est impossible ! s'exclama la romancière. Vous oubliez qu'Angéline porte l'enfant de Vincent Lasnier.

— Alors qu'elle le donne en adoption !

Ce fut au tour de Madeleine de frapper le bureau avec le plat de sa main.

— Jamais, m'entendez-vous ? Jamais !

Elle était si furieuse que son visage en était congestionné.

— Si vous refusez d'entendre raison, je mettrai fin à votre contrat, décréta le patron.

— Si vous brisez mon contrat, je vous poursuivrai.

Laflèche leva les yeux au ciel.

— Allons donc ! Vous savez bien qu'une femme ne peut poser aucune action juridique.

— Je le ferai au nom de Jacques Gallant.

Le rédacteur en chef et la romancière se regardèrent en chiens de faïence. Puis Laflèche s'appuya sur le dossier de sa chaise, qui craqua.

— Faites ce que je vous demande, et j'augmente votre tarif de deux sous la ligne. J'attends votre réponse à la première heure demain, point final.

Il se mit à chipoter dans ses dossiers, voulant indiquer que la rencontre était terminée.

Contenant sa fureur, Madeleine écrasa avec ostentation son cigare dans un cendrier, reprit son haut-de-forme et se dirigea vers la porte. Son patron l'interpella :

— Vous vouliez me parler de votre nièce.

Dans son emportement, Madeleine avait complètement oublié la raison de sa visite. Elle tâcha de recomposer son visage et de retrouver son calme.

— Comme vous le savez, Fanette est ma secrétaire depuis près d'un an. J'ai été à même de constater ses grandes qualités : esprit d'initiative, excellente plume, rigueur, ponctualité…

— Tant mieux pour vous, l'interrompit-il, mais je ne vois pas en quoi les qualités de votre nièce me concernent.

— Eh bien… Elle souhaiterait apprendre les rudiments du métier de journaliste. J'ai pensé que vous pourriez l'engager comme apprentie.

Un silence lourd s'installa soudain, ressemblant à celui qui précède un orage. Le patron arborait une mine indéchiffrable. Puis il finit par parler, la voix assourdie par la colère.

— Je dirige un journal sérieux, madame Portelance. Je préfère périr dans les feux de l'enfer plutôt que de permettre à une femme de porter le nom de journaliste. Me suis-je bien fait comprendre ?

Tout en s'attendant à un refus, Madeleine fut néanmoins anéantie par la dureté de la réponse.

— Ma nièce serait disposée à commencer au bas de l'échelle, balbutia-t-elle.

— Dites à *votre nièce* que je ne veux plus qu'elle remette les pieds à la rédaction. Elle distrait mes hommes.

Madeleine serra les lèvres et sortit en claquant la porte. La colère lui donnait des palpitations, à un point tel qu'elle pensa être victime d'une commotion cérébrale. Elle traversa la salle de rédaction, la tête haute, consciente des regards curieux des employés rivés sur elle, particulièrement celui d'Arsène Gagnon, railleur et hostile.

IV

Tandis que Marie-Rosalie traçait quelques lettres de l'alphabet dans un cahier, sa langue rose pointant légèrement à cause de l'effort, Fanette consulta sa montre de poche : plus d'une heure s'était écoulée depuis que sa tante était partie pour le journal. La jeune femme commençait à se ronger les sangs, se demandant comment le rédacteur en chef avait réagi à la démarche de Madeleine. Il était si ombrageux et autoritaire… Elle entendit soudain le roulement d'une voiture et reconnut la voix de sa tante et son « Hue dia ! » caractéristique.

Fanette s'assura que Berthe était dans les parages pour surveiller sa fille et se précipita vers la cour où se trouvait l'écurie. Elle aperçut sa tante qui descendait de la calèche, le visage sombre et les dents serrées. Madeleine traversa la cour à grandes enjambées et passa à côté de sa nièce sans lui prêter attention. Les mots que Fanette voulait lui adresser se figèrent dans sa gorge. Les choses avaient dû bien mal se passer pour que sa tante la traitât de la sorte. Alcidor commença à dételer la jument sans piper mot, habitué qu'il était aux sautes d'humeur de sa maîtresse.

— Vous faites pas de mouron, ma'me Fanette, dit-il gentiment. L'orage va passer.

Fanette fut tentée de rejoindre Madeleine afin d'avoir des explications, mais elle s'en abstint. Alcidor avait raison. Mieux valait attendre que l'orage passe.

La journée s'écoula lentement. Contrairement à son habitude, Madeleine s'était enfermée dans sa chambre et ne descendit pas pour le dîner. Berthe hocha la tête.

— J'sais ben pas ce qui se trame. Y aurait un tremblement de terre que madame Portelance sauterait pas un repas !

La servante monta tout de même un plateau à sa maîtresse, qu'elle laissa devant la porte fermée, mais en revenant le prendre une heure plus tard, elle constata qu'il était intact.

Bien qu'elle n'eût pas le cœur à travailler, Fanette tâcha d'occuper son après-midi en payant quelques factures et en répondant à des lettres de lecteurs, selon une formule que sa tante lui avait dictée :

> Merci de tout cœur de votre intérêt pour mon feuilleton *Perdition*. Je suis honoré de vous compter parmi mes lecteurs. Avec les hommages respectueux de l'auteur, Jacques Gallant.

Même Marie-Rosalie semblait s'être aperçue de l'atmosphère lourde qui régnait dans la maison, car elle jouait tranquillement avec la poupée de porcelaine qu'Emma lui avait offerte pour son anniversaire, quelques mois auparavant, babillant à mi-voix. Lorsque Berthe sonna la cloche pour annoncer le souper, Fanette se rendit dans la salle à manger avec sa fille. La chaise de Madeleine était vide. Ce ne fut qu'au moment où Berthe déposait une grosse soupière sur la table que la tante de Fanette entra dans la pièce. Elle avait gardé sa tenue masculine. Ses yeux étaient rouges, indiquant qu'elle avait pleuré. Prenant place en silence, elle ne toucha pas à la soupe que Berthe venait de lui servir. Personne n'osa dire un mot. La chienne George agita à peine la queue. Soudain, Madeleine donna un coup de poing sur la table, faisant trembler les verres de cristal.

— Cette fois, Point final a dépassé les limites. Il a eu le front de me demander de changer ma fin pour acheter la paix avec monseigneur Bourget, qui s'est plaint dans une lettre du manque de moralité de mon feuilleton.

Le nom du prélat était familier à Fanette, bien qu'elle ne sût pas grand-chose à son sujet, sinon qu'il prônait un retour aux valeurs chrétiennes et qu'il avait appuyé des campagnes de tempérance.

— Point final m'a offert une petite augmentation de deux sous la ligne pour acheter ma complaisance, mais le jour n'est pas venu où je plierai l'échine devant un homme, quand bien même il serait l'archevêque de Montréal ! s'exclama Madeleine. Ma décision est prise. Je quitte le journal.

Ce n'était pas la première fois que sa tante était à couteaux tirés avec son patron et menaçait de partir, mais cette fois, cela semblait sérieux et n'augurait rien de bon quant à la démarche que Fanette l'avait priée d'accomplir. Mais il lui fallait en avoir le cœur net. Profitant du fait que Madeleine prenait une gorgée de vin, elle aborda le sujet qui la préoccupait.

— Avez-vous parlé de moi à monsieur Laflèche ? l'interrogea-t-elle d'une voix mal assurée.

Madeleine déposa son verre et se racla la gorge.

— Je t'avais avertie de ne pas te faire d'illusions. Prosper Laflèche ne veut pas entendre parler d'engager une femme.

Fanette avait beau s'être attendue à cette décision, sa déception n'en fut pas moins vive. Madeleine prit une autre gorgée de vin pour se donner le courage de poursuivre.

— Je ne t'ai pas dit le pire. Il ne veut plus que tu te présentes à la salle de rédaction du journal.

— Pour quelle raison ? s'enquit Fanette, la voix blanche.

Incapable de soutenir son regard, Madeleine détourna la tête.

— Il prétend que tu distrais les hommes.

— Mais c'est absurde ! s'exclama Fanette, submergée par la révolte. Je n'ai rien fait pour mériter un pareil jugement.

— Je sais bien, ma pauvre enfant. Ton seul péché, c'est d'être une femme, jeune et belle de surcroît.

Pour la première fois depuis qu'elle connaissait sa tante, Fanette comprit que celle-ci s'habillait en homme non par une sorte d'excentricité plutôt amusante, mais par cruelle nécessité. Cette réalité lui dessilla brutalement les yeux. Son rêve de devenir journaliste se déchira, telle une voile de bateau lacérée par un vent trop puissant.

V

Fanette n'avait pas fermé l'œil de la nuit. Les paroles de sa tante tournaient constamment dans sa tête. *Prosper Laflèche ne veut pas entendre parler d'engager une femme. Il ne veut plus que tu te présentes à la salle de rédaction du journal. Tu distrais les hommes. Ton seul péché, c'est d'être une femme, jeune et belle de surcroît.* L'inflexibilité du rédacteur en chef et sa misogynie invétérée avaient eu l'effet d'une bombe. Fanette n'arrivait pas à concevoir que le seul fait d'être une femme lui enlève *de facto* toute possibilité d'exercer un métier qu'elle aimait. Une telle injustice la mettait hors d'elle.

Lorsque les premiers rayons de soleil pénétrèrent dans la chambre, Fanette se résigna à se lever. Même la vue de Marie-Rosalie dormant paisiblement dans son lit ne réussit pas à la rasséréner. Son avenir lui parut tout à coup bouché, sans issue. Malgré son affection pour sa tante, la perspective de passer le restant de ses jours à répondre aux lettres que celle-ci recevait, à relire et à corriger ses manuscrits lui sembla soudain étroite, étouffante.

S'efforçant de chasser ces pensées sombres, Fanette fit sa toilette et se rendit dans la salle à manger. Madeleine s'y trouvait déjà, sa chienne George assise fidèlement à ses pieds. Fanette remarqua avec étonnement que sa tante portait une élégante robe de soie moirée qu'elle ne lui avait jamais vue. Elle s'était soigneusement coiffée et avait même pris la peine de mettre un peu de fard sur ses joues, ce qui ne lui arrivait qu'en de très rares occasions. Son visage était figé dans une expression de froide détermination.

Fanette prit place à table en silence, n'osant interrompre la méditation de sa tante.

— J'imagine que tu as aussi mal dormi que moi? dit alors Madeleine.

— En effet.

Berthe entra dans la pièce et servit du café. Madeleine attendit que la servante sorte pour reprendre la parole.

— J'ai trouvé cette robe dans le fond de ma penderie. Il y avait des lustres que je l'avais portée. Elle doit être complètement passée de mode.

— Elle vous va très bien, commenta Fanette, désarçonnée par le ton faussement léger de sa tante, qui contrastait avec sa mine glaciale.

Madeleine tourna la tête vers sa nièce. Ses yeux noirs avaient la dureté de l'ardoise.

— À partir d'aujourd'hui, je renonce à porter mon habit d'homme. Puisque le sort m'a fait naître femme, j'adopterai les vêtements et les attitudes qui conviennent au sexe faible.

Elle avait appuyé sur les mots « sexe faible » avec une ironie amère. Fanette comprit que la décision de sa tante avait un lien direct avec les événements de la veille.

— J'ai réfléchi toute la nuit, enchaîna Madeleine. Quand bien même je ferais des pieds et des mains pour offrir mes services à un autre journal, ce serait peine perdue. Je retrouverais les mêmes obstacles, les mêmes pressions pour me conformer à la morale bien-pensante. De toute manière, il n'y a aucune gazette qui ait l'envergure de *L'Époque*. Avec l'achat de la nouvelle presse rotative, s'il peut toutefois parvenir à la faire fonctionner, Prosper Laflèche en fera le journal le plus influent du Québec. À moins de m'exiler à Paris, je ne vois pas comment je pourrais me sortir de cette impasse. Et même Paris n'est pas une panacée. George Sand a beau être l'un des meilleurs écrivains de sa génération, son grand talent n'a jamais été reconnu à sa juste valeur. Et elle a même été obligée d'adopter un nom d'homme pour être prise au sérieux.

— Qu'avez-vous l'intention de faire ? demanda Fanette, saisie par le constat lucide et sans complaisance de sa tante.

Cette dernière répondit par une autre question :

— As-tu déjà entendu parler de Pauline Roland ?

Fanette fit non de la tête.

— C'était la fille d'un maître de poste aisé d'une petite ville de Normandie. Éprise des idéaux de Saint-Simon, qui prônait l'égalité entre les hommes et les femmes, elle quitta sa famille dès l'âge de vingt ans et s'installa à Paris dans l'espoir d'y mettre en pratique ses rêves de justice et d'égalité. Ceux-ci se brisèrent sur l'écueil de la réalité. Ne trouvant pas un emploi à la hauteur de ses capacités, abandonnée par ses amis d'hier, elle se réfugia pendant quelques années dans une communauté de gens qui partageaient son idéal. Puis en 1848, elle contribua à fonder la première association d'instituteurs et d'institutrices socialistes. Le gouvernement de Louis-Napoléon arrêta la pauvre femme pour activités séditieuses. Elle fut déportée en Algérie et ne fut libérée que quatre ans plus tard. Elle revint à Paris, où elle mourut d'épuisement. Si Victor Hugo ne lui avait pas consacré un poème dans *Les Châtiments*, plus personne ne se souviendrait d'elle aujourd'hui.

Madeleine caressa distraitement la tête de son basset.

— Tu te demandes sans doute pourquoi je t'ai raconté cette triste histoire...

Fanette ne répondit pas, attendant que sa tante poursuive.

— J'ai décidé d'accepter l'offre de Point final, si l'on peut appeler « décision » une chose sur laquelle je n'ai aucune emprise.

Fanette garda le silence, cachant mal sa déconvenue. Sa tante lui saisit un bras.

— Je te déçois, je le sais. Je devrais envoyer paître cet imbécile pétri de préjugés et refuser de faire les changements qu'il exige, mais je n'ai pas le courage de Pauline Roland, sans compter que je dois gagner ma vie. Je ne peux me permettre le luxe de vivre à la hauteur de mes principes. Angéline prendra donc le voile, et son enfant sera recueilli par une bonne famille de Montréal.

Elle abandonna le bras de sa nièce et se leva.

— Un jour viendra sans doute où les femmes pourront choisir de travailler à leur guise, dans des domaines qui sont pour le moment des chasses gardées masculines. Tu es jeune, tu as encore toute la vie devant toi. Sait-on jamais, tu réussiras peut-être là où j'ai échoué.

Lissant les plis de sa robe, Madeleine quitta la salle à manger dans un froufroutement de soie.

VI

Le même jour

Assise seule à la table de la salle à manger qui avait appartenu à ses grands-parents et que sa mère lui avait offerte en guise de cadeau de noces, Rosalie attendait Lucien pour le souper. À huit heures, il ne s'était pas encore présenté et n'avait pas même pris la peine d'envoyer un mot d'excuse. Elle se résigna à sonner la bonne.

— Monsieur Latourelle a eu un contretemps, il ne pourra venir souper. Vous pouvez commencer à faire le service, Agathe.

La servante obéit, non sans avoir jeté un regard rempli de compassion à la jeune femme, dont le ventre saillait sous sa robe pourtant ample. Elle n'était pas dupe des excuses que sa maîtresse donnait pour justifier les absences de son mari, car cette situation se produisait presque chaque soir.

Après avoir mangé du bout des lèvres, Rosalie regagna sa chambre, marchant avec difficulté. Elle jeta un coup d'œil à l'horloge sur le manteau de la cheminée, qui indiquait neuf heures. Lucien n'avait toujours pas donné signe de vie. Elle s'arrêta devant la fenêtre et en écarta le rideau, espérant apercevoir la voiture de son mari, mais la rue était déserte. La peine lui noua la gorge. Pourtant, elle avait été si heureuse au début de leur mariage ! Pas une journée ne s'écoulait sans qu'elle sentît une joie profonde, le sentiment que sa vie avait enfin un sens, même si sa grossesse s'annonçait difficile. Le docteur Brissette, que Fanette lui avait recommandé et qui venait lui rendre visite régulièrement, lui avait conseillé de rester allongée le plus possible durant les premiers mois afin de s'assurer que l'enfant resterait bien accroché. Elle passait donc le plus clair de ses journées enfermée dans sa chambre, mais son bonheur effaçait les inconvénients de sa condition.

Au début de sa grossesse, Lucien avait fait preuve de gentillesse et de dévouement. Il lui apportait souvent son déjeuner au lit, s'attardant pour bavarder avec elle et lui faire la lecture. Il avait parfois de ces petites attentions qui la touchaient aux larmes. Un matin, avant d'aller faire sa promenade « pour trouver de l'inspiration », lui avait-il dit, il avait laissé une rose sur son oreiller ; une autre fois, il lui avait dédié un nouveau poème. Il s'inquiétait pour sa santé, lui demandant plusieurs fois par jour comment elle se portait. Dès qu'il la trouvait un peu trop pâle, il lui proposait d'aller chercher le docteur Brissette, ce qui la faisait sourire :

— Ce n'est pas nécessaire, Lucien. Je vais très bien.

Elle regarda de nouveau l'horloge, se demandant comment les choses avaient pu se dégrader à ce point. À quel moment le comportement de Lucien avait-il changé à son égard ? Elle ne pouvait se rappeler l'événement précis, mais à bien y penser, cela avait commencé lorsque le couple avait reçu une invitation à une réception donnée par le maire de Montréal, Jean-Louis Beaudry. N'ayant aucune attirance pour les soirées mondaines, encore moins depuis qu'elle attendait un enfant, Rosalie avait décidé de ne pas y aller, mais elle avait insisté pour que son mari accepte l'invitation.

— Tu es toujours confiné entre quatre murs. Cela te distraira.

Lucien ne s'était pas fait prier. Il était revenu enchanté de la soirée, décrivant avec enthousiasme la magnificence de la maison du maire, les toilettes des femmes, l'orchestre qui jouait des airs à la mode, le faste du repas servi par des valets vêtus d'habits noirs, l'élégance de la porcelaine de Limoges et l'éclat des verres de cristal dans la lumière des lustres. Sa joie presque juvénile avait ému Rosalie. Tout ce qui pouvait rendre Lucien heureux la rendait heureuse par procuration.

Après cette soirée, la vie quotidienne avait repris son cours. Lucien avait continué à se montrer prévenant envers sa femme, mais faisait parfois des commentaires sur l'étroitesse de leur existence, leur mobilier confortable, mais sans goût, la monotonie des soirées qui s'étiolaient au son du tic-tac de l'horloge. Rosalie accueillait ces observations avec indulgence, les mettant sur le compte de la sensibilité de son mari. Les poètes n'aspiraient-ils pas naturellement à la perfection ? Le goût de Lucien pour les belles choses allait de pair avec son tempérament d'artiste. Puis elle avait remarqué les sorties de plus en plus fréquentes de son mari, ses dépenses parfois extravagantes chez les tailleurs et les bottiers les plus chers de Montréal. Sa mère lui avait donné une dot de quinze mille dollars par année, largement suffisante pour subvenir aux besoins du ménage, mais au rythme avec lequel Lucien la dissipait, il n'en resterait plus assez pour payer les dépenses courantes. Rosalie avait tenté timidement de lui en faire la réflexion. Offusqué, Lucien l'avait alors accusée de mesquinerie.

— Chaque fois que j'essaie de m'élever au-dessus de notre condition, tu me rabaisses.

Au fil des déceptions, les espérances de Rosalie s'étaient réduites comme peau de chagrin. Plus le temps passait, plus Lucien traitait sa femme avec un détachement proche du mépris. Même sa passion pour la poésie semblait s'étioler, telle une plante manquant d'eau. Il ne travaillait presque plus, perdant son temps à écumer les soirées mondaines. Il suffisait que Rosalie lui demande s'il avait écrit pour qu'il entre dans de vives colères, lui reprochant de surveiller ses moindres faits et gestes, se plaignant d'être prisonnier dans sa propre maison. Ces critiques étaient si injustes que Rosalie en perdait ses moyens et se réfugiait dans sa chambre pour y pleurer à son aise, car même ses larmes agaçaient Lucien, qui y voyait une forme de chantage.

Sa pensée s'attarda à Fanette. Était-elle heureuse ? Bien que sa meilleure amie se confiât peu sur ses sentiments, Rosalie avait souhaité que cette dernière ne soit pas indifférente au docteur Brissette. Depuis la mort de Philippe et le mariage avorté avec

Alistair Gilmour, Fanette n'avait jamais fait allusion à la présence d'un « cavalier » dans sa vie, ni à son désir d'en avoir un, mais semblait avoir de l'estime pour le jeune médecin. *Au moins, personne ne la rendra malheureuse*, songea Rosalie avec une amertume qui la surprit elle-même.

Une douleur foudroyante remua ses entrailles. Rosalie s'appuya sur sa coiffeuse en tentant de reprendre son souffle. Puis elle sentit un liquide chaud couler entre ses jambes. Elle appela sa servante. Agathe survint quelques instants plus tard, la mine inquiète.

— Je viens de perdre mes eaux, annonça Rosalie. Je t'en prie, va chercher le docteur Brissette.

La servante partit en flèche. Rosalie s'affala dans un fauteuil, tâchant de prendre de grandes inspirations, comme le docteur le lui avait recommandé, mais un autre élancement, encore plus vif que le premier, la secoua. Elle se leva et fit quelques pas dans sa chambre, espérant que cela atténuerait la souffrance, mais celle-ci se prolongeait, semblable à une main de fer qui l'eût broyée de l'intérieur. Une demi-heure s'écoula avec une lenteur désespérante. Aussi, c'est avec soulagement qu'elle entendit frapper à sa porte. La silhouette familière du docteur Brissette apparut sur le seuil. Il ne fallut au médecin qu'un seul coup d'œil à sa patiente pour se rendre compte que le travail avait commencé.

— Étendez-vous, dit-il d'une voix ferme, en déposant sa sacoche de médecine sur une chaise et en enlevant sa redingote.

Dès son arrivée, il avait donné ordre à la servante d'apporter plusieurs bassines d'eau chaude et quantité de linges propres. Il roula ses manches et se lava soigneusement les mains, puis il examina Rosalie. Le col de l'utérus commençait à se dilater. Constatant que sa patiente grimaçait de douleur, il s'empressa de la rassurer.

— Tout se passera pour le mieux, madame Latourelle. Vous serez bientôt mère.

VII

L'accouchement dura près de dix heures. Croyant sa dernière heure arrivée, Rosalie, pendant son labeur, avait prié sa bonne d'aller chercher Fanette. Celle-ci avait aussitôt accouru au chevet de son amie, assistant le docteur Brissette avec calme et célérité. Fanette était si absorbée par ses tâches qu'elle avait relégué ses déceptions professionnelles au second plan.

Rosalie avait perdu beaucoup de sang. Avec l'aide de la jeune servante, Fanette rapportait à la cuisine les bassines remplies d'eau rougeoyante, qu'elle vidait ensuite dans l'évier et remplissait d'eau chaude, retenant ses larmes à grand-peine. Bien que le docteur Brissette affichât son optimisme habituel, elle commençait à craindre pour la vie de Rosalie. De temps en temps, la pauvre jeune femme demandait à Fanette, d'une voix de plus en plus faible :

— Où est Lucien ? N'est-il pas encore revenu ?

La gorge de Fanette se serrait de colère et de chagrin. Comment Lucien pouvait-il faire preuve de tant d'égoïsme et d'inconscience ? Lorsque l'horloge marqua six heures du matin, le médecin fit un signe discret à Fanette et l'entraîna hors de la chambre afin de parler plus à son aise.

— Elle s'affaiblit de plus en plus, lui confia-t-il. Je crains qu'elle n'ait pas la force de poursuivre son labeur. Il faudra sans doute que j'utilise les forceps.

Fanette n'osa poser la question qui la faisait trembler. *Risque-t-elle de mourir ?* Le médecin la devina dans ses yeux angoissés.

— Pour le moment, elle n'a pas de fièvre. Mais si elle continue à perdre du sang, je ne réponds plus de rien, dit-il à mi-voix.

Mon Dieu, faites qu'elle vive, pria intérieurement Fanette. *Faites qu'elle vive, et que son enfant soit en bonne santé.* Il lui fallut tout son courage pour retourner dans la chambre de Rosalie et se composer un air serein. Sa crainte se raviva lorsqu'elle aperçut son visage exsangue et ses paupières bistrées d'ombres mauves. Elle prit un linge humide et essuya délicatement son front.

— Lucien n'est pas encore là ? murmura Rosalie.

— Il ne saurait tarder, répondit Fanette, réprimant sa révolte.

Le docteur Brissette palpa le ventre de sa patiente et fit un nouvel examen de son col.

— Le bébé est bien placé, mais le col a cessé de se dilater. Je vais devoir me servir de forceps.

Il posa une main sur le bras de Rosalie.

— Courage, nous y sommes presque.

La jeune femme pinça ses lèvres pâles sans répondre. Puis elle tourna la tête vers Fanette, qui lui serra la main pour l'encourager. Le médecin administra quelques gouttes de laudanum à sa patiente afin de soulager la douleur, puis extirpa des fers de sa sacoche. Fanette sentit un frisson la parcourir en voyant les forceps, qui ressemblaient davantage à un instrument de torture qu'à un objet pour délivrer une parturiente.

Après s'être à nouveau soigneusement lavé les mains, le docteur Brissette imbiba un linge de phénol et essuya les forceps afin de les stériliser. Il avait appris les bénéfices du phénol grâce à une revue scientifique qui avait publié les travaux du docteur d'origine hongroise Ignaz Semmelweis. Celui-ci avait découvert que la fièvre puerpérale, dont de nombreuses femmes étaient victimes dans la maternité de Vienne où il exerçait, était causée par le manque d'hygiène des médecins et avait donc conseillé la stérilisation des instruments chirurgicaux et le simple lavage des mains afin d'enrayer la propagation de la maladie.

Le docteur Brissette stérilisa également une paire de ciseaux qui serviraient à couper le cordon ombilical, puis se pencha vers sa patiente et lui parla avec douceur.

— Tout ira pour le mieux. Courage.

Rosalie gémit en sentant l'instrument de métal froid entrer en elle. Fanette prit place près de son amie et lui saisit les mains.

— Tiens bon.

Un faible sourire éclaira le visage hâve de la pauvre femme. Le roulement d'une voiture se fit entendre. Rosalie tenta de se redresser.

— C'est lui, c'est Lucien, s'exclama-t-elle, remplie d'espoir.

— Je vous en prie, ne bougez pas, ordonna le médecin.

La voiture s'éloigna sans s'arrêter. Rosalie ferma les yeux. Une déception mêlée de désespoir l'envahit.

— À quoi bon, dit-elle soudain. À quoi bon.

— Ne pense plus à lui, pense à ton enfant. C'est tout ce qui compte pour l'instant, lui souffla Fanette, tout en maudissant Lucien Latourelle de ne pas être présent pour l'accouchement de sa propre femme. *Comment peut-on manquer de cœur à ce point ?*

Les sourcils froncés, le docteur Brissette continua son travail. La tête du bébé était maintenant enserrée par les forceps. Le médecin se mit à tirer doucement, tâchant de ne pas déchirer le col. La tête apparut, couverte d'un duvet blond. Il continua à tirer. Le corps suivit. C'était un garçon. Il était d'un blanc de craie.

— Donnez-moi les ciseaux, dit le docteur Brissette entre ses dents.

Fanette obéit. Le médecin coupa le cordon ombilical. La pâleur du nouveau-né, son immobilité l'inquiétaient. Il le souleva par les pieds et lui administra quelques tapes, mais rien ne se produisit. En lui examinant la bouche, il trouva des muqueuses qu'il s'empressa d'enlever, mais l'enfant ne respirait toujours pas. Rosalie se souleva sur les coudes malgré la douleur.

— Que se passe-t-il ? Mon enfant se porte bien, n'est-ce pas ?

Le médecin colla son oreille sur la poitrine du nouveau-né, puis lui prit le pouls. Il ne sentit rien. Pas la moindre pulsation, aucun battement des artères. Le corps était déjà froid. Il leva des yeux désolés vers Fanette, qui comprit la vérité. Terrifiée par le silence qui se prolongeait, Rosalie saisit la manche du médecin.

— Mon enfant...

Il secoua lentement la tête.

— Il ne respire pas. J'ai tout fait en mon pouvoir... Il était déjà mort. Je suis navré.

Incapable de poursuivre, il haussa les épaules en signe d'impuissance. Rosalie retomba sur son lit, anéantie. Toujours engourdie par le laudanum, elle ressentait une immense douleur, mais à distance, comme si une autre personne l'éprouvait à sa place.

— Je veux tenir mon bébé dans mes bras, finit-elle par dire, la voix brisée.

Le docteur Brissette déposa le corps du bébé sur la poitrine de Rosalie, qui le serra contre elle avec des sanglots enroués. Fanette se détourna pour essuyer ses larmes. La détresse de son amie lui était insupportable. S'il avait fallu qu'elle-même perde Marie-Rosalie, elle ne s'en serait jamais remise.

Personne n'entendit la porte s'entrouvrir. Lucien entra dans la pièce. Il s'arrêta sur ses pas, saisi par le désolant tableau : les linges, les bassines et les draps rougis de sang, le visage blême de sa femme tenant contre elle un petit corps blanc, qui semblait fait de cire.

— Mon Dieu, murmura-t-il.

Fanette se tourna vers le jeune homme. Il avait les traits tirés de quelqu'un qui a fêté jusqu'au petit matin. Ses vêtements étaient froissés, et elle remarqua une marque carmin sur le col de sa chemise. Elle l'entraîna hors de la chambre. Il sentait le tabac et l'alcool. La colère qu'avait ressentie Fanette durant l'accouchement revint de plus belle. Où était-il tandis que sa femme souffrait le martyre ? Comment avait-il pu l'abandonner dans un moment aussi grave ?

— Rosalie vous a attendu toute la nuit, dit-elle, s'efforçant de ne pas élever la voix.

— J'étais invité au salon de madame Beaudry, la femme du maire. C'est une soirée très courue.

Puis, sentant le regard courroucé de Fanette sur lui, il ajouta, embarrassé :

— Je ne pouvais pas deviner que Rosalie accoucherait ce soir. Comment se porte-t-elle ?

— Allez lui demander vous-même, répliqua Fanette, la voix tremblant d'indignation.

— Je ne peux pas, marmonna-t-il. Je ne supporte pas la vue du sang.

Fanette garda le silence, dégoûtée par la veulerie du jeune homme. Il sortit un mouchoir de sa poche et s'épongea le front.

— Et l'enfant ? bredouilla-t-il.

— Rosalie a accouché d'un fils.

— Un fils, répéta Lucien, la mine effarée. J'ai un fils !

— Il est mort-né.

Elle regretta d'avoir annoncé la triste nouvelle sans aucun ménagement, mais son ressentiment était plus fort que sa compassion. Lucien s'affala dans un fauteuil et prit sa tête dans ses mains.

— Mort. Mon Dieu…

Il resta ainsi, sa belle tête ployée sur ses genoux dans un mouvement gracieux. Fanette eut le sentiment que ce n'était pas tant sur le sort de sa femme et celui de son enfant qu'il s'apitoyait, mais sur le sien.

— Allez voir votre femme, répéta-t-elle. Elle a besoin de vous.

Il finit par relever la tête. Ses joues étaient mouillées de larmes.

— Vous me méprisez, lâcha-t-il.

— Mon opinion de vous n'a pas d'importance. Je vous en prie, s'il vous reste une once d'amour pour elle, allez à son chevet. Elle aura besoin de tout votre soutien pour traverser cette épreuve.

Lucien se redressa et fit quelques pas vers la jeune femme. Rien n'était plus important pour lui que l'impression qu'il faisait sur les gens, et le peu d'estime que Fanette semblait avoir à son égard lui était insupportable.

— Je n'ai pas été un aussi bon mari pour Rosalie que je l'aurais souhaité. Mais je changerai. Je m'amenderai. Je m'y engage sur l'honneur.

— Ce n'est pas à moi qu'il faut faire ces promesses, mais à Rosalie.

Il se mordit les lèvres, puis se détourna et entra dans la chambre de sa femme.

Une odeur douceâtre emplissait la pièce. La servante, transportant une bassine où s'empilaient des linges gorgés de sang, se hâta de sortir. Lucien, plus mort que vif, s'approcha du lit où gisait Rosalie. Celle-ci était d'une pâleur cadavérique. Ses lèvres blanches s'étirèrent en un faible sourire lorsqu'elle aperçut son mari.

— Lucien, tu es là, murmura-t-elle.

Elle tenait encore son bébé contre elle.

— Notre enfant. Notre fils. Tu dois le tenir dans tes bras. Il a froid, tu le réchaufferas.

Lucien, qui s'était brusquement dégrisé, jeta un regard épouvanté au docteur Brissette. Ce dernier s'approcha de lui et se pencha vers son oreille.

— Pour l'amour de Dieu, faites ce qu'elle vous demande.

Le jeune homme se pencha, saisit maladroitement le corps du nouveau-né et le tint contre lui, partagé entre l'horreur et la pitié. Les membres de l'enfant étaient glacés, d'un blanc presque bleu. La réalité de la mort saisit Lucien jusqu'au cœur. Il ressentit soudain dans sa chair la souffrance et le chagrin d'avoir perdu son fils.

— Tu vois, notre enfant se porte déjà mieux, dit Rosalie dans un souffle à peine audible.

Lucien n'eut pas le courage de la contredire. Si cette illusion avait le pouvoir d'adoucir, ne serait-ce qu'un bref moment, la douleur de sa femme, alors elle était la bienvenue.

VIII

Fanette tombait de fatigue après sa nuit blanche, mais elle tenait à rester au chevet de Rosalie, quitte à prendre un peu de repos dans un fauteuil. Le docteur Brissette l'avait finalement convaincue de rentrer chez elle.

— Votre amie a besoin de dormir, et vous aussi. Il ne sert à rien de vous épuiser. Vous reviendrez la voir demain.

La jeune femme avait cédé, bien qu'il lui en coûtât de quitter Rosalie dans un moment aussi pénible. Alors qu'elle s'apprêtait à monter dans le Phaéton de sa tante, le médecin lui proposa de la reconduire chez elle dans sa propre voiture.

— Vous dormez debout. Je ne me pardonnerais pas s'il vous arrivait un accident.

— Que ferai-je du Phaéton et du cheval ? demanda Fanette.

— Je les emmène de ce pas dans l'écurie des Latourelle pour qu'ils y passent la nuit.

— Demain, comment me rendrai-je chez Rosalie ?

— J'irai vous prendre chez votre tante à la première heure. Après votre visite à votre amie, vous n'aurez qu'à retourner chez madame Portelance dans le Phaéton.

Fanette aurait préféré rester seule, mais le docteur Brissette avait raison : elle était épuisée. L'émotion et le manque de sommeil avaient vaincu sa résistance. Aussi accepta-t-elle l'offre du médecin, qui s'empressa de lui tendre la main pour l'aider à se hisser dans son vieux cabriolet. Il débarrassa le siège encombré de journaux et de paperasse.

— Pardonnez le désordre. Je suis généralement seul lorsque je prends ma voiture.

Les joues du médecin s'empourprèrent. Il se maudit intérieurement de sa timidité.

∽

Le trajet se fit en silence. Fanette leva les yeux vers le ciel gris, à peine irisé par une lumière pâle. Le désespoir de Rosalie la poursuivait, comme un mauvais rêve dont les images persistent, même après le réveil.

La voiture n'était plus qu'à quelques coins de rue de la maison de Madeleine lorsque le docteur Brissette se mit soudain à parler :

— Je sais que le moment est bien mal choisi.

Le médecin s'interrompit. Il fixait un point devant lui et gardait les mains crispées sur les guides. Son visage s'était de nouveau coloré, et un peu de sueur perlait sur ses tempes.

— Il y a maintenant près d'un an que j'ai le bonheur de vous connaître.

Un silence embarrassé s'ensuivit. Fanette comprit ce que le docteur Brissette s'apprêtait à lui demander et espéra se tromper. Non pas qu'elle n'eût aucune estime pour le jeune médecin, au contraire : c'était un homme cultivé, qui se montrait toujours courtois et avait visiblement bon cœur. Il n'était pas sans lui rappeler le bon docteur Lanthier, auquel elle était restée très attachée et dont Emma lui donnait régulièrement des nouvelles dans ses lettres. Mais elle ne souhaitait pas s'engager dans une relation amoureuse. L'une des raisons était sa tante. Malgré ses allures de femme indépendante et affranchie, Madeleine était solitaire et vulnérable. Fanette s'en serait voulu de la quitter, surtout après son revers cuisant au journal *L'Époque*. Mais il y avait une autre raison, sur laquelle elle évitait de s'attarder. *Alistair*. Il lui semblait qu'une éternité s'était écoulée depuis leur déchirante rupture et le départ d'Alistair pour l'Irlande, mais elle n'avait pas réussi à effacer son souvenir. Elle se remémorait son visage : ses yeux d'un vert d'eau, ses traits nets, comme gravés dans le silex, sa chevelure flamboyante, ses grandes mains rugueuses, qui pourtant devenaient si douces lorsqu'elles la caressaient. C'est à peine si elle entendit la voix du docteur Brissette.

— Au fil de mes visites, j'ai pu constater à quel point vous étiez… En fait, dès la première fois que je vous ai aperçue, sur le pas de ma porte, j'ai éprouvé…

Il était tellement agité qu'il arrêta sa voiture. Un conducteur derrière lui dut tirer brusquement sur les rênes pour ne pas l'emboutir et proféra des injures. Trop préoccupé par sa démarche, le médecin ne sembla pas les entendre.

— Je ne sais pas si vous vous rappelez notre première rencontre. Il pleuvait à boire debout, ce soir-là. Vous n'aviez pas de parapluie. Votre pauvre tante souffrait d'un abcès à une dent, et vous m'avez assisté avec beaucoup de cran pour une femme, je veux dire… Vous avez fait preuve d'un aplomb remarquable. Cela m'a grandement impressionné.

Fanette resta silencieuse, ne sachant que répondre. Le docteur Brissette sortit un mouchoir de sa redingote et s'épongea le front.

— Pardonnez-moi, je ne suis pas très éloquent dans ce genre de choses, mais sachez que je n'en suis pas moins…

Il roula le mouchoir en boule et le remit dans sa veste. Ses mains tremblaient légèrement.

— Je vous aime, voilà.

Une fois les mots prononcés, il poussa un gros soupir, comme s'il s'était soulagé d'un lourd fardeau. Il était devenu plus calme, bien que son front se fût de nouveau couvert de sueur.

— C'est la première fois que je fais une telle déclaration. Vous êtes la femme la plus intelligente, la plus belle que j'aie jamais rencontrée. Pas une journée ne passe sans que je pense à vous. Bien sûr, je ne vous vais pas à la cheville, mais je suis doté de quelques qualités qui feraient de moi un mari potable, si toutefois vous aviez la bonté d'accepter de m'épouser.

Le soleil réussit à percer les nuages et enlumina les branches des arbres qui longeaient la rue, faisant scintiller les bourgeons comme des émeraudes. Le médecin, qui se targuait pourtant d'être un homme rationnel et terre à terre, y vit un signe que sa demande serait peut-être agréée avec indulgence. Cette pensée le fit sourire, ce qui accentua ses fossettes et lui donna l'air d'un gamin.

Fanette fut touchée malgré elle par la déclaration du jeune homme. Elle se demanda comment elle pourrait y répondre avec franchise sans le blesser.

— Docteur Brissette…

— Je vous en prie, appelez-moi Armand.

— Armand, pour être honnête avec vous…

Elle s'interrompit, réfléchissant à ce qu'elle allait dire. Un nuage couvrit alors le soleil. Les bourgeons redevinrent des bourgeons et perdirent leur éclat d'émeraude. La joie que le médecin avait éprouvée se transforma en inquiétude. Pressentant que l'entrée en matière de Fanette annonçait une réponse défavorable, il se hâta de reprendre la parole.

— Surtout, donnez-vous le temps d'y penser. C'est une décision importante. Vous ne devez pas la prendre à la légère.

Le ton du médecin était si implorant que Fanette n'eut pas le courage de refuser tout de suite sa demande en mariage, comme elle en avait d'abord eu l'intention.

— Je vous promets d'y réfléchir.

Sentant un espoir fou le gagner, le docteur Brissette reprit les rênes et les secoua. *Au moins, elle n'a pas dit non.*

Aucune autre parole ne fut échangée jusqu'à ce que la voiture s'arrête devant la maison de Madeleine Portelance. Le médecin aida Fanette à franchir le marchepied, puis la salua avec sa politesse habituelle avant de remonter dans son cabriolet.

La jeune femme n'eut pas aussitôt franchi le seuil de la porte que sa tante vint vers elle, les cheveux en désordre et la robe de chambre nouée de travers.

— Enfin, tu es là ! Je me suis rongé les sangs toute la nuit. Comment se portent Rosalie et l'enfant ?

— Le bébé est mort-né, annonça Fanette d'une voix lasse. Quant à Rosalie, j'ai eu peur pour sa vie, mais elle est tirée d'affaire. Je n'ose imaginer les jours difficiles qui l'attendent.

Madeleine s'assombrit. Le souvenir de son propre accouchement, dans une maternité austère et triste, lui revint; le vide immense qu'elle avait ressenti lorsque sœur Ursule, assistant le médecin qui avait failli la tuer, lui avait dit, la mine empreinte de sévérité:

— Votre enfant est mort. Dieu l'a voulu ainsi. C'était l'enfant du péché.

Secouant la tête, comme pour se débarrasser de cette pénible réminiscence, Madeleine effleura la joue de Fanette avec une douceur qui ne lui était pas coutumière.

— Va dormir. Tu as besoin de repos.

Fanette acquiesça en silence, puis se dirigea vers l'escalier, avec l'impression que ses jambes étaient lourdes comme du plomb. Elle s'arrêta au pied des marches et se tourna vers sa tante.

— Le docteur Brissette m'a demandée en mariage.

Il fallut quelques secondes à Madeleine pour réagir tellement elle était stupéfaite.

— Quand? articula-t-elle, encore sous le choc de la surprise.

— Tout à l'heure, alors qu'il me reconduisait ici.

— Quelle idée saugrenue! Te demander en mariage alors que ta meilleure amie vient de perdre son enfant! Il ne pouvait pas se déclarer à un pire moment!

Fanette n'était pas loin de partager l'opinion de sa tante, mais elle ne pouvait s'empêcher d'éprouver de l'indulgence pour le pauvre homme.

— Je crois qu'il y songeait depuis un moment, mais qu'il était trop timide pour aller de l'avant.

Le fait que sa nièce prît la défense du docteur Brissette décupla l'anxiété de Madeleine.

— Tu vas l'épouser?

— Je ne lui ai pas encore donné ma réponse.

Madeleine s'assit dans un fauteuil et s'éventa d'une main. Elle parla sans réfléchir, sous le coup de l'émotion.

— Le mariage est la plus sûre des prisons pour une femme, savais-tu cela ?

Malgré sa fatigue, Fanette réagit vivement.

— Je ne me sentais pas en prison avec Philippe.

Se rendant compte qu'elle avait fait preuve d'indélicatesse, Madeleine soupira.

— Pardonne-moi. Je ne voulais pas te blesser. Si tu souhaites épouser le docteur Brissette, libre à toi.

Les deux femmes regagnèrent leurs chambres sans revenir sur le sujet.

IX

Dans les jours qui suivirent son accouchement, Rosalie fut prise d'une forte fièvre. Son front était brûlant et elle demandait constamment à boire. Le docteur Brissette lui administrait des décoctions d'écorce de saule et lui faisait donner des bains d'eau glacée, mais la fièvre ne baissait pas. Fanette, qui venait voir son amie chaque jour, s'inquiétait grandement de son état. Elle profita d'un moment où Rosalie s'était endormie pour prendre le docteur Brissette à part, nonobstant le malaise évident qui régnait entre eux depuis que le médecin lui avait fait sa déclaration.

— À quoi est due sa fièvre ?

— Je crains une fièvre puerpérale. J'avais pourtant pris toutes mes précautions, lavé soigneusement mes mains, nettoyé les forceps…

— Sa vie est-elle en danger ?

Le médecin ne répondit pas directement à la question.

— Il faut continuer les traitements.

Malgré son angoisse, Fanette constata avec soulagement que Lucien avait tenu parole et se montrait d'un dévouement exemplaire. Il refusait de quitter le chevet de sa femme, suivant scrupuleusement les recommandations du docteur Brissette pour l'administration des médicaments. Il changeait souvent le linge pour rafraîchir le front de Rosalie, l'aidait à boire en levant délicatement un verre d'eau jusqu'à ses lèvres. Lui-même mangeait à peine ce que la bonne lui apportait, s'assoupissant de temps en temps dans un fauteuil lorsque la fatigue avait raison de lui.

Une nuit, la fièvre devint si forte que Rosalie se mit à délirer, demandant à voir son fils. Lucien lui répéta doucement que leur enfant était mort, mais elle refusait de le croire, le fixant de ses yeux sombres, brûlés par la fièvre.

— Je t'en supplie, je veux le voir, le tenir dans mes bras. Pourquoi es-tu donc si cruel ?

Le seul moment où Lucien accepta de laisser Rosalie seule fut lors de l'enterrement de leur enfant. Lorsque le curé de la paroisse lui annonça que le bébé, qui était mort sans avoir été baptisé, ne pourrait être inhumé en terre consacrée, Lucien fit montre d'une fermeté inhabituelle et exigea que son fils soit mis en terre au cimetière catholique de Côte-des-Neiges, dans un lot qui appartenait à ses grands-parents maternels.

— C'est impossible, trancha le prêtre. Il aurait fallu baptiser votre enfant dès sa naissance.

— Il est mort-né ! s'écria Lucien, exaspéré.

Le curé secoua obstinément la tête.

— Je ne puis rien faire pour vous. Pour avoir le droit d'être inhumé en terre chrétienne, il faut être baptisé.

— Mon fils ne sera pas jeté dans une fosse commune !

Lucien fit appel à un oncle qui habitait Montréal et qui était un cousin du vicaire diocésain. Ce dernier intervint auprès du prêtre, qui finit par céder, ne voulant pas indisposer un personnage aussi important. Lucien commanda un minuscule cercueil et se rendit seul au cimetière, accompagné d'un simple diacre, car le curé avait refusé d'être présent à la cérémonie funèbre. Le diacre marmonna quelques prières avec l'air absent de quelqu'un qui aurait souhaité être ailleurs.

Lucien détourna le regard quand le petit cercueil fut déposé dans la fosse, à peine plus large qu'une huche à pain. Une brume opalescente couvrait la cime des arbres et une brise douce faisait bruisser les feuilles, rendant la scène encore plus irréelle. Comme il regrettait ses manquements ! Le regard brouillé, il contint ses sanglots, se disant qu'il lui fallait rester digne en mémoire de ce pauvre petit être qui venait de son propre sang et n'avait jamais eu la chance de pousser un seul soupir, d'ouvrir un seul instant les yeux sur le monde. *Je changerai*, se répétait-il sans relâche. *Je deviendrai un homme bon.* Il se grisait de ses propres paroles, qui devenaient presque une prière.

En revenant chez lui, il trouva Rosalie un peu moins pâle que d'habitude. Elle lui saisit les mains et lui demanda, le souffle court:

— Il y a un moment que j'ai vu notre fils. Je t'en prie, Lucien, amène-le-moi. J'ai même trouvé un prénom pour lui. Rodolphe. Qu'en dis-tu?

Le déni de Rosalie, son refus tenace à admettre la mort de leur enfant parurent à Lucien plus effrayants encore que sa propre douleur. Il comprit qu'il lui fallait à tout prix ramener sa femme à la réalité, aussi dure fût-elle.

— Notre fils est mort, Rosalie.

Elle secoua la tête.

— Je l'ai tenu dans mes bras. Il a un duvet blond sur la tête. Il te ressemble, tu ne trouves pas?

— Il est mort, répéta patiemment Lucien. Je reviens de son enterrement. J'ai jeté de la terre sur son cercueil. C'est difficile à accepter, mais il le faut pourtant.

Rosalie le regarda sans le voir. Elle resta longtemps silencieuse et pétrifiée. Lucien craignit qu'elle ait perdu la raison. Puis des larmes se mirent à rouler sur ses joues amaigries. Elle se jeta dans les bras de son mari, qui la serra contre lui. Le jeune homme était à la fois chagriné et soulagé par ces pleurs, qui indiquaient que sa femme revenait peu à peu à la réalité.

— Oh, Lucien, comme c'est injuste! Notre pauvre petit. Il n'a pas même vécu une heure.

☙

Le lendemain, le docteur Brissette se rendit chez les Latourelle avant d'effectuer la tournée de ses autres patients. Lorsqu'il entra dans la chambre, il aperçut Lucien qui dormait dans un fauteuil, tenant la main de sa femme. La scène l'émut. Il ne put s'empêcher de songer à Fanette, rêvant au bonheur de se réveiller à ses côtés, lui tenant ainsi la main, dans l'intimité du petit matin. L'espoir accéléra les battements de son cœur, mais il s'efforça de revenir au présent et à ses devoirs de médecin. Il s'approcha du lit de la patiente, qui dormait paisiblement. Lucien se réveilla en sursaut en entendant le plancher craquer. Ses yeux bleus étaient rougis par la fatigue. Son premier geste fut de se pencher vers sa femme et de lui embrasser doucement une tempe. Puis il leva la tête vers le médecin.

— Son front n'est plus aussi brûlant, chuchota-t-il pour ne pas réveiller Rosalie.

Le docteur Brissette prit le pouls de sa patiente et constata qu'il était à peu près normal. En examinant la jeune femme, il remarqua que la fièvre avait beaucoup diminué. Il ne vit sur sa peau aucune des taches bleuâtres caractéristiques de la fièvre puerpérale.

— A-t-elle demandé souvent à boire cette nuit ? s'enquit-il.

— Beaucoup moins, répondit Lucien.

Il couvait sa femme des yeux.

— Elle va mieux, n'est-ce pas ?

Le médecin acquiesça.

— Il faudra continuer à être vigilant, mais à mon avis, votre femme est tirée d'affaire.

Un sourire illumina le beau visage de Lucien.

— Dieu soit loué !

❧

En partant, le docteur Brissette croisa Fanette dans le hall d'entrée. Un silence embarrassé s'installa entre eux. Ce fut le médecin qui le rompit en premier.

— J'ai d'excellentes nouvelles concernant votre amie. Elle se porte beaucoup mieux. La fièvre semble être tombée. Je ne crains plus pour sa vie.

Fanette lui saisit spontanément les mains.

— Rien ne pouvait me rendre plus heureuse. Je vous remercie de tout ce que vous avez fait pour elle.

Le geste de la jeune femme bouleversa le médecin, qui y vit un signe que sa demande serait peut-être agréée.

— J'ai eu bien peur de la perdre, avoua-t-il avec modestie. Si cela n'avait été la présence de son mari et la vôtre à ses côtés, je ne suis pas certain que j'aurais réussi à la sortir de ce mauvais pas.

Fanette retira doucement ses mains. Repris par sa vieille timidité, le médecin s'inclina et fit mine de sortir. Fanette l'arrêta d'un geste.

— Docteur Brissette.

Elle se corrigea :

— Armand.

Il se tourna vers elle, heureux qu'elle l'ait appelé par son prénom. *C'est bon signe*, se dit-il, rempli d'espérance.

— J'ai réfléchi à votre proposition, poursuivit la jeune femme.

Il attendit la suite avec l'impression que sa poitrine était coincée dans un étau.

— J'ai beaucoup d'estime pour vous, mais je ne veux pas quitter ma tante, qui me traite avec bonté, continua Fanette. Sans compter qu'elle a besoin de moi comme secrétaire particulière.

— Jamais je ne vous demanderais de laisser votre poste, se hâta de préciser le jeune homme. Même mariée, vous pourriez continuer à travailler pour votre tante, si tel est votre souhait.

Fanette fut sensible à l'ouverture d'esprit dont le médecin faisait preuve. Elle songea à sa fille, qu'elle devait élever sans son père. Ne serait-il pas à l'avantage de Marie-Rosalie de grandir aux côtés d'un homme qui, sans être son vrai père, était aimant et loyal, et contribuerait sans doute à en faire une jeune femme accomplie ? Cela dit, quel genre d'existence mènerait Fanette si elle épousait le docteur Brissette ? « Le mariage est la plus sûre des prisons pour une femme », avait lancé Madeleine. Sans aller jusqu'à adhérer à cette opinion, Fanette reconnaissait qu'elle s'était habituée à son célibat. Elle aimait sa relative liberté et le fait de pouvoir disposer de son temps comme elle l'entendait, une fois ses tâches pour sa tante accomplies. Accepterait-elle de perdre cette liberté au profit d'une union avec un homme pour lequel elle éprouvait de l'amitié, mais dont elle ne se sentait pas vraiment amoureuse ?

— Bien que je sois très touchée par votre proposition, en toute honnêteté, je ne puis l'accepter. Je ne me sens pas prête à m'engager dans le mariage.

Assommé par ce refus, le médecin resta silencieux. Il finit par parler, la gorge nouée par l'émotion.

— Je vous sais gré de votre franchise. J'ai bien peur de devoir rester vieux garçon pour le reste de mes jours.

— Ne dites pas une bêtise pareille ! s'exclama Fanette. Vous êtes jeune, vous avez toute la vie devant vous.

Vous avez toute la vie devant vous... Il comprit par cette seule phrase que Fanette ne l'aimait pas. Une femme amoureuse n'aurait pas tenté de le consoler, elle se serait jetée dans ses bras, lui aurait murmuré à l'oreille : « Soyez patient. Peut-être un jour accepterai-je votre proposition, laissez-moi du temps pour y réfléchir... » Il lui fallait se rendre à l'évidence. Avec le temps, il finirait peut-être par s'y faire. Mais la simple idée de poursuivre son existence sans jamais revoir la jeune femme lui parut encore plus intolérable que son refus de l'épouser.

— J'aurais une faveur à vous demander.

Il regarda le bout de ses souliers, puis releva la tête.

— Auriez-vous une objection à ce que je continue à vous rendre visite de temps en temps ? Par amitié, cela va sans dire.

— Vous serez toujours le bienvenu, répondit Fanette avec chaleur.

Il s'inclina, ouvrit la porte et sortit. Une grosse averse se mit à tomber, martelant les marches du perron. Il avait oublié son parapluie. Il se fit la réflexion que le chapeau de feutre qu'il venait d'acheter serait gâché et qu'il lui faudrait s'en procurer un autre. Il se surprit lui-même d'avoir une pensée aussi banale, alors que son cœur était brisé. Il se tourna vers la porte. Fanette l'avait déjà refermée. Comme il se sentait vieux, soudain, courbé sous cette pluie battante !

X

Québec

Depuis la mort de sa mère, qui s'était paisiblement éteinte dans son lit quelques mois auparavant, Marguerite vivait en recluse. Malgré les admonestations de madame Régine, elle refusait de quitter sa chambre, dont les draperies, perpétuellement fermées, ne laissaient filtrer aucune lumière. Elle avait même renoncé à ses fameux « Jeudis », pourtant courus par la bonne société de Québec et des environs, sous le prétexte qu'il aurait été inconvenant de tenir salon alors qu'elle était en deuil. En réalité, la mort de sa mère était un paravent pour masquer la véritable cause de sa douleur : Lucien Latourelle. Sans la présence de Lucien, son salon littéraire était devenu vide de sens. C'était pour lui qu'elle l'avait fait naître, et à cause de lui qu'elle avait décidé de l'abandonner.

Parfois, elle consentait à faire quelques pas dans le jardin, puis retournait aussitôt s'enfermer dans sa chambre, fuyant la lumière gaie du soleil lorsqu'il faisait beau, le ciel gris et terne lorsqu'il pleuvait. Elle n'avait pour compagnons que les romans de Balzac et de Dumas qu'elle faisait venir de Paris. *Les livres, contrairement aux hommes, ne nous trahissent pas*, songeait-elle avec amertume.

De temps en temps, elle recevait une lettre de Rosalie, qui lui donnait des nouvelles succinctes de sa vie à Montréal et lui demandait poliment des siennes. Par égard pour sa mère, Rosalie ne faisait jamais référence à Lucien, ce dont Marguerite lui était reconnaissante. La dernière chose qu'elle souhaitait, c'était d'entendre parler de celui qui lui avait causé tant de chagrin. Aussi fut-elle bouleversée lorsque madame Régine monta à sa chambre pour lui remettre un télégramme de la part de son ancien amant.

Madame,
J'ai de bien mauvaises nouvelles à vous annoncer. Votre fille a accouché d'un enfant qui est mort à la naissance. Rosalie a eu la fièvre durant quelques jours, à tel point que j'ai craint pour sa vie, mais elle se porte beaucoup mieux. Si vous acceptiez de lui rendre visite, elle vous en saurait gré.
Votre dévoué,
Lucien Latourelle

Marguerite relut le télégramme à plusieurs reprises. Des sentiments contradictoires l'assaillaient. Elle éprouvait de la pitié pour sa pauvre fille, que le malheur frappait si tôt dans son mariage, mais aussi une sorte de soulagement de savoir que l'enfant, fruit de l'amour entre Lucien et Rosalie, n'était plus. Elle s'en voulut aussitôt de cette horrible pensée : ayant elle-même perdu un enfant, elle connaissait le vide terrible qu'une telle mort créait, le sentiment de culpabilité qu'elle engendrait, mais c'était plus fort qu'elle. *Quel monstre suis-je devenue*, se dit-elle, *pour me réjouir de la mort d'un petit enfant.* Elle se leva, ouvrit la croisée et respira l'air frais chargé d'un parfum de lilas, comme pour s'arracher à ses fantômes. L'image de Rosalie enfant lui revint. Elle avait deux ans et demi et était debout à côté de son petit lit de fer, à l'orphelinat, la regardant de ses grands yeux tristes. Marguerite avait su tout de suite que c'était cette fillette qu'elle voulait adopter, malgré sa pâleur, ses bras maigres, son pied bot. Le notaire Grandmont s'y était opposé farouchement, ne pouvant supporter l'idée d'avoir une fille infirme, mais Marguerite avait insisté jusqu'à ce qu'il cède.

Des larmes lui vinrent aux yeux en constatant que rien n'avait jamais été facile pour sa fille adoptive. Malgré l'affection sincère que Marguerite lui portait, cette dernière n'avait pas réussi à contrer l'attitude méprisante et la dureté de son père à son égard. Le notaire n'avait jamais accepté le handicap de sa fille, il en avait même honte, au point qu'il avait poussé Rosalie à faire son noviciat chez les Ursulines, bien qu'elle n'eût pas la vocation. Heureusement, Rosalie avait eu le courage d'affronter son père et avait renoncé à porter le voile. *Je dois lui rendre visite*, se dit Marguerite en refermant la croisée. La perspective de revoir Lucien la plongeait dans un profond désarroi, mais sa fille avait besoin d'elle.

Un sentiment de honte la submergea tandis qu'elle sonnait sa bonne. Pendant toute la grossesse de Rosalie, elle s'était emmurée dans sa chambre, refusant d'accepter jusqu'à l'idée que sa fille puisse attendre l'enfant de son ancien amant. Dire qu'elle jugeait sévèrement son mari d'avoir fait preuve de dureté à l'égard de Rosalie, alors qu'elle-même l'avait exclue de sa vie ! Le fait qu'elle lui eût procuré une dot confortable et facilité son mariage avec Lucien en accélérant la publication des bans ne rendait pas son comportement plus excusable. Elle n'avait fait que son devoir, sans plus.

Madame Régine apparut sur le seuil de la porte. Marguerite se tourna vers elle :

— Ma fille a perdu son enfant. Je pars pour Montréal. Aidez-moi à faire mes bagages et demandez ensuite à monsieur Joseph d'atteler la Rockaway.

La servante acquiesça en silence, le cœur rempli de chagrin. Elle avait appris à détester les télégrammes, ces bouts de papier qui semblaient anodins, mais qui vous apportaient presque toujours de mauvaises nouvelles.

❧

Monsieur Joseph déposa la malle sur le porte-bagages avec difficulté. Le coffre était lourd, et le cocher se faisait vieux. Ses mains commençaient à être déformées par l'arthrite, et ses crises de rhumatismes se faisaient plus fréquentes. Il appréhendait ce voyage à Montréal, se rappelant trop bien les mésaventures de madame Grandmont. Jamais il n'oublierait le jour où il avait attendu dans la voiture devant l'immeuble où la pauvre mademoiselle Rosalie habitait avec le jeune poète ; sa déconvenue lorsque sa maîtresse n'était pas réapparue et qu'il l'avait cherchée en vain dans les rues de la ville. Il n'aspirait qu'à une vie paisible, sans événements, assis sur une chaise berçante, ou en train de biner un petit potager, à la campagne. Mais il était au service des Grandmont depuis si longtemps qu'il ne pouvait imaginer faire sa vie ailleurs, comme un vieux cheval qui revient toujours sur le même sentier.

Durant le trajet vers Montréal, Marguerite tâcha de concentrer ses pensées sur sa fille, mais le visage de Lucien lui revenait toujours en tête. Elle redoutait le moment des retrouvailles. La dernière fois qu'elle avait vu son ancien amant, dans ce logis petit et insalubre où il vivait avec Rosalie, elle avait tout perdu : sa dignité, sa foi en la vie, sa fille, son amour. Elle s'était retrouvée sans rien, à la dérive, comme un esquif sur une mer déchaînée. Même sa pathétique tentative d'en finir en se jetant sous les roues d'une voiture s'était soldée par un sauvetage pire que la mort. *Auguste Lenoir.* Ce seul nom lui donnait la nausée. Comme elle aurait voulu oublier, tout effacer de sa mémoire ! Mais elle ne pouvait échapper à son passé, ni rebâtir son présent, tel un Sisyphe qui est condamné à soulever le même rocher jusqu'à la fin des temps.

Après un arrêt à un relais aux Trois-Rivières, la calèche poursuivit sa route. Refusant de retourner à l'hôtel Rasco, qui lui rappelait de trop douloureux souvenirs, Marguerite avait décidé de séjourner au Richelieu, une charmante auberge située rue Saint-Vincent et agrémentée d'une terrasse blanche bordée d'arbres qui lui donnaient une allure campagnarde. Tout en rangeant ses vêtements dans une armoire de chêne aux poignées de bronze, Marguerite se préparait mentalement à sa visite chez sa fille. *Sois forte*, se répétait-elle, *tâche d'être digne, tu es là pour soutenir Rosalie, non pour te complaire dans ton propre chagrin.*

Lorsque Marguerite arriva chez sa fille, elle fut accueillie par une jeune servante au visage affable, mais ombragé par l'inquiétude.

— Madame Latourelle vous attend dans sa chambre.

La mère de Rosalie eut un choc en entendant ce nom. *Il faut pourtant t'y faire.* Elle franchit l'escalier et s'approcha de la chambre, sentant son cœur se serrer dans sa poitrine.

Sa fille était étendue dans son lit. La jeune femme était pâle, et des cernes sombres marquaient ses yeux. Lucien, installé dans un fauteuil près du lit, lui tenait tendrement une main. Marguerite contempla le couple un moment, s'attendant à ressentir une douleur familière, mais elle resta étrangement calme. La vue de Lucien ne la bouleversa pas comme elle l'avait craint. Elle songea qu'une souffrance appréhendée était moins cruelle, car on avait eu le temps de s'y préparer.

— Rosalie, ma pauvre petite, dit-elle en s'approchant de sa fille.

Il y avait longtemps qu'elle l'avait appelée ainsi. Rosalie leva les yeux vers sa mère. Un faible sourire trembla sur ses lèvres blêmes. Son regard se voila de larmes. Marguerite prit Rosalie dans ses bras et la serra contre elle, oubliant complètement la présence de Lucien et n'éprouvant plus qu'une immense tendresse pour sa fille. Lucien se leva et sortit discrètement. Les deux femmes restèrent enlacées, se berçant doucement l'une l'autre, comme si le temps s'était arrêté.

XI

Marguerite rendit visite à sa fille tous les jours. Encouragée par la présence de sa mère et celle de Lucien à ses côtés, sans compter les visites quotidiennes de Fanette et du docteur Brissette, Rosalie reprenait tranquillement des forces, bien que la douleur d'avoir perdu son enfant ne la quittât pas. Après une semaine, elle put se lever, se tenant au bras de son mari pour faire quelques pas dans le jardin. Elle avait recommencé à manger presque normalement, et des couleurs lui étaient revenues aux joues.

Constatant avec soulagement les progrès accomplis par sa fille, Marguerite songea à retourner à Québec. Il y avait longtemps qu'elle s'était sentie autant en paix avec elle-même. Au lieu de la souffrance envisagée, elle avait au contraire retrouvé une sérénité qu'elle n'attendait plus. Elle pouvait presque goûter cette paix tellement celle-ci était tangible. Non seulement Marguerite avait renoué avec sa fille, mais elle n'éprouvait plus ces tourments du cœur qui la ravageaient chaque fois qu'elle se trouvait en présence de Lucien. À peine sentait-elle un léger émoi lorsqu'elle croisait son ancien amant dans un couloir ou dans la chambre de sa fille. Le bonheur de voir Rosalie recouvrer peu à peu la santé, de regagner l'affection qu'elle croyait perdue à jamais la rassérénait. Cette douceur nouvelle la consolait de bien des chagrins.

Les adieux furent chargés d'émotion. Rosalie fit promettre à sa mère de ne pas attendre trop longtemps avant de revenir la voir. Même Lucien se montra empressé envers son ancienne maîtresse devenue sa belle-mère, rassuré de constater que le ressentiment de celle-ci à son égard était chose du passé.

❧

Marguerite reprit la route de Québec, le cœur plus léger. Elle ouvrit même la fenêtre de sa voiture afin de recevoir la brise printanière et prit plaisir au spectacle animé de la rue. Les devantures de magasins, les robes des passantes et la mine affairée des messieurs qui déambulaient sur le trottoir, leur journal sous le bras, lui semblaient clairs et joyeux. Elle avait le sentiment de revivre. Ses errements passés lui parurent soudain évanescents, presque abstraits, comme s'ils avaient appartenu à une autre existence que la sienne.

La Rockaway, qui roulait dans la rue Saint-Laurent, fut ralentie par un embouteillage. Marguerite pencha légèrement la tête pour voir ce qui se passait. C'est alors qu'elle aperçut une longue silhouette vêtue de noir. Le visage étroit de l'homme se découpait dans la lumière blanche. *Mon Dieu, c'est lui*, songea-t-elle avec effroi. Elle jeta un autre coup d'œil au passant, pour en être bien certaine. C'était bel et bien Auguste Lenoir, l'agent de renseignement qu'elle avait engagé pour retrouver Rosalie. Il marchait à pas rapides sur le trottoir, ses yeux sombres et durs fixés devant lui. Elle eut l'impression qu'il tournait la tête dans sa direction. Elle se rencogna sur la banquette, effrayée, et tira les rideaux d'un geste brusque, priant pour qu'il ne l'ait pas reconnue. La sérénité qui l'avait habitée depuis sa réconciliation avec sa fille vola en éclats, remplacée par une angoisse sourde.

❧

Auguste Lenoir s'arrêta sur ses pas, la mine incertaine. Ce visage aux traits fins, cette peau nacrée, ces magnifiques cheveux noirs… Ce ne pouvait être qu'elle. *Marguerite Grandmont.* Un frisson d'excitation le parcourut. Il y avait des mois qu'il n'avait pas pensé à cette femme, occupé qu'il était à survivre. Les clients se faisaient plutôt rares. L'un d'eux l'avait d'ailleurs dénoncé à la police, l'accusant d'escroquerie à cause d'une note de frais qu'il jugeait trop élevée. Une enquête avait été ouverte sur son agence, et il était passé près de perdre sa licence. Il avait dû payer une amende salée pour éviter une poursuite.

Son dernier client, Lionel Durand, un modeste employé de banque, lui avait demandé de suivre sa femme. Après seulement deux jours de filature, Lenoir avait découvert le pot aux roses, mais il avait augmenté délibérément ses émoluments, sachant qu'il avait affaire à un crédule qui n'oserait pas contester sa facture. Il lui avait justement donné rendez-vous à son bureau et comptait bien lui extorquer le plus d'argent possible. Mais le fait d'avoir croisé son ancienne cliente lui ouvrait subitement de nouvelles perspectives. Il avait gardé les deux lettres ainsi que les esquisses que Marguerite Grandmont lui avait remises lorsqu'elle lui avait rendu visite à son bureau pour le charger de retrouver sa fille. Le premier dessin représentait Rosalie Grandmont, et le second, le jeune homme qui l'avait séduite. Il avait promis à sa cliente de lui remettre le tout, mais ne l'avait jamais fait. Il se rappela avec délectation le moment où il l'avait ramenée chez lui, après l'avoir sauvée des roues d'une voiture. La peau douce et blanche, les cheveux noirs emmêlés de fils argentés, son parfum de gardénia… Il avait eu l'impression de goûter à une liqueur rare, d'un arôme à la fois délicat et suave. Après, Marguerite Grandmont avait insisté pour rentrer seule à son hôtel. Il n'avait plus jamais entendu parler d'elle. Une idée fit son chemin dans son cerveau enfiévré. Comment n'y avait-il pas songé avant ? Envahi par un vif enthousiasme, il pressa le pas, impatient de se débarrasser de son client et de mettre son plan à exécution.

Une fois parvenu à l'immeuble où se trouvait son bureau, Lenoir aperçut un homme de petite taille arpentant nerveusement le trottoir devant l'entrée. C'était son client. Engoncé dans un costume propre, mais démodé, l'homme se précipita vers l'agent de renseignement aussitôt qu'il le vit.

— Ah, monsieur Lenoir, vous êtes là, enfin ! Je vous attendais depuis une bonne quinzaine de minutes.

— Je ne suis jamais en retard à mes rendez-vous, répliqua sèchement l'agent. C'est vous qui êtes arrivé à l'avance.

∽

Lionel Durand était assis au bord de sa chaise, les mains crispées sur son chapeau rond.

— Alors, avez-vous découvert quelque chose ? demanda-t-il, la voix indécise.

— Votre femme vous trompe, lâcha Lenoir sans mettre de gants blancs.

Le client blêmit et secoua la tête, faisant trembler ses joues couvertes de larmes. Ses épaules s'étaient affaissées, comme si elles portaient un poids trop lourd.

— Je n'arrive pas à y croire. Vous avez dû faire erreur sur la personne. Ma femme est honnête. Jamais elle ne m'aurait été infidèle.

— Si vous aviez été convaincu de l'honnêteté de votre femme, monsieur Durand, vous ne m'auriez pas engagé pour la suivre, rétorqua l'agent.

Les épaules de son client fléchirent un peu plus. Lenoir déposa un rapport sur le pupitre.

— J'ai suivi madame votre épouse pendant une semaine. Je détiens des preuves formelles qu'elle s'est rendue à l'hôtel Empress à au moins trois reprises. À chacune de ses visites, elle était accompagnée d'un assez bel homme de taille moyenne, aux cheveux et aux favoris châtains. Est-ce que cette description vous rappelle quelqu'un ?

— À première vue, non.

— Les noms de monsieur et madame Ernest Chevrier figurent sur le registre de l'hôtel, poursuivit Lenoir.

— Chevrier, c'est le nom de jeune fille de ma femme, balbutia l'homme, se mouchant bruyamment avec un vieux mouchoir qu'il venait de sortir de sa poche. Quant au prénom d'Ernest, ça ne me dit rien.

— Vous en êtes bien certain ?

Le client réfléchit.

— Je connais un Ernest, qui correspond à peu près à la description que vous avez faite, mais ça ne peut pas être lui.

— Et pourquoi donc ?

— C'est mon cousin. Des fois, on prend un verre ensemble à la taverne du coin. On s'assoit sur le même banc d'église à la messe du dimanche.

— Mon pauvre Durand, vous êtes touchant de naïveté. Pas étonnant que votre douce moitié vous ait trompé avec autant d'aisance.

Lionel Durand se tamponna les yeux, l'air misérable. Lenoir lui tapota paternellement le dos.

— Si cela peut vous consoler, vous n'êtes pas le premier ni le dernier cocu sur cette terre. Voici ma note de frais, conclut l'agent en déposant une feuille de papier devant son client.

Celui-ci la prit et y jeta un coup d'œil. Son visage devint livide.

— Cent cinquante dollars pour me faire dire que ma femme me trompe avec mon cousin !

— La vérité n'a pas de prix, mon cher ami, rétorqua Lenoir. Je vous avais donné mon tarif. Vous avez retenu mes services en connaissance de cause.

Son ton s'était durci ; ses yeux noirs luisaient dans la lumière de la lampe.

— Si vous ne me payez pas ce que vous me devez, je porterai plainte à la police. Vous ne voudriez certainement pas être mêlé à un tel scandale. La réputation d'un commis de banque doit être sans tache.

Lenoir avait poussé le bouchon un peu trop loin, mais sa menace sembla faire son effet. Son client fouilla dans une poche de son veston, en sortit une enveloppe.

— Voici un acompte de soixante dollars. Je vous apporterai le reste d'ici à quelques jours.

Lenoir s'empara des billets, les compta, puis sourit, satisfait.

— Les bons comptes font les bons amis. Je vous donne au plus une semaine pour régler le solde. Maintenant, ouste, j'ai du travail.

Le client partit, la tête basse. Lenoir enfouit l'argent dans une petite armoire, qu'il referma ensuite à clé, puis expédia quelques affaires courantes. Il n'avait qu'une hâte, c'était de quitter son bureau et de prendre la prochaine diligence pour Québec.

XII

Deux jours plus tard
Québec

Marguerite faisait sa toilette lorsque madame Régine frappa à sa porte.

— Quelqu'un souhaite vous voir.

— Vous savez bien que je ne reçois personne.

— Il a beaucoup insisté. Il prétend que vous le connaissez.

— De qui s'agit-il ? soupira Marguerite d'un ton las.

— Un monsieur Auguste Lenoir.

En entendant ce nom, Marguerite blêmit.

— Dites à cet homme que je suis souffrante et ne puis recevoir personne.

La servante, saisie par la pâleur soudaine de sa maîtresse, acquiesça et sortit. Elle revint quelques minutes plus tard, mécontente.

— Ce fâcheux refuse de partir tant qu'il n'aura pas eu un entretien avec vous. Il dit qu'il doit vous faire part d'un renseignement important.

Un renseignement important. De quoi pouvait-il bien s'agir ? Cela avait-il un lien avec sa fille ? Sentant le regard inquiet de sa servante posé sur elle, Marguerite fit un effort pour se composer un visage calme.

— Conduisez ce monsieur au salon.

Madame Régine obéit, se demandant ce que cet homme à l'allure sinistre voulait à sa maîtresse. Une fois sa servante partie, Marguerite tâcha de terminer sa toilette, les mains tremblantes. Se pouvait-il que l'agent de renseignement l'ait aperçue, lorsqu'elle l'avait croisé à Montréal ? Des images revinrent la hanter : les mains trop chaudes de Lenoir sur sa peau, son haleine brûlante, ses gestes à la fois brusques et affamés. *Que me veut-il, à présent ? N'a-t-il pas déjà tout obtenu de moi ?* Elle regretta de ne pas avoir donné l'ordre à madame Régine de le chasser, mais elle connaissait trop le sinistre personnage pour savoir qu'il ne se serait pas laissé éconduire aussi facilement. Mieux valait en avoir le cœur net et sonder ses intentions, quelles qu'elles soient.

Malgré la peur qui la tenaillait, il y avait au moins une chose dont elle était certaine : jamais elle ne permettrait à cet homme de s'en prendre de nouveau à elle. Comme pour se conforter dans sa résolution, elle s'empara du coupe-papier au manche d'ivoire que Lucien lui avait offert au début de leur liaison et le glissa dans son corsage. Si cet homme levait la main sur elle, elle n'aurait aucune hésitation à s'en servir. Quelle ironie ce serait de tuer l'agent de renseignement à l'aide d'un coupe-papier donné par son ancien amant !

Après avoir placé une dernière épingle dans ses cheveux, Marguerite résolut de descendre au salon. Son cœur tambourinait dans sa poitrine tandis qu'elle s'agrippait à la rampe de l'escalier. La simple idée de revoir son persécuteur la remplissait d'horreur.

En entrant dans la grande pièce, Marguerite eut un frisson de dégoût en voyant Auguste Lenoir affalé dans un beau fauteuil Louis XV. Ses pieds, chaussés de bottes racornies et enduites de boue, étaient posés négligemment sur un pouf. Le reste de sa tenue était au diapason : un habit noir froissé, lustré aux coudes, un col de chemise grisâtre, un haut-de-forme cabossé, qu'il n'avait pas même pris la peine d'enlever.

Marguerite prit place sur une chaise droite, à une bonne distance de l'agent de renseignement. Ce dernier, en entendant un froissement de robe, s'empressa de retirer ses bottes du pouf, y laissant des traces noirâtres. Il ôta son chapeau, encore humide de pluie, et se leva. Des gouttes d'eau tombèrent sur le plancher de chêne.

— Chère madame Grandmont ! s'exclama-t-il. Quel bonheur de vous revoir.

Il fit un mouvement pour lui faire un baisemain, mais elle se tint immobile, les mains crispées sur ses genoux, le visage glacial. Il interrompit son geste et se contenta d'incliner la tête.

— Vous me semblez bien pâle, madame. J'espère que votre santé est bonne.

— J'ai perdu ma mère, il y a quelque temps.

— Vous m'en voyez navré. Toutes mes condoléances.

Il s'inclina de nouveau. Marguerite détourna les yeux pour ne pas avoir à le regarder.

— Que me vaut votre visite ?

— Je vous avais fait la promesse de vous rendre deux dessins ainsi que des lettres auxquels vous sembliez tenir comme à la prunelle de vos yeux. Votre départ soudain de Montréal m'a empêché de tenir parole. Les circonstances ne m'ont pas permis de vous rendre visite plus tôt, mais mieux vaut tard que jamais, comme le dit l'adage.

Il sortit une enveloppe de sa redingote et la tendit à Marguerite, qui la prit et l'examina, anxieuse. Celle-ci était froissée et tachée de café. Marguerite l'ouvrit et en sortit les lettres que Rosalie et Fanette avaient écrites après la fuite de sa fille, ainsi que les esquisses que sa belle-fille avait exécutées. Elle s'attarda malgré elle au dessin de Lucien. Ce dernier avait l'air de lui sourire dans ce portrait qui lui ressemblait à s'y méprendre. Elle ressentit un mélange de reconnaissance et de soulagement. Se pouvait-il que le seul but de la visite de cet homme eût été de lui remettre ces documents ? Elle les déposa sur un guéridon de chêne sculpté qui avait appartenu à ses parents, puis elle se tourna vers Lenoir.

— Je vous remercie de me les avoir rapportés. J'y tenais en effet beaucoup.

Elle se leva pour indiquer à l'agent que l'entretien était terminé, mais Lenoir se réinstalla dans le même fauteuil et remit familièrement les pieds sur le pouf, comme s'il était chez lui. Ne sachant que faire, Marguerite resta debout et croisa nerveusement les mains. Lenoir jeta un coup d'œil à la ronde et poussa un sifflement appréciatif.

— Magnifique maison, dit-il. Elle doit valoir une petite fortune.

Marguerite ne répondit pas. Elle comprit que les dessins et les lettres n'étaient qu'un prétexte et que Lenoir avait autre chose en tête. Elle s'assit de nouveau et effleura discrètement d'une main son corsage, sentant la forme du coupe-papier sous ses doigts. Ce geste lui redonna courage.

— Que voulez-vous ? lança-t-elle froidement.

Il fit craquer ses doigts un à un. Le son sec, telle une branche qui casse, paraissait remplir la pièce.

— Enfin, parlez, monsieur ! s'écria Marguerite, excédée.

Le visage de l'agent se durcit.

— J'irai donc droit au but, puisque tel est votre désir.

Il fit planer un autre silence, prenant plaisir à faire languir sa proie.

— Les temps sont durs. Les clients se font plus rares, et ils ne sont pas toujours de bons payeurs.

Marguerite sut tout de suite où l'agent de renseignement voulait en venir.

— Vous voulez de l'argent ?

Lenoir sourit, révélant ses dents blanches et pointues.

— Vous êtes rapide en affaires. À la bonne heure.

Il se pencha vers elle.

— Vingt mille dollars. Payables en un seul versement. Et je vous promets de ne plus jamais vous importuner.

Marguerite le toisa avec mépris.

— Au nom de quoi vous remettrais-je une telle somme ?

— Au nom de votre tranquillité d'esprit. Une femme de votre rang ne souhaiterait sans doute pas que sa liaison avec le mari de sa fille soit portée à la connaissance du public.

Marguerite eut l'impression qu'une main de fer lui enserrait la gorge.

— Vous n'avez aucune preuve de ce que vous avancez.

— J'ai en ma possession des lettres que vous avez envoyées à Lucien Latourelle. Ah, tant d'amour, de sentiments exaltés… Cet homme ne connaissait pas sa chance.

— Je ne vous crois pas, répliqua Madeleine, les poings serrés.

Auguste Lenoir glissa une main dans sa redingote et en sortit un paquet entouré d'un ruban rouge. Marguerite reconnut tout de suite le papier délicat, couvert de son écriture fine. Après sa rupture douloureuse avec le jeune poète, elle n'avait pas eu la présence d'esprit de lui demander ses lettres.

— Comment les avez-vous obtenues ? murmura-t-elle, anéantie.

— Secret professionnel, chère madame.

Marguerite fit un geste pour s'emparer des missives, mais Lenoir fut plus rapide qu'elle et les enfouit de nouveau dans sa redingote.

— Tut tut tut, dit-il. Vous les aurez seulement quand j'aurai l'argent.

Encore une fois, elle se demanda comment il s'y était pris pour mettre la main sur cette correspondance. L'avait-il volée ? Cet homme n'avait pas froid aux yeux et serait fort capable de commettre ce genre de larcin. Une pensée affreuse lui vint à l'esprit. Était-il possible que Lucien ait consenti à lui remettre ces lettres en échange d'argent ? Elle secoua la tête, refusant d'accepter une telle hypothèse. Prenant ce geste pour un refus, Lenoir fit un pas vers Marguerite, l'air menaçant.

— À votre place, j'y penserais à deux fois avant de décliner mon offre.

D'un mouvement rapide, Marguerite porta la main à son corsage et en extirpa le coupe-papier. D'abord pris par surprise, l'agent réagit ensuite promptement et saisit le poignet de Marguerite, qui poussa un gémissement de douleur. Le couteau au manche d'ivoire glissa par terre. Lenoir ne desserra pas son étreinte. Marguerite sentit avec peur et dégoût des remugles de tabac et de sueur qui lui rappelèrent l'agression dont elle avait été victime.

— Alors, marché conclu, ma belle dame ? grogna l'homme entre ses dents.

Le regard froid et calculateur du maître-chanteur fit comprendre à Marguerite qu'elle n'aurait aucune pitié à attendre de cet homme.

— J'accepte, répondit Marguerite, retenant son souffle.

Il relâcha le poignet de sa victime, puis ramassa le coupe-papier d'un mouvement leste et le fit tourner entre ses longs doigts aux ongles noirs de crasse.

— Je reviendrai chez vous demain, à la même heure. J'espère pour vous que vous aurez la somme.

Marguerite avait recouvré en partie son sang-froid.

— Je vous la remettrai, mais à une condition. Que vous me redonniez ces lettres.

— Cela va sans dire.

Auguste Lenoir glissa le coupe-papier dans une poche, puis fit une révérence tellement appuyée qu'elle frôlait la moquerie. Il sortit, laissant des marques de boue sur le tapis de Perse. Marguerite attendit qu'il soit parti pour se rasseoir. Des gouttes de sueur perlaient sur son front et son corps était parcouru de tremblements qu'elle était incapable de contrôler. Elle resta ainsi, les yeux fixés sur les traces de pas, comme si elle y lisait sa propre déchéance. Après de longues minutes, elle sonna madame Régine. Celle-ci arriva presque tout de suite. Elle s'était tenue derrière la porte durant l'entretien de l'inquiétant visiteur avec sa maîtresse et n'en avait pas perdu un mot.

— Veuillez nettoyer cette saleté, se contenta d'indiquer Marguerite.

La servante resta immobile. Puis elle se mit soudain à parler. Les mots se bousculaient dans sa bouche, comme l'eau d'un torrent sur des pierres. Elle n'avait pas l'habitude de s'exprimer ainsi.

— J'ai été à votre service durant près de quarante ans. J'ai vu vos enfants naître, je les ai tenus dans mes bras, langés, consolés. Vous ne trouverez jamais personne qui vous soit aussi fidèle que je le suis.

— Je le sais bien, ma bonne Régine.

— Alors écoutez-moi. Cet homme a l'âme noire comme un four. Ne faites pas ce qu'il vous demande. Si vous lui donnez cet argent, il en voudra d'autre. Vous serez à sa merci pour toujours.

Marguerite demeura interdite. Ainsi, madame Régine avait épié la discussion. Elle n'eut pas même la force de le lui reprocher.

— Croyez-vous que j'aie le choix ? Je ne veux pas voir ma vie privée étalée sur la place publique, ni que ma fille soit éclaboussée par le scandale.

Madame Régine secoua obstinément la tête.

— Dans mon pays, on avait coutume de dire : « Plus veut le diable, plus veut avoir. » Refusez, avant qu'il soit trop tard.

XIII

Marguerite fut incapable de fermer l'œil, ressassant dans sa tête sa pénible confrontation avec le maître-chanteur. À sa mort, sa mère lui avait légué une somme imposante. Que valaient vingt mille dollars à côté de sa tranquillité d'esprit ? *Plus veut le diable, plus veut avoir.* Dans son for intérieur, Marguerite savait que madame Régine avait raison. Si elle acceptait de céder à Lenoir, celui-ci risquait de revenir un jour à la charge, mais elle voulait désespérément acheter la paix. Peut-être après tout qu'Auguste Lenoir se montrerait raisonnable, enfin, si un tel mot pouvait s'appliquer à un tel homme. Après plusieurs heures d'insomnie, elle finit par s'endormir d'un sommeil agité.

Il fait sombre. Elle marche, mais ne reconnaît pas la rue. Des réverbères s'allument et s'éteignent dans une brume jaunâtre. Il n'y a personne, elle n'entend que le claquement de ses bottillons sur le trottoir. Soudain, deux lumières percent le brouillard. Une voiture surgit, tirée par un cheval qui court à l'épouvante. Elle tente de crier, mais aucun son ne sort de sa gorge. Une main l'agrippe et la tire brusquement en arrière.

Un visage est penché au-dessus du sien. Auguste Lenoir la dévore des yeux, puis lui arrache son manteau, lacère son corsage à l'aide d'un coupe-papier au manche d'ivoire. Elle tente de bouger, mais elle est paralysée. Il remonte sa jupe et la pénètre d'un coup de hanche brutal. Une douleur fulgurante la traverse, suivie d'une sensation de chaleur intense, comme si elle brûlait de l'intérieur.

Marguerite se réveilla brusquement, en nage et haletante. Elle se redressa, encore horrifiée par son cauchemar, voyant toujours l'ombre de Lenoir penchée au-dessus d'elle. Une aube laiteuse filtrait à travers les rideaux. Elle savait ce qu'il lui restait à faire.

ॐ

Le lendemain, Marguerite dénicha dans le grenier une grosse serviette de cuir qui avait appartenu à son père du temps qu'il était juge. Elle fit ensuite atteler la Rockaway par monsieur Joseph et lui demanda de la conduire à la Quebec Bank, rue Saint-Pierre. Faisant fi des conseils de sa servante, elle avait finalement pris la décision de retirer la somme exigée par Lenoir. Le commis sourcilla lorsque Marguerite demanda à encaisser un montant aussi important. Il consulta le directeur de la banque, monsieur Gibbons, qui se rendit au guichet, affichant un sourire anxieux.

— *Dear Mrs. Grandmont* (il prononçait « grandemonte »), *if I can provide you with any help or advice…*

— Je n'ai besoin d'aucun conseil, monsieur Gibbons. Veuillez me remettre cette somme.

Le directeur pinça les lèvres.

— *As you wish, Mrs. Grandmont. But you have to expect a delay. It is a very large sum of money.*

— J'attendrai le temps qu'il faudra.

Marguerite s'installa dans un fauteuil élégant qui avait été mis à la disposition des clients, tandis que monsieur Gibbons faisait signe à son commis de se rendre dans la chambre forte de la banque. Il fallut près d'une heure avant que la somme lui soit enfin remise. Marguerite demanda que les billets soient comptés devant elle et placés dans la serviette de cuir qu'elle avait apportée. Comme le sac était lourd, le commis le transporta jusqu'à la Rockaway et le déposa à l'intérieur de la voiture, sous la banquette, suivant les instructions de Marguerite.

Pendant le trajet du retour, Marguerite songea cent fois à mettre fin à cet odieux chantage, mais chaque fois, elle mesurait les conséquences que ce geste aurait pour sa fille : son nom traîné dans la boue ; son mariage, ruiné ; son bonheur, piétiné. Mieux valait faire ce pacte avec le diable qu'être la cause du malheur de Rosalie.

La voiture s'arrêta devant la résidence de Marguerite. Entre les rideaux de la fenêtre de voiture, elle aperçut Auguste Lenoir qui faisait les cent pas devant la grille de fer forgé. Priant pour qu'aucun voisin ne l'ait remarqué, elle entrouvrit la portière de la voiture et l'interpella.

— Monsieur Lenoir !

L'homme se tourna en direction de la voix. Marguerite lui fit signe d'approcher. Il vint vers elle, sous l'œil suspicieux de monsieur Joseph, qui ne comprenait rien à ce qui se passait mais devinait qu'il s'agissait de quelque chose d'inhabituel et d'inquiétant.

— Montez, lui dit-elle d'une voix impérieuse.

Lenoir obéit, surpris par l'autorité nouvelle qui se manifestait chez sa victime. Marguerite s'adressa à son cocher :

— Conduisez-nous à l'écurie.

Monsieur Joseph hésita, mais sa maîtresse le pressa :

— Ne perdez pas de temps. Vous resterez ensuite à votre poste.

Renonçant à deviner pour quelle raison madame Grandmont faisait affaire avec cet homme dépenaillé, qui avait tout d'un aigrefin, monsieur Joseph referma la portière et reprit place sur son siège. Il mena ensuite la voiture vers la cour intérieure où se trouvaient l'écurie et les dépendances, puis attendit, comme sa patronne le lui avait indiqué.

Constatant que la voiture s'était immobilisée, Marguerite leva les yeux vers l'agent de renseignement.

— J'ai la somme que vous avez exigée. Mais avant de vous la remettre, je veux que vous me donniez les lettres.

Lenoir fit un sourire goguenard.

— Comme vous êtes expéditive, madame Grandmont. Je vous ai connue plus conciliante, dit-il en posant une main sur ses genoux.

Marguerite eut un mouvement de recul et repoussa brusquement la main de l'agent.

— Si vous tentez un autre geste du genre, je fais signe à mon cocher, qui vous abattra comme un chien.

Le pauvre monsieur Joseph n'était pas armé, et de toute manière n'avait jamais utilisé un pistolet de sa vie, mais Marguerite comptait sur l'effet dissuasif de cette menace. Lenoir retira sa main et poussa un soupir théâtral.

— Dommage. Mais vous avez raison, il vaut mieux ne pas mêler les affaires à la bagatelle.

Il fouilla dans une poche de son habit usé et en extirpa des lettres entourées d'un ruban rouge, qu'il remit à Marguerite. Celle-ci les examina et reconnut son écriture, ainsi que les enveloppes en papier vélin de bonne qualité.

— L'argent ? siffla-t-il.

— Dans un sac, sous la banquette.

Lenoir se pencha et découvrit la serviette de cuir, dont il s'empara, soufflant à cause du poids du sac. Il se hâta de l'ouvrir. Ses yeux brillèrent de convoitise en voyant les liasses de billets bien rangées.

— À la bonne heure, chère madame. Je ne me donnerai pas la peine de compter, je vous fais entièrement confiance.

Il ouvrit la portière.

— *Au revoir*, madame Grandmont. C'est toujours un plaisir de brasser des affaires avec vous.

Il s'éloigna, tenant la serviette sous son bras. Marguerite le suivit des yeux, la poitrine gonflée par la haine. Laissant la portière entrouverte, elle détacha machinalement le ruban rouge qui retenait les lettres, en prit une au hasard et l'ouvrit. Au lieu du papier de vélin qu'elle utilisait toujours pour sa correspondance, elle trouva des feuilles de mauvaise qualité. Le cœur battant, elle les déplia. Elles étaient vierges. Pas un mot n'avait été écrit sur ces pages. Elle saisit une autre lettre. Bientôt, le plancher de la voiture fut recouvert de feuilles blanches. Affolée, elle sortit de la voiture et se précipita dans l'allée qui menait à la rue. Celle-ci était déserte. Auguste Lenoir avait disparu.

Deuxième partie

Les fantômes du passé

XIV

Village de la Jeune Lorette
Mi-juin 1862

Amanda se redressa et plissa les yeux. Bien qu'elle portât un chapeau de paille, elle était aveuglée par le soleil de midi. Son tablier contenait des semis qu'elle plantait un à un dans des trous que Lucie, sa belle-sœur, creusait au fur et à mesure dans le potager, à quelques pouces de distance. Solange, la benjamine de Lucie, âgée de deux ans et demi, jouait avec une poupée de chiffon à l'ombre d'un chêne. La chaleur était telle qu'une nappe de brouillard nimbait l'horizon.

— Il fait aussi chaud que dans un poêle ! s'exclama Lucie, essuyant d'une main la sueur qui couvrait son front. J'ai jamais vu ça, l'été est même pas commencé !

Secouant son tablier pour enlever la terre, la sœur de Noël Picard se dirigea ensuite vers le puits situé tout près de la maison, qui avait été agrandie l'année précédente afin de loger confortablement les nouveaux mariés. Tous les habitants du village huron avaient mis l'épaule à la roue pour aider les Picard à bâtir l'annexe, de sorte que les travaux n'avaient duré que deux jours. C'était ainsi, à la Jeune Lorette. Chacun venait en aide à son prochain. Si un habitant manquait de bras pour faire ses récoltes, ses voisins se rendaient aux champs pour lui donner un coup de main. Lorsqu'un enfant, une mère en couches ou un vieillard tombait malade ou mourait, les villageois rendaient tour à tour visite à la famille éprouvée, lui apportant de la nourriture et des paroles de réconfort. Bien sûr, le retour de Noël avec la belle étrangère avait provoqué beaucoup de curiosité au début, mais les Hurons avaient pour habitude de ne pas se mêler des affaires des autres. Il faut dire que Noël, malgré ses longues périodes d'absence, était respecté de tous. On se réjouissait pour lui qu'il ait enfin rencontré « l'âme sœur », comme on disait.

Lucie puisa de l'eau qu'elle versa ensuite dans une écuelle de fer-blanc accrochée à la margelle, en but quelques gorgées, puis revint vers Amanda.

— Tiens, tu dois mourir de soif.

Amanda saisit l'écuelle et la porta à ses lèvres. La fraîcheur de l'eau lui fit du bien.

— Merci, dit-elle à Lucie avec reconnaissance.

Une goutte d'eau perlait sur sa lèvre supérieure, qu'un rayon de soleil faisait briller comme un diamant. Lucie jeta un regard ému à sa belle-sœur. Le bonheur qui émanait de la jeune femme faisait plaisir à voir. Dans les premiers temps de son arrivée au village, Amanda s'était montrée réservée. Elle s'attardait rarement à table pour participer aux bavardages familiaux, et ne parlait jamais de son passé. Elle donnait l'impression d'être toujours sur ses gardes, comme une biche aux abois. Même la présence de Noël à ses côtés ne la rassurait pas complètement. Lucie ne s'en étonnait pas, bien que cela la chagrinât. Son frère lui avait confié sans hésitation le passé sombre d'Amanda, l'accusation de meurtre qui pesait contre elle, son évasion, et le fait qu'elle était toujours recherchée par la police. Jamais Noël n'avait douté un instant de son innocence. Peu lui importait le jugement d'une cour de justice. Il avait la certitude qu'Amanda n'avait jamais rien eu à se reprocher, et qu'elle avait été victime des circonstances.

Lucie se rappela avec émotion le sourire qui éclairait le visage de son frère le jour du mariage, qui avait été célébré par le curé Vincent, dans la jolie église Notre-Dame-de-Lorette ; sa joie sans partage lorsqu'il avait saisi la mariée par la taille après l'échange des anneaux et des vœux, et qu'il l'avait embrassée dans la lumière irisée qui entrait par les vitraux, tandis que les enfants se pourchassaient dans l'allée.

Au fil des jours, les craintes d'Amanda semblaient s'être apaisées. On aurait dit qu'elle apprenait à apprivoiser le bonheur, à cesser d'avoir peur qu'il lui soit arraché. Il faut dire que Noël veillait sur elle comme une louve couvant ses petits. Si quelqu'un avait seulement tenté de lui faire du mal, il l'aurait trouvé sur son chemin ! Mais rien de mal ne s'était produit. Aucun intrus ne s'était présenté au village pour menacer Amanda. L'amour dont Noël entourait sa femme, l'affection sincère de Lucie, l'accueil chaleureux de la communauté, les jours paisibles qui se déroulaient au rythme lent des saisons, tout cela avait contribué à ramener la paix dans le cœur de la jeune femme.

En levant les yeux, Lucie vit son mari Bertrand, avec Noël, qui tenait un cheval de trait par la bride. Les deux hommes s'approchaient de la maison d'un pas allègre, ne paraissant nullement incommodés par la chaleur. Aurélien, le fils aîné du couple, les suivait en sifflotant, les joues rougies par le travail et le soleil. Ian fermait la marche, une casquette bleu marine enfoncée sur la tête, le visage fermé. Le cœur de Lucie se serra. Contrairement à Amanda, l'adolescent ne semblait pas s'être adapté à sa nouvelle vie. Il participait sans rechigner aux travaux des champs et à toutes les corvées de la maisonnée, mais vivait replié sur lui-même et restait le plus souvent seul dans son coin. Lucie tentait souvent d'engager la conversation avec lui, mais il répondait par monosyllabes. Ses seules passions étaient la pêche et la navigation. Chaque fois que Bertrand ou Noël lui proposait de l'accompagner dans une expédition sur la rivière Saint-Charles en canot ou à une partie de pêche, les yeux de l'adolescent se mettaient soudain à briller et il acceptait sans se faire prier.

Bertrand lui avait montré comment fabriquer une mouche et utiliser un leurre, ainsi qu'« escher » un hameçon et ferrer la ligne lorsque le poisson avait mordu. Le garçon avait appris rapidement et il était devenu un bon pêcheur. *C'est au moins ça de pris*, songea Lucie en regardant le garçon s'avancer vers la maison en se traînant les pieds.

Noël, la main en visière pour se protéger les yeux du soleil de midi, aperçut sa sœur et sa femme debout dans le potager qui jouxtait la maison. *Ma femme.* Il se répétait ces mots chaque jour, comme pour se convaincre de leur réalité. À travers ses yeux mi-clos, il contempla la silhouette d'Amanda et sentit un amour fou gonfler sa poitrine. *Amanda, ma petite Irlandaise.* Tous les matins de sa vie, il avait la joie de s'éveiller à ses côtés, de sentir sa peau douce contre la sienne, de respirer son parfum délicat dans le creux de son cou. Il ne se lassait pas de la regarder dormir, émerveillé par la courbe gracieuse de ses bras dans le sommeil, le dessin délicat de ses oreilles, le réseau fin des veines sous sa peau blanche. Pas un détail de son corps ne lui échappait. Il les notait dans sa tête, tel un capitaine tenant soigneusement le journal de bord de son navire.

Amanda vit son mari s'approcher d'elle et lui sourit. *C'est donc cela, le bonheur*, se dit-elle. Ce sentiment d'avoir sa place dans l'univers, si modeste soit-elle. De se lever chaque jour sans craindre le lendemain, sans avoir peur de voir apparaître des policiers dont les casques noirs luisent au soleil, ou la silhouette sombre du coroner Duchesne. Elle chassa aussitôt cette pensée. L'homme de loi n'avait aucun moyen de savoir où elle s'était réfugiée. Et plus le temps passait, plus les pistes qui menaient à elle s'effaçaient, tels des sentiers abandonnés qui disparaissent peu à peu sous la végétation. Elle embrassa Noël avec une fougue qui le réjouit.

— Eh, tu t'es ennuyée de moi, on dirait.

❧

Après un repas copieux composé de sagamité et de poisson séché, Bertrand et Aurélien retournèrent travailler aux champs, tandis qu'Ian s'attardait au puits afin de remplir sa gourde. Noël décida de débiter des bûches de hêtre et de chêne en copeaux qui serviraient pour le fumage du poisson et du chevreuil. Amanda le rejoignit. Elle le regarda travailler en silence, admirant la précision de ses gestes.

— Noël.

Il leva la tête vers elle. Ses cheveux noirs comme le jais lui collaient sur le front.

— J'ai attendu quelques semaines avant de t'annoncer la nouvelle. Je voulais être certaine.

Il attendit la suite, comme suspendu à ses lèvres. Une fauvette s'envola à tire-d'aile et se percha sur la branche d'un érable argenté.

— Je suis en retard de quelques semaines. Je crois bien que je suis enceinte.

Noël planta sa hache dans une souche. Il était si ému qu'il fut incapable de parler. Amanda le regarda avec inquiétude.

— On dirait que tu n'es pas heureux, murmura-t-elle.

Il s'avança vers elle, la prit par les épaules.

— Quand on est trop heureux, on ne trouve pas toujours les mots pour l'exprimer.

Il lui caressa les cheveux, qui avaient retrouvé leur couleur rousse, car Amanda, se sentant en sécurité dans le village, avait cessé de les teindre en noir.

— C'était mon plus cher espoir.

Ils se regardèrent en silence, habités par une entente tacite, de celles qui sont tissées par une confiance sans fard. Puis Noël attira sa femme à lui et posa doucement ses lèvres sur ses tempes, dont le parfum de foin fraîchement coupé l'enivrait. Ils ne remarquèrent pas Ian qui, debout près du puits, les fixait de ses yeux sombres.

❧

Avant le souper, Amanda écrivit une longue lettre à sa sœur Fanette afin de lui apprendre la bonne nouvelle. Le lendemain, elle irait porter la missive au curé Vincent, qui la posterait au village voisin, l'Ancienne Lorette, où se trouvait un bureau de poste. Depuis qu'elle avait quitté le Nouveau-Brunswick, Amanda, par mesure de précaution, avait donné instruction à sa sœur cadette de lui adresser ses lettres sous le nom de Jeanne Baril, au bureau postal de Beauport. Une fois par mois, Noël et Bertrand s'y rendaient pour y prendre le courrier. Certains jours, la jeune femme trouvait insupportable d'être ainsi séparée de sa sœur et condamnée à lui écrire en catimini, alors que seulement quelques jours de route les séparaient. Mais elle n'avait pas le choix. Tant qu'elle serait une fugitive, il lui faudrait accepter de vivre une sorte d'exil dans ce village auquel, par ailleurs, elle était de plus en plus attachée.

࿏

Après le souper, tandis que Lucie et Amanda desservaient la table, Noël, débordant de fierté, annonça la nouvelle de la grossesse de sa femme. Lucie s'essuya les mains sur son tablier et embrassa sa belle-sœur sur les deux joues. Bertrand félicita le couple et promit de ramener du gibier pour fêter l'événement. Seul Ian demeura silencieux, roulant distraitement de la mie de pain sous ses doigts. Sachant que l'adolescent était fou de pêche, Bertrand tenta de le dérider en lui parlant d'une expédition en canot qu'il projetait faire sur la rivière Saint-Charles.

— On pourrait en profiter pour taquiner le brochet.

Les yeux soudain remplis d'eau, Ian se leva brusquement en faisant tomber sa chaise et sortit de la cuisine. Tous échangèrent un regard consterné. Noël se leva à son tour et replaça la chaise en silence. Amanda fit un mouvement pour rejoindre son fils, mais son mari la retint.

— Laisse-lui le temps de digérer la nouvelle, lui conseilla-t-il à voix basse.

Amanda ne répondit pas. Elle aurait voulu s'expliquer avec Ian, lui dire qu'elle l'aimait plus que tout au monde, qu'il n'avait pas à craindre que l'enfant à naître lui vole l'affection qu'elle avait pour lui. Lorsqu'il était petit et qu'il se faisait mal en tombant, il lui suffisait de le prendre dans ses bras et de lui chuchoter des mots doux à l'oreille pour l'apaiser. Mais Ian avait grandi, il ne se contentait plus d'un simple geste de consolation. Même l'amour qu'elle lui portait ne pouvait réparer le passé.

— Tu as sûrement raison, se contenta-t-elle de répondre, le cœur gros.

Lorsqu'il fut temps de monter à sa chambre, Amanda jeta un coup d'œil à celle de son fils. Un rai de lumière filtrait sous la porte. Elle ne put s'empêcher de frapper discrètement dans l'espoir qu'Ian lui ouvrirait et qu'elle pourrait lui parler, mais il ne répondit pas.

ᥱ๑

Debout sur un escarpement rocheux qui faisait face à la chute Kabir Kouba, Ian, tenant dans ses mains le goéland de bois sculpté que sa tante Fanette lui avait offert et qu'il avait toujours précieusement gardé, regardait les torrents d'eau se fracasser contre les rochers, éclairés par les reflets mauves de la lune. Le bruit assourdissant de la chute le calma. C'était Noël qui lui avait montré cet endroit. Selon une vieille légende huronne, la chute avait le pouvoir d'apaiser les chagrins et d'éloigner les mauvais esprits. L'adolescent avait pris l'habitude de s'y réfugier lorsqu'il se sentait malheureux. Ses questions sans réponse, son mal de vivre se fondaient dans les tourbillons d'écume et la musique de l'eau. Il remit le goéland dans sa poche et s'assit sur le tapis de mousse qui couvrait la roche, respirant l'air pur, imprégné d'un parfum de résine et d'herbe. Il tenta de comprendre sa réaction à l'annonce de la venue du bébé. Ce n'était pas de la jalousie, du moins, il ne le pensait pas. Pourquoi aurait-il envié un bout d'humain qui poussait dans le ventre de sa mère ? Lorsqu'il était enfant, il aurait tellement aimé avoir un petit frère ou une petite sœur, avec qui il aurait pu jouer au lieu de passer ses journées seul, à bâtir des châteaux de sable sans personne pour les admirer. Non, c'était autre chose.

Comme il le faisait souvent, il tâcha d'imaginer son père. *John Kilkenny*. Il le voyait grand, bâti, le visage buriné par le soleil et le vent du large, magnifique dans son uniforme d'officier de la marine. Debout sur le pont de son voilier, dont la proue majestueuse perçait les vagues immenses pendant que les voiles claquaient dans le vent du large, son père admirait l'horizon, tel un roi qui contemple son royaume. Il donnait des ordres à ses hommes d'équipage, qui lui vouaient un respect et une admiration sans bornes et auraient donné leur vie pour leur capitaine. Parfois, il pensait à son fils Ian et à sa femme, qu'il avait dû quitter pour prendre le commandement de son navire, et ressentait une nostalgie teintée d'espoir. Dans quelques mois, après la saison de navigation, il reviendrait à son foyer, les bras chargés de présents, qu'il déposerait à leurs pieds. Puis il enlacerait sa femme et son fils et leur raconterait ses aventures, les yeux remplis d'étoiles.

L'image de son père s'estompa dans les remous de la chute. Ian comprit d'où venait son tourment. L'enfant que sa mère attendait aurait un père. Tandis que lui n'avait jamais connu le sien, et ne le connaîtrait peut-être jamais. Tout ce que sa mère lui avait dit, c'était que son père avait disparu en mer, et qu'il n'était jamais revenu. Il ne lui avait même pas légué son nom, car il avait dû prendre son poste sur son navire avant de pouvoir se marier avec sa mère, et le naufrage avait eu lieu. Du moins, c'est l'explication qu'Amanda lui avait donnée, un jour où il l'avait pressée de questions.

Le cri d'un hibou s'éleva dans la nuit. Ou-hou-ou-hou… L'oiseau passa près de lui dans un froissement d'ailes et se percha sur la branche d'un grand pin, ses yeux jaunes luisant dans la clarté lunaire. Ian se redressa. Un plan se dessinait dans sa tête. Il retrouverait son père, quand bien même il lui faudrait pour cela faire le tour de la terre.

XV

Amanda fut réveillée par le chant du coq. Les premières lueurs de l'aube couvraient les murs de la chambre de lueurs ambrées. Sa première pensée fut pour l'enfant à naître. Elle plaça une main sur son ventre. Il était encore trop tôt pour sentir la forme du bébé, mais elle avait l'étrange impression d'être habitée. Elle tourna la tête et regarda Noël, qui souriait légèrement dans son sommeil. Comme elle l'aimait ! Elle embrassa doucement son visage aux traits réguliers, bruni par les travaux de la ferme. Cet homme, à la bonté sans apprêt, aux manières simples, était devenu son port d'attache. Il lui donnait ce qu'elle n'avait jamais reçu avant de le connaître, sauf lorsqu'elle était petite, avec ses parents : un sentiment de sécurité, d'appartenance.

Incapable de se rendormir, elle se leva et alla vers la fenêtre. Une brise embaumant le trèfle et le chèvrefeuille la rafraîchit. Elle aperçut Ian assis sur une marche du perron. Ses cheveux noirs et bouclés formaient un halo sombre autour de sa tête. *Oh, Ian...* Elle avait de la difficulté à l'admettre, mais elle savait que son fils était malheureux. Il ne semblait pas s'être acclimaté à sa nouvelle vie. Bien qu'il fût poli et respectueux envers Noël, il gardait toujours ses distances avec lui. Et l'arrivée de l'enfant ne ferait qu'empirer les choses. La réaction d'Ian à l'annonce de sa grossesse en était une preuve éloquente. Mais la soif de bonheur d'Amanda était si impérieuse qu'elle l'empêchait de trop s'attarder sur l'état d'esprit de son fils. Une part d'elle-même lui en voulait même de son attitude. N'avait-elle donc pas fait tout en son pouvoir pour prendre soin de lui ? Était-ce sa faute si elle avait dû l'élever toute seule, dans des circonstances si pénibles ? Peut-être aurait-il été plus heureux si elle l'avait laissé chez les Augustines, qui lui auraient trouvé une famille convenable, dans la haute ville. Elle éprouva aussitôt un vif sentiment de culpabilité. *A Iain, ba bhreá liom go mbeifeá chomh sona liomsa.* Oh Ian, je voudrais tant que tu sois aussi heureux que je le suis.

Elle fit sa toilette en faisant attention de ne pas réveiller Noël, puis s'habilla et sortit de la chambre.

☙

Amanda ouvrit la porte qui donnait sur le perron. Une lumière diaphane dissipait la brume matinale.

— Ian.

Il resta immobile. Amanda prit place à côté de son fils et l'enlaça tendrement par les épaules. Il se laissa faire, ce qui la rassura. *Ce n'est pas contre toi qu'il en a, mais contre sa situation.* Elle chercha des mots pour le réconforter.

— Ian, l'arrivée d'un enfant ne changera rien à l'affection que j'éprouve pour toi.

— Je sais bien. Ce n'est pas ça.

Le regard de l'adolescent fixait l'horizon. Un chant strident de grenouilles s'éleva d'un étang.

— À quoi il ressemblait ? dit soudain Ian.

Amanda regarda son fils sans comprendre. Il tourna la tête vers elle. Ses yeux sombres ressemblaient à l'eau d'un lac profond.

— Mon père, à quoi il ressemblait ? répéta-t-il.

Prise de court par la question de son fils, Amanda resta muette. Ian lui avait souvent demandé comment elle avait rencontré son père, s'ils s'aimaient, son âge lorsqu'il avait disparu en mer, mais c'était la première fois qu'il lui demandait de le décrire physiquement. Pendant toutes ces années, elle avait fait des efforts désespérés pour oublier le visage de Jacques Cloutier, pour en effacer chaque trait de sa mémoire, mais elle n'y était jamais par-

102

venue. Et pour cause ! Ian était le portrait craché de son père. Sa ressemblance avec lui s'accentuait de jour en jour : la chevelure, le regard, le menton carré, les épaules larges et bien découpées, jusqu'à sa façon de froncer les sourcils lorsqu'il était en colère.

— Le temps a passé. Je n'en ai pas gardé un souvenir très net.

Ian avait toujours les yeux rivés sur sa mère. Il y avait un tel besoin de vérité dans ce regard, une telle détresse, qu'Amanda comprit qu'elle devait se résigner à en dire davantage, malgré son désir d'enterrer ce passé funeste une fois pour toutes.

— Il était grand, il avait des yeux et des cheveux noirs.

Ian devint songeur.

— Comme moi, observa-t-il.

Amanda sentit sa gorge se contracter.

— Tu ressembles beaucoup à ton père. À ta naissance, tu avais des yeux gris-bleu, comme ton grand-père, mais après quelques mois, ils ont changé de couleur, comme cela arrive souvent aux nourrissons.

Un sourire éclaira momentanément le visage d'Ian. Il avait enfin un repère, quelque chose de tangible qui le liait à son père, mais son sourire s'effaça, tel un nuage masquant soudain le soleil.

— Pourquoi tu me parles jamais de lui ?

— Parce que ça me fait trop de chagrin.

Pour une fois, il ne lui avait pas été nécessaire de mentir. Chaque fois qu'Ian abordait la question de ses origines, Amanda était au supplice. Le garçon scruta sa mère, comme s'il tentait de percer le sens véritable de ses mots. Puis il regarda de nouveau l'horizon, auréolé d'une lueur nacrée.

— J'ai gardé aucun souvenir de mon père. Rien. Comme s'il avait jamais existé.

— C'est normal, tu étais trop jeune quand il est mort.

Amanda avait souvent expliqué à son fils que son père, un marin du nom de John Kilkenny, avait disparu dans le naufrage de son navire, alors qu'Ian était âgé de deux ans. Elle s'en était toujours tenue à ce mensonge, espérant qu'il s'en contenterait.

— Tu m'as jamais dit le nom du bateau dans lequel papa avait fait naufrage.

Une sorte de vertige s'empara d'Amanda, comme si elle marchait au bord d'une falaise et risquait de tomber dans le vide à chaque instant. Elle essaya désespérément de trouver une réponse. *Réfléchis. Il en va du bonheur de ton fils.* Elle pensa alors à sa propre traversée de l'Atlantique avec sa famille afin d'échapper à la famine qui sévissait en Irlande.

— *Rodena*, dit-elle d'une voix étouffée. Le bateau s'appelait le *Rodena*.

— Comment s'est produit le naufrage ?

Encore des questions qui détruisaient peu à peu les garde-fous fragiles qu'elle avait édifiés au fil des ans pour protéger son fils de la vérité.

— Il y a eu… une tempête. Une tempête terrible, qui a détruit le navire, et tout l'équipage.

— À quel endroit ?

Elle se rappela un récit que son père lui avait fait lorsqu'elle était enfant : un grand voilier avait fait naufrage, au large de Cork. Équipage et passagers avaient péri corps et biens.

— Au large de Cork.

— De quel port le *Rodena* était-il parti ?

Amanda pria pour que son fils ne poursuive pas son interrogatoire. Car c'était bien de cela qu'il s'agissait : un interrogatoire qui la ramenait à son passé et l'acculait au mensonge.

— Comment veux-tu que je m'en souvienne ? s'écria-t-elle, à bout de nerfs. Ça fait trop longtemps.

Elle se mit debout pour échapper à ses questions.

— La maisonnée va se lever bientôt. Je vais allumer le poêle.

Ian se leva à son tour et prit sa mère par le bras. Elle constata à quel point il était fort, comme son père.

— Papa est peut-être encore vivant.

Ses grands yeux noirs étaient remplis d'espérance. Un sentiment de pitié et d'horreur envahit Amanda.

— Ton père est mort, Ian. Il est mort et ne reviendra plus jamais !

Les mots avaient jailli de sa bouche sans qu'elle puisse les retenir. Ian lâcha le bras de sa mère. Ses lèvres tremblaient, comme celles d'un enfant sur le point de pleurer. Il dévala les marches du perron et partit en direction de la rivière. Il marchait vite, sans se retourner, les mains enfoncées dans ses poches. Amanda le suivit des yeux jusqu'à ce qu'il ne soit plus qu'un point à l'horizon. Une main se posa doucement sur son épaule. Elle se retourna vivement. Noël la regardait avec une tendresse inquiète.

— Il m'a encore parlé de son père, avoua-t-elle. Ses questions sont de plus en plus précises. Si tu savais à quel point je déteste lui mentir !

Noël lui jeta un regard pensif.

— Un jour, il faudra peut-être lui dire la vérité.

Le visage d'Amanda s'assombrit.

— Jamais.

Elle se détourna et rentra dans la maison. Noël renonça à la rejoindre. Elle aussi avait un lourd fardeau à porter. Il aurait voulu pouvoir s'en charger à sa place, mais il savait que c'était impossible. Même tout l'amour qu'il avait pour sa femme ne pouvait racheter entièrement le passé.

XVI

Après avoir mangé des galettes de maïs accompagnées de lard, Noël, Bertrand et Aurélien se rendirent à l'étable, attelèrent le cheval de trait à une charrue et prirent la direction des champs. Le ciel était d'un bleu transparent, sans nuages. Une odeur suave d'herbe et de terre provenant des prés parfumait l'air.

— Où est Ian ? demanda Aurélien, qui s'étonnait de ne pas voir le garçon.

Noël l'ignorait, mais il resta discret sur l'état d'esprit de son beau-fils et donna une excuse pour justifier son absence.

— Il a peut-être décidé de faire la grasse matinée. Allez, au travail.

Aurélien haussa les épaules et prit le cheval par le collier. Il trouvait Ian bien chanceux de pouvoir échapper à la dure tâche du labourage, mais il avait bon caractère et se mit à la besogne sans rechigner.

❧

Portant un sac de semis sur son épaule, Noël y puisait des graines de maïs qu'il jetait ensuite d'un mouvement leste dans le sillon creusé par la herse. Il travaillait sans relâche depuis plusieurs heures. Ses muscles étaient endoloris et ses joues brûlaient à cause du soleil, mais la perspective d'obtenir de bonnes récoltes à la fin de l'été et de pouvoir affronter le long hiver avec des provisions suffisantes valait largement tout ce labeur. Il se redressa pour boire un peu d'eau dans la gourde qui pendait à sa ceinture. Une brise venant de l'ouest se leva et le rafraîchit agréablement. Il aperçut alors une silhouette qui courait sur le chemin. Il crut d'abord qu'il s'agissait d'Ian. Ce dernier n'avait pas donné signe de vie de toute la matinée, mais Noël ne s'en était pas préoccupé outre mesure. Connaissant l'adolescent, celui-ci était sûrement allé du côté de la rivière Saint-Charles pour pêcher ou faire un tour de canot, afin de faire passer son chagrin. Il avait de la sympathie pour l'adolescent et comprenait sa révolte. Lorsque Jérémie, son frère le plus jeune, auquel il était très attaché, était mort noyé, il avait éprouvé une profonde colère, se demandant comment Dieu avait pu permettre qu'un garçon de treize ans disparaisse aussi brutalement, alors qu'il avait toute la vie devant lui. Puis, avec le temps, son chagrin et sa révolte s'étaient apaisés. Le souvenir de son frère s'était déposé peu à peu dans son cœur, comme des sédiments au fond d'une rivière. Lorsqu'il avait trop de peine, il se rendait à la chute Kabir Kouba, la rivière aux mille détours, comme la surnommaient les Hurons, et il poussait des cris qui se perdaient dans le fracas du torrent. C'était l'endroit préféré de Noël. Son père l'y avait emmené dès son plus jeune âge, lui faisant admirer la falaise aux étranges aspérités, les énormes rochers couverts de mousse, les trombes d'eau qui se déversaient dans un tourbillon d'écume blanche.

— Tu vois, là-bas ? lui disait-il en lui montrant les contours sinueux du lit de la rivière. Mon grand-père me racontait que c'était un grand esprit qui y vivait autrefois. Il a été chassé et s'est transformé en serpent.

Noël l'écoutait, la bouche entrouverte, les yeux émerveillés. Après la mort de son père, quelques années auparavant, il avait continué de se rendre à Kabir Kouba chaque jour pour s'y recueillir en écoutant la musique de la chute, comme si le grand esprit était revenu hanter les lieux.

Un son cristallin parvint jusqu'à lui, apporté par la brise. Une cloche. Il leva les yeux vers le ciel. Le soleil était presque à son zénith. Le carillon sonnait sans doute l'angélus. La silhouette se rapprochait. Noël reconnut avec surprise le curé Vincent. Celui-ci s'empêtrait dans sa soutane noire et criait quelque chose en agitant les bras. Bertrand et Aurélien, qui guidaient le cheval arrimé à la charrue, entendirent les cris et s'immobilisèrent. Noël déposa le sac de semences qu'il tenait en bandoulière et se dirigea vers le prêtre. Ce dernier, hors d'haleine, tentait péniblement de reprendre son souffle. Son visage était mouillé de sueur.

— Qu'est-ce qui vous arrive, monsieur le curé ?

— Le feu… Le feu a pris… dans la… la fabrique…

Noël comprit que le prêtre faisait allusion à l'atelier jouxtant l'église où l'on fabriquait du papier. Bertrand et Aurélien accoururent à leur tour vers le prêtre, qui fut pris d'une quinte de toux. Il reprit d'une voix saccadée :

— L'église… Tit-Paul est en train de sonner l'alarme… Le vent… Venez vite, avant qu'il soit trop tard.

Paul était un orphelin que le curé Vincent avait pris sous son aile et qui l'aidait à servir la messe et à faire de menus travaux pour l'église. Les habitants du village l'avaient surnommé affectueusement Tit-Paul, parce qu'il était haut comme trois pommes, malgré ses quatorze ans.

Les trois hommes s'élancèrent sur le chemin sans perdre de temps. Noël, se rendant compte que le curé était trop épuisé pour les suivre, revint sur ses pas et voulut le prendre par le bras pour l'aider à marcher, mais le prêtre lui fit signe de continuer sans lui.

— Laisse, murmura le prêtre. Je vous rejoindrai. Va…

Noël hésita, puis laissa l'homme d'Église et courut pour rattraper Bertrand et Aurélien.

❧

Noël arriva le premier à la place centrale du village, dominée par l'église Notre-Dame-de-Lorette, dont la blancheur tranchait avec le bleu du ciel. La cloche continuait de sonner à toute volée. Des femmes et des enfants s'étaient regroupés devant le parvis, les yeux rivés sur le beffroi. À première vue, Noël ne décela rien d'anormal, mais en levant la tête, il aperçut un panache de fumée sombre derrière le clocher, là où se situait la fabrique de papier. Des lueurs orangées semblaient danser sur le toit de l'atelier. *Des flammes.* Tout à coup, les fenêtres de la fabrique volèrent en éclats. Des langues de feu en sortirent, accompagnées d'une épaisse fumée noire. Noël chercha du regard son beau-frère et son neveu. Il les vit qui accouraient vers lui et il leur montra les flammes, que le vent déportait vers l'église.

— Le feu se propage. L'église risque d'y passer.

Le grand chef des Hurons, Simon Romain, un homme vigoureux dont les traits respiraient l'énergie et le courage, avait rassemblé des villageois afin qu'ils forment une longue chaîne qui se rendrait jusqu'à la chute Kabir Kouba. Noël, Bertrand et Aurélien se joignirent aux hommes pour combattre les flammes. Celles-ci se répandaient à une vitesse folle, décuplée par le vent. L'odeur âcre de la fumée leur parvint. Noël empoigna un seau et le donna à son voisin, qui le remit à un autre. Il valait mieux agir que de rester les bras croisés, à laisser le feu se propager. Il chercha Amanda et Lucie des yeux, mais ne les vit pas. Elles ignoraient sans doute qu'un incendie avait éclaté. Sa pensée s'attarda à Ian. Une inquiétude sourde s'empara de lui. *Où peut-il bien être ?*

Le toit de la fabrique s'écroula tout à coup avec un fracas assourdissant, dans une myriade de flammèches et d'étincelles. Un bambin se mit à hurler. Une voix s'écria :

— L'église ! L'église est en feu !

Noël regarda dans cette direction. Les flammes léchaient maintenant le clocher. Il constata que le son du carillon avait complètement cessé. Laissant tomber le seau qu'il portait, il se précipita vers l'église. En chemin, il croisa le curé Vincent. Ce dernier, échevelé, les yeux hagards, se tordait les mains.

— Mon Dieu, épargnez Votre maison. De grâce, faites qu'elle ne soit pas détruite.

Construite en 1730, Notre-Dame-de-Lorette avait été bâtie d'après la Santa Casa de Lorette, haut lieu de pèlerinage en

Italie, où l'on vénérait la Madone et l'enfant Jésus. Les habitants du village huron venaient se recueillir régulièrement dans leur église, apportant des fleurs ou des *wampums* en guise d'offrande, remerciant sainte Marie de leur avoir donné de bonnes récoltes, ou d'avoir exaucé un vœu. Ils s'y rassemblaient tous les dimanches, se réjouissant de la naissance d'un enfant, ou pleurant la mort d'un des leurs. Les sermons du curé Vincent, loin de brandir la peur de l'enfer, leur parlaient du bonheur d'être sur la terre. Ce bonheur, disait-il, ils le devaient à Dieu, mais aussi à la nature, qu'il fallait chérir et préserver. L'église abritait également des pièces d'orfèvrerie et des objets liturgiques qui dataient des premiers temps du village, fondé par le père Ragueneau, un jésuite qui avait conduit les Hurons décimés par la guerre et la maladie sur les hauteurs de la rivière Saint-Charles, où la mission catholique avait été établie.

Une crainte sourde s'insinua dans les veines de Noël. *La cloche. La cloche ne sonne plus.* Aussitôt, il comprit.

— Tit-Paul, l'enfant de chœur. Il est resté dans l'église !

Le curé blêmit.

— Seigneur, c'est bien trop vrai.

Sans perdre un instant, Noël courut vers la porte de l'église et l'ouvrit. Une onde d'air brûlant le fit reculer. Se couvrant le nez et la bouche d'un mouchoir, Noël pénétra dans l'enceinte. La fumée était déjà si dense qu'il avait du mal à voir clair. Il avança à l'aveuglette dans l'allée qui menait à l'abside. Son point de repère était un lustre au-dessus de l'autel, dont les cristaux scintillaient à travers les panaches de fumée qui tourbillonnaient vers le plafond.

— Paul !

Sa voix résonna à peine, comme étouffée par la fumée et le ronflement des flammes.

— Paul !

Noël continua à marcher, une main devant lui, comme un aveugle. La chaleur devenait de plus en plus intense. Une peur animale lui tordit le ventre, mais il poursuivit son chemin.

Enfant, il avait été témoin d'un incendie qui avait ravagé une partie de la forêt entourant le village. Le feu s'était produit lors d'une partie de chasse où il avait accompagné son père, qui souhaitait l'initier au tir à l'arc. C'était d'abord l'étrange silence qui régnait dans le bois qui l'avait frappé. Puis soudain, un martèlement, comme le son de tambours. Le père de Noël s'était immobilisé, aux aguets. Le martèlement s'était rapproché. Et c'est alors qu'avait surgi un troupeau de chevreuils, serrés les uns contre les autres, dont les prunelles noires étaient dilatées par la panique. Son père l'avait saisi par le col et l'avait entraîné derrière une futaie. Il s'en était fallu de peu pour qu'ils soient piétinés par les bêtes effrayées. Une fois le danger passé, son père s'était redressé, scrutant la forêt avec inquiétude. Et il avait dit doucement :

— *Yätsihsta'*. Le feu.

Noël marchait à tâtons, tenant toujours son mouchoir sur son visage. Des larmes brouillaient ses yeux, irrités par la fumée. Sa gorge était contractée et ses poumons étaient en feu. Il parvint enfin à l'autel. En levant la tête, il vit des flammes orange et mauve qui s'élançaient vers la voûte, déjà noircie par endroits. Il regarda autour de lui et ne vit que des contours vagues, oblitérés par la fumée. Il serra les dents. Personne n'avait vu Tit-Paul sortir de l'église, il fallait donc qu'il soit là, quelque part. Se mettant à genoux, Noël se déplaça lentement, une main placée devant lui pour éviter de frapper un objet. Tout à coup, il buta contre une forme. Un faible gémissement se fit entendre.

— Paul !

Les mains de Noël parcoururent la forme et finirent par saisir un bras.

— Paul, c'est moi, Noël. Vite, il faut sortir d'ici !

Le jeune enfant de chœur resta immobile. Noël le secoua le plus doucement possible.

— Tit-Paul, réveille-toi.

Voyant que le garçon ne remuait pas, Noël le saisit à bras-le-corps, puis le chargea sur ses épaules, comme il l'aurait fait d'un sac de pommes de terre. Par chance, l'adolescent ne pesait pas lourd. Au moment où Noël s'apprêtait à rebrousser chemin avec son fardeau, un bruit effroyable retentit. Une partie du plafond s'écroula dans un jaillissement de poussière et d'étincelles. Des morceaux de bois incandescents se mirent à tomber comme des flèches. Noël n'eut que le temps de se jeter de côté, plaçant instinctivement son corps par-dessus celui de Paul afin de le protéger des débris en flammes. C'est à peine s'il pouvait respirer. La chaleur devenait si insoutenable qu'il eut l'impression que ses membres fondaient, tel du métal en fusion. Une sorte d'engourdissement le saisit. *Si je ne me lève pas, je mourrai, et Tit-Paul aussi.*

Dans un effort désespéré, Noël se remit debout. Une douleur atroce lui vrilla un genou. Il s'était sans doute blessé en tombant sur le sol. Malgré la souffrance, il prit de nouveau le garçon dans ses bras. Celui-ci ne bougeait plus, et sa respiration était à peine perceptible. Il s'était évanoui. *Il faut sortir d'ici coûte que coûte !*

L'allée avait disparu dans un brouillard jaunâtre. Tenant l'enfant de chœur contre lui, Noël, complètement désorienté, fit quelques pas, ne sachant plus où se trouvait la sortie. Soudain, un obstacle l'empêcha d'avancer. Il en tâta la surface lisse et comprit qu'il s'agissait d'un banc. Noël sentit poindre un espoir. Il était sans doute près de l'allée. Il lui fallait donc continuer à marcher en s'accrochant à chaque banc jusqu'à la sortie.

Malgré la douleur et l'épuisement, Noël tint fermement d'un bras le corps inerte du garçon contre son épaule, et agrippa le banc de sa main libre. Chaque pas lui causait une souffrance insupportable, mais il se concentrait sur ce qu'il devait accomplir, tâchant d'oublier tout le reste. *Un pas, un banc. Un pas, un banc.* Noël se mit à tousser comme un forcené, étouffé par la fumée de plus en plus opaque.

Un rectangle de lumière apparut alors à distance. *L'entrée de l'église.* Dans un dernier effort, Noël se traîna dans cette direction, tenant toujours Paul contre son épaule. Il ne sentait plus la douleur qui lui vrillait le genou et le feu qui dévorait ses poumons. Tout à coup, ses jambes se dérobèrent sous lui, et il sombra dans une nuit sans fin.

XVII

Trempées des pieds à la tête, Amanda et Lucie plongeaient inlassablement leur seau dans la rivière située au pied de la chute Kabir Kouba, et les tendaient ensuite à leurs voisines. Elles avaient été averties par Aurélien qu'un incendie avait éclaté dans la fabrique. Lucie avait attelé la charrette, laissé la petite Solange chez la mère de son mari, et s'était rendue avec Amanda vers le centre du village. Une trentaine de femmes formaient une longue chaîne qui se rendait jusqu'en haut de la côte abrupte.

Depuis le début de l'incendie, Amanda et sa belle-sœur avaient dû remplir à elles seules une bonne centaine de seaux. Des remugles de fumée et de bois brûlé leur parvenaient. De temps en temps, quelqu'un descendait à la rivière pour les tenir au courant de la situation. Les nouvelles étaient mauvaises. Le feu, qui avait commencé dans la fabrique, s'était propagé jusqu'à l'église. Malgré leur inquiétude, les femmes continuaient à travailler sans relâche, gardant l'espoir de sauver le lieu saint.

Amanda se pencha pour puiser de l'eau. Son dos et ses épaules l'élançaient. Ses mains et ses pieds étaient glacés par l'eau de la rivière. Lucie avait été tentée à plusieurs reprises de lui conseiller de retourner à la maison, craignant que trop d'efforts nuisent au bébé qu'elle attendait, mais elle n'avait rien dit. Elle savait que sa belle-sœur n'aurait pas accepté de rester chez elle à se tourner les pouces pendant que les autres villageois se désâmaient pour sauver l'église. Un cri s'éleva :

— Venez, venez vite !

Lucie reconnut la voix de son fils, Aurélien. Ce dernier, leste comme une chèvre de montagne, dévala la pente et s'arrêta à la hauteur de sa mère et d'Amanda. Il parlait d'une manière saccadée :

— Tit-Paul… L'enfant de chœur… y est resté… dans l'église en feu. Mon oncle… est allé le chercher.

Lucie mit une main sur sa bouche. Amanda lâcha le seau qu'elle portait, empoigna sa jupe et gravit le sentier du plus vite qu'elle le pouvait. Lucie lui emboîta le pas. Leurs sandales glissaient sur la mousse humide. Elles durent s'agripper à des branches pour ne pas tomber. Lorsqu'elles parvinrent au faîte de la côte, elles regardèrent en direction de l'église. Celle-ci brûlait. Une épaisse fumée noire s'échappait du clocher éventré. Les deux femmes s'élancèrent vers l'édifice. Les portes étaient grandes ouvertes, laissant sortir des volutes de fumée noire.

— Noël !

Le cri d'Amanda résonna dans l'air chargé de relents de bois brûlé et de cendre. Elle voulut entrer dans l'enceinte, mais une main ferme l'en empêcha. C'était Bertrand.

— Noël est à l'intérieur ! Il faut que j'aille le chercher ! cria-t-elle en se débattant.

— Laisse-moi y aller à ta place. C'est trop dangereux.

Sans l'écouter, Amanda réussit à se dégager et se précipita dans l'église. Une chaleur intense l'assaillit. La fumée était si touffue qu'elle ne vit d'abord rien. Puis elle buta contre un corps qui gisait à quelques pieds de l'entrée. Elle se pencha et reconnut son mari, tenant dans ses bras un garçon qui semblait dormir. La pensée qu'ils étaient morts, asphyxiés, la pétrifia. Elle sentit alors une présence à ses côtés. Bertrand, sans mot dire, saisit Noël par les épaules et le souleva dans ses bras. Tandis qu'il transportait son beau-frère à l'extérieur, Amanda prit l'enfant de chœur par les épaules et le traîna vers la sortie. Un mur s'effondra à quelques pieds d'eux. Des flammes jaillirent, dégageant une chaleur insupportable. Amanda fit des efforts désespérés pour tirer le corps inerte vers la sortie.

— Aidez-moi ! Au secours !

Une quinte de toux la plia en deux. Un homme de bonne stature pénétra dans l'église et courut vers elle. Elle se redressa à grand-peine et vit Simon Romain, le grand chef, à travers la fumée.

— Paul… il faut… le sortir… d'ici…

Le chef huron souleva le garçon comme il l'aurait fait d'un fétu de paille. Il revint ensuite vers Amanda, lui saisit un bras et l'entraîna vers la porte, l'aidant à se frayer un chemin dans les décombres. Lorsqu'ils atteignirent enfin l'air libre, ils furent entourés par le curé Vincent et d'autres villageois. Simon Romain leur fit signe de faire de la place.

— Dégagez ! Il faut leur laisser de l'air.

Il déposa doucement le garçon sur le sol. Son visage et ses vêtements étaient noirs de suie. Le chef huron lui tapota les joues, puis leva la tête :

— Apportez de l'eau glacée, vite !

Une femme courut chercher ce qu'il demandait. Un autre pan de l'église s'écroula. Aveuglée par le soleil et la fumée, le visage et les vêtements noircis, Amanda articula, d'une voix presque inaudible à cause de sa gorge irritée :

— Où est Noël ?

C'est alors qu'elle l'aperçut. Il reposait par terre, à quelques pieds de l'enfant de chœur. Une partie de ses sourcils et de ses cheveux avaient été roussis par le feu. Des traces anthracite maculaient sa poitrine et ses bras, et sa chemise était en lambeaux. Une tache rouge s'étendait sur l'un de ses genoux. Lucie, les joues couvertes de larmes, était à ses côtés et lui tenait une main. Il était immobile. Une douleur inhumaine foudroya Amanda. *Mon Dieu, si vous existez, pas lui, pas Noël.*

XVIII

Noël avait été transporté chez Émilienne, la sage-femme du village, qui vivait dans une maisonnette de bois rond située au faîte de la montagne surplombant la chute Kabir Kouba. Les anciens lui attribuaient des pouvoirs de guérisseuse, qui auraient été transmis de mère en fille, depuis la nuit des temps. Quelques villageois se moquaient gentiment de ses soi-disant pouvoirs, mais tous la traitaient avec respect et considération. Le seul médecin de la région habitait à l'Ancienne Lorette, à plusieurs milles du village huron. La plupart des Indiens allaient donc consulter Émilienne lorsqu'ils tombaient malades, se blessaient à la chasse ou en travaillant aux champs. Bertrand croyait dur comme fer qu'elle seule pouvait sauver son beau-frère.

En entrant dans la cabane, dont la porte consistait en une couverture bariolée, Amanda et Lucie furent saisies par une forte odeur mentholée. Les murs étaient couverts de crochets où séchaient toutes sortes d'herbes, que la sage-femme cueillait dans la forêt, en des endroits connus d'elle seule, selon un calendrier lunaire complexe. Noël était couché sur un grabat de paille recouvert d'une peau de daim. Il avait les yeux fermés et semblait dormir, bien que sa respiration fût saccadée et sifflante. Émilienne était accroupie près de lui et posait sur son torse nu des cataplasmes qui ressemblaient à une sorte de bouillie verdâtre, tout en psalmodiant des mots en langue huronne. Un feu brûlait dans un petit poêle sur lequel une casserole de fer-blanc avait été déposée. Les deux femmes s'approchèrent du lit.

Sans lever la tête dans leur direction, la guérisseuse continua à murmurer ses incantations. Après un moment, elle regarda les nouvelles venues. Son visage basané était couvert d'un réseau de rides profondes.

— Il va s'en sortir, dit-elle d'une voix étrangement jeune.

Amanda et Lucie laissèrent échapper un soupir de soulagement. Lorsque Amanda avait vu son mari étendu sur le sol, immobile comme une statue, les yeux clos et le visage d'un gris de cendre, elle avait eu la certitude qu'il était mort, et avait senti le bonheur se retirer d'elle, comme le ressac d'une vague. Elle se pencha vers son mari. Il gémit doucement et remua les lèvres, comme pour parler, en émettant une sorte de râle.

— C'est la fumée, poursuivit la guérisseuse. Ça va prendre plusieurs jours avant qu'il puisse respirer normalement.

Elle hocha lentement la tête.

— Il a eu beaucoup de chance. *Yoskaha ihen'tron' yäronhia' ahokakwinen'.* Le Créateur veillait sur lui.

Amanda jeta un coup d'œil aux cataplasmes.

— Qu'est-ce que c'est ?

— De la cire d'abeille sur des feuilles de chou pour guérir les brûlures.

Lucie constata que les mains de son frère étaient entourées d'un bandage.

— Ses mains, murmura-t-elle avec inquiétude.

— Des brûlures et des contusions sans gravité, expliqua Émilienne.

Son genou droit avait également été pansé. Noël remua de nouveau les lèvres. Amanda approcha sa tête de la sienne pour tenter d'entendre ce qu'il voulait dire.

— Le... pe... tit, finit-il par articuler.

Amanda sut tout de suite qu'il faisait allusion à Tit-Paul, l'enfant de chœur.

— Il se porte bien. Le presbytère a passé au feu, avec l'église. Simon Romain a emmené le garçon chez lui.

Noël cligna des yeux comme pour signifier qu'il avait compris. La guérisseuse s'adressa à Amanda :

— Je vais garder ton mari ici pendant quelques jours. Il vaut mieux le laisser se reposer pour le moment. *Höndítahon chia' höndatetsens.* Le sommeil guérit tout.

Amanda s'attarda, ne pouvant se résigner à quitter le chevet de son mari, puis elle s'arracha à lui, non sans lui avoir effleuré des lèvres les cheveux et les sourcils brûlés en partie par le feu.

Une fois dehors, Amanda songea à son fils. L'incendie, conjugué à sa peur de perdre Noël, avait chassé toute autre pensée. Elle se tourna vers Lucie, qui sortait à son tour de la cabane.

— Ian… Je ne l'ai pas revu depuis ce matin.

— Il doit sûrement être avec les autres.

Elles s'engagèrent dans le sentier qui menait vers le centre du village. Un spectacle désolant les attendait. Une trentaine de villageois continuaient à faire la chaîne pour éteindre les derniers foyers de l'incendie qui avait ravagé la fabrique et l'église, dont il ne restait que quelques pans noircis s'élevant vers le ciel comme une supplication muette. Le curé Vincent marchait parmi les décombres calcinés. Comme par miracle, deux chandeliers d'argent et des objets liturgiques avaient échappé aux flammes.

Amanda regarda partout autour d'elle, mais ne vit pas son fils. Son beau-frère jetait de la terre à l'aide d'une pelle sur des braises rougeoyantes. Elle se dirigea vers lui.

— Bertrand !

Il leva la tête vers elle.

— As-tu vu Ian ? demanda-t-elle, cachant mal son inquiétude.

Il fit signe que non.

— Il n'était pas aux champs, ce matin. Après, il y a eu le feu, je n'ai pas souvenance de l'avoir aperçu.

Amanda balbutia des remerciements. Son inquiétude se transformait peu à peu en panique. *Ian, où es-tu ?* Elle se remémora leur dispute, la phrase cruelle qui lui avait échappé : « Ton père est mort, Ian ! Il est mort et ne reviendra plus jamais ! » Ian était parti, les mains dans ses poches, marchant sans se retourner. *La rivière.* Il s'était dirigé du côté de la rivière Saint-Charles. Reprenant courage, Amanda marcha dans cette direction. Connaissant Ian, il avait sûrement décidé d'aller faire un tour en canot ou de pêcher sur la berge.

L'odeur de la fumée se dissipait au fur et à mesure qu'elle s'avançait dans le chemin de terre bordé d'herbe et de plantain. Des nuages s'amoncelaient dans le ciel, annonciateurs de pluie, ce qui était une bonne nouvelle dans les circonstances. Un silence bienfaisant régnait, contrastant avec la cohue et le désarroi que l'incendie avait provoqués.

Bientôt, Amanda entendit le bruissement de la rivière. Elle entrevit une silhouette à travers les herbes hautes et crut reconnaître son fils.

— Ian !

Elle s'élança vers lui. Le garçon se retourna. C'était Aurélien. Il avait les yeux rouges et ses joues étaient mouillées de larmes. Amanda s'approcha du garçon et le prit gentiment par les épaules, qui tremblaient légèrement.

— Comment va mon oncle ? réussit-il à prononcer, entre deux sanglots.

Amanda serra le garçon contre elle.

— Ne t'inquiète pas. Noël va bien. Émilienne s'occupe de lui.

Amanda attendit que le garçon se calme et lui demanda s'il avait vu Ian dans les parages. Aurélien secoua la tête. La jeune femme descendit le talus qui menait à la rive. Des torrents d'eau écumante roulaient sur des rochers qui affleuraient ici et là. Elle explora la berge du regard, mais personne n'était visible. Seul un martin-pêcheur faisait des allers-retours entre un saule pleureur et la rivière, se perchant sur une branche d'un mouvement gracieux pour replonger ensuite vers le courant. Amanda revint lentement sur ses pas.

— Viens, on rentre à la maison, dit-elle à son neveu, tâchant de ne pas lui montrer son désarroi.

Elle s'accrochait à l'espoir que son fils, après avoir marché le long de la rivière, serait revenu entre-temps chez les Picard.

౼

Une fois de retour, le premier geste d'Amanda fut de courir à la chambre de son fils. Heureusement, la porte n'était pas verrouillée. En jetant un coup d'œil dans l'embrasure, elle constata que le lit n'avait pas été défait. Elle entra dans la pièce en coup de vent. La peur au ventre, elle se précipita vers l'armoire dont un battant était entrebâillé. À première vue, aucun vêtement ne manquait. Une légère brise agitait les rideaux de la fenêtre. Amanda les tira et regarda à l'extérieur. Le soleil rougeoyait à travers les sapins, qui s'élevaient en rangs drus derrière la maison. Amanda cria le nom de son fils, dont l'écho se perdit dans la futaie. Elle sortit et croisa Lucie sur le palier.

— Ian n'est pas dans sa chambre ? se renseigna sa belle-sœur.

Amanda hocha la tête, retenant ses larmes. Lucie lui mit gentiment une main sur l'épaule.

— Tu crains une nouvelle fugue ?

Lucie savait par son frère que le garçon avait déjà tenté de se sauver lorsque sa mère et lui habitaient au Nouveau-Brunswick. Il avait alors voulu se faire engager comme mousse et il était tombé sur Noël, dont le navire avait accosté à Saint John. Noël avait ramené l'adolescent à sa mère.

— Nous avons eu une dispute, ce matin, avoua Amanda. J'ai été trop dure avec lui.

— Les mères sont toujours promptes à se blâmer, commenta Lucie.

Les deux femmes descendirent dans la cuisine. La petite Solange était sagement assise dans une chaise haute que Bertrand avait fabriquée, tandis qu'André courait après un chat tigré qu'il avait trouvé sur le pas de la porte, en train de miauler.

Aurélien finit par attraper la bête, déclenchant les pleurs de son jeune frère.

— Maman, Aurélien a volé mon chat !

Éprouvée par la dure journée, Lucie, qui n'élevait pour ainsi dire jamais la voix, perdit patience et donna ordre à ses enfants de remettre l'animal dehors.

Bertrand entra sur ces entrefaites, son visage habituellement placide congestionné par la colère.

— Mon canot a disparu. J'y comprends rien, je l'avais pourtant ramené sur la berge, hier, et amarré solidement.

Les deux femmes échangèrent un regard consterné. Amanda eut la certitude qu'Ian s'était enfui à bord de l'embarcation par la rivière Saint-Charles, qu'il connaissait comme le fond de sa poche. Elle avoua ses craintes à son beau-frère, qui repartit en flèche vers le cours d'eau à la recherche d'indices. Bertrand était non seulement un excellent pêcheur, mais l'un des meilleurs chasseurs du village. Il savait détecter la présence d'animaux par d'infimes détails qui seraient passés inaperçus pour le commun des mortels : des empreintes de pas à peine visibles, un tassement d'herbages, rien ne lui échappait. Si son neveu était allé en direction de la rivière, il trouverait sans difficulté des marques de son passage.

En parcourant le sentier, Bertrand aperçut une tache bleue sur la branche d'un buisson. Il s'en approcha. C'était une casquette. Il reconnut celle que portait Ian tous les jours. L'enfouissant dans sa sacoche de cuir, il continua à marcher d'un pas leste. Après avoir parcouru une vingtaine de pieds, il entendit le son cristallin de la rivière. Il descendit jusqu'à la berge et repéra rapidement sur la terre sablonneuse des sillons frais laissés par une embarcation qu'on avait poussée à l'eau. Des herbes avaient été écrasées ici et là. Il scruta les alentours et remarqua un vieil homme qui dormait. Sa tête reposait sur un tronc d'arbre, et un chapeau de paille recouvrait son visage. Une canne à pêche en jonc avait été déposée contre un rocher. Lorsqu'il entendit des pas, l'homme se réveilla en sursaut. C'était Thomas Tioutai, ce qui signifiait « castor » en langue huronne, car le vieil Indien, dans son jeune temps, avait fait la traite de fourrures.

Après avoir écouté attentivement le récit de Bertrand, Tioutai raconta qu'en pêchant dans la rivière, quelques heures auparavant, il avait vu un canot passer devant lui, se dirigeant vers le sud. Ébloui par les rayons du soleil, il n'avait pu distinguer le visage de l'occupant, mais il avait cru reconnaître la silhouette robuste du fils de *önhetien yätʒihʒta' ïohtih ïönde'rohchiou'tenh* – la dame aux cheveux de feu –, comme il surnommait Amanda. La mort dans l'âme, Bertrand revint à la maison. Il n'eut pas à prononcer un mot : Amanda comprit à son seul regard que son fils avait fait une nouvelle fugue. Elle retourna dans la chambre d'Ian, dans l'espoir de trouver un indice. Elle fouilla avec fébrilité dans les tiroirs de sa commode et dans l'armoire, et se rendit compte que quelques vêtements avaient disparu. Sous l'oreiller, elle découvrit un morceau de papier sur lequel Ian avait griffonné un mot :

> Chère maman,
> Je suis parti à la recherche de mon père. J'ai pris un peu d'argent dans le pot que tante Lucie garde dans l'armoire de la cuisine. Je lui rendrai. Ne t'inquiète pas. Je reviendrai.
> Ton fils.

Ses pires craintes étaient devenues réalité.

XIX

Ian avait pagayé sans arrêt, prenant une courte pause pour manger une galette de sarrasin qu'il avait trouvée dans la huche et boire de l'eau de sa gourde. Il assista au coucher du soleil, ébloui par la beauté du ciel et de la rivière embrasés par les derniers rayons. Il lui restait une vingtaine de milles à parcourir avant de parvenir à destination, mais il décida de s'arrêter. La rivière Saint-Charles, qui prend sa source dans le lac du même nom, en amont de la Jeune Lorette, et se jette dans le fleuve Saint-Laurent, vingt-cinq milles plus loin, est très sinueuse, et Ian ne voulait pas naviguer dans la noirceur et prendre le risque d'abîmer le canot sur les rochers qui affleuraient un peu partout.

Un croissant de lune se leva. Dans la faible lueur bleutée, Ian distingua une petite anse protégée des regards par des saules, dont les branches se courbaient gracieusement et retombaient dans le courant. Il sortit du canot, tira l'embarcation aux trois quarts sur la rive, puis se pelotonna au fond, se servant de son sac à dos en guise d'oreiller. Il sortit de sa poche le goéland sculpté qu'il avait pris soin d'apporter et le souleva au-dessus de sa tête, comme s'il cherchait à le faire voler. Le firmament était constellé, tels des sequins cousus sur la tenue d'apparat que portait le grand chef Romain lors des cérémonies huronnes. Un astre brillait plus que les autres. Il repéra Sirius, l'étoile principale de la constellation du Grand Chien. Noël lui avait appris à déchiffrer la carte du ciel. Il n'y avait rien qu'Ian aimait autant, après une journée harassante à travailler dans les champs, que d'attendre l'arrivée de la nuit, sur son promontoire de Kabir Kouba, et de regarder les astres s'allumer un à un, tels des lumignons, traçant d'un doigt leurs contours : la Grande Ourse, dont le nez semblait pointer dans le ciel ; la Petite Ourse ; le Dragon, au long corps sinueux, comme la rivière de Kabir Kouba.

Il ferma les yeux, écoutant le bruissement de l'eau sur la rive. Maintenant qu'il était libre, il pourrait enfin savoir ce que son père était devenu. La perspective que celui-ci fût bel et bien mort, comme sa mère l'avait prétendu, lui effleura l'esprit, mais il refusait d'y croire. Son père était vivant, quelque part dans le monde, et il le retrouverait. Il s'endormit rapidement, bercé par l'espoir et le doux clapotis de l'eau sur sa barque.

Réveillé par les premiers rayons de soleil, Ian mangea le reste du pain et reprit sa route. La journée était radieuse. Des traits de lumière faisaient scintiller l'eau de la rivière. Bientôt, il entrevit les contreforts de Québec. À peine quelques milles le séparaient de son but. Le soleil devenait de plus en plus chaud. C'est seulement à ce moment qu'Ian se rendit compte qu'il avait perdu sa casquette et qu'il devrait s'en procurer une autre une fois à Québec.

La rivière commençait à s'élargir. Ian pouvait maintenant apercevoir les confins du fleuve Saint-Laurent. Son excitation grimpa d'un cran. Dans au plus une demi-heure, il serait au port de Québec.

Dès le lever du jour, Bertrand, accompagné de Tioutai, était parti à la recherche d'Ian dans un canot qui appartenait au vieil homme. Avant son départ, Amanda avait montré à son beau-frère le mot que son fils lui avait laissé.

— Je lui ai dit que le navire de son père avait fait naufrage au large de Cork, expliqua-t-elle. Il a peut-être eu l'idée de se faire engager dans un bateau pour s'y rendre.

Amanda n'avait toutefois rien révélé à Bertrand sur l'identité du véritable père de son fils, se contentant de lui donner les détails qui pourraient lui être utiles dans ses recherches. Elle tint à accompagner son beau-frère en charrette jusqu'à la maisonnette où habitait Tioutai, au sud du village. Le vieux Huron attendait Bertrand avec son embarcation d'écorce, qu'il avait fabriquée lui-même, quelques années auparavant. Les deux hommes montèrent à bord, déposant dans le fond du canot un panier de nourriture que Lucie avait préparé.

Amanda regarda l'embarcation s'éloigner sur la rivière Saint-Charles jusqu'à ce qu'elle disparaisse à l'horizon, puis se rendit chez Émilienne afin de prendre des nouvelles de son mari. Lorsqu'elle entra dans la cabane, la sage-femme lui fit signe de ne pas parler et l'entraîna vers la couche où Noël reposait. Ce dernier dormait, mais sa respiration demeurait laborieuse. Amanda s'installa à côté de lui, priant pour que son mari et son fils lui soient rendus. La joie d'attendre un enfant avait fait place à la crainte de perdre les deux êtres pour qui elle aurait donné sa propre vie.

꽃

Un peu avant d'arriver au port, Ian repéra un petit hangar à bateaux qui semblait abandonné. Il tira le canot vers la remise, le cacha sous une bâche poussiéreuse qu'il vit dans un coin, espérant ainsi pouvoir retrouver l'embarcation et la rendre un jour à Bertrand. Il fit le reste du chemin à pied. Des fabriques de chaussures, d'où émanaient des odeurs nauséabondes de cuir et de solvant, jalonnaient la rive. Des maisons d'ouvriers construites en planches de bois s'entassaient les unes sur les autres dans des rues étroites et sales où quelques enfants dépenaillés jouaient.

En chemin, Ian passa devant une maison qui lui sembla familière. Le jardin, autrefois bien entretenu, avait été laissé à l'abandon. Quelques carreaux avaient été remplacés par des morceaux de tuile goudronnée, et les briques rouges étaient couvertes de suie. Des souvenirs d'enfance lui revinrent à la mémoire. Des femmes aux robes vaporeuses, leurs mains douces et caressantes, leurs parfums enivrants. Surtout Anita, si gentille avec lui, qui lui donnait souvent des friandises en cachette de madame Bergevin. À l'évocation de la tenancière, Ian fit la grimace. Du plus loin qu'il se souvînt, il avait toujours détesté cette femme au regard dur, au sourire affûté comme une lame de couteau, qui traitait ses employées comme du bétail. Il n'avait jamais tout à fait compris la nature de leur travail, mais un soir qu'il n'arrivait pas à dormir à cause du brouhaha des conversations et des rires qui montaient jusqu'à sa chambre, il était sorti du lit et avait descendu l'escalier qui menait au salon. Il y avait vu des messieurs en redingote, fumant des cigares, de jeunes femmes en tenue légère assises sur leurs genoux, dont Anita, si jolie avec ses joues roses et ses boucles blondes, et sa propre mère, qui servait du vin à un homme aux cheveux gris et au visage rougeaud. Sa mère avait levé les yeux et l'avait aperçu près de l'escalier. Elle avait laissé tomber la carafe, dont le liquide rouge s'était répandu sur le tapis, ressemblant à du sang. Madame Bergevin l'avait giflée et avait fait appeler la bonne pour ramasser le dégât. Sa mère, une main sur sa joue droite, avait couru vers l'escalier et avait brusquement saisi Ian par les épaules. Ses yeux brillaient de colère et de détresse.

— Que fais-tu ici ? Retourne te coucher tout de suite !

Il avait éclaté en larmes et était retourné dans sa chambre, le cœur lourd. À partir de ce moment, il n'était plus jamais sorti de son lit le soir, mais il avait compris que le travail des femmes qui vivaient dans la maison de madame Bergevin n'était pas un travail comme les autres.

Tandis qu'il contemplait la maison, un visage pâle au regard acéré apparut à l'une des fenêtres. Ian crut reconnaître madame Bergevin. Il ne s'attarda pas, ressentant soudain un malaise devant ce lieu où il n'avait pourtant pas été malheureux.

Lorsqu'il parvint au port, Ian fut surpris de constater à quel point l'endroit s'était développé. De nombreuses anses servaient à l'entreposage de billots de bois, qui étaient expédiés par bateau en Angleterre. Des centaines de navires, amarrés ou au mouillage, d'innombrables quais et des chantiers navals, dont les échafaudages se succédaient de loin en loin, des entrepôts de pierres ou de briques témoignaient des changements qui s'étaient produits en seulement quelques années.

Habitué à la tranquillité du village huron, Ian fut d'abord étourdi par l'activité incessante et la cacophonie qui régnaient partout. Il remarqua un édifice imposant d'un étage, surmonté d'un dôme au-dessus duquel flottait l'Union Jack. Il demanda à un marin de quoi il s'agissait.

— La maison de la douane.

Ian s'y rendit, espérant y trouver les renseignements qu'il cherchait.

Une fois à l'intérieur de l'immeuble, il s'approcha d'un large comptoir de chêne derrière lequel s'activaient des employés portant un képi et un uniforme noirs, ornementés de passementerie or. Ian tenta d'attirer l'attention d'un commis.

— Excusez-moi.

Un jeune homme, arborant une moustache fine, se tourna vers l'adolescent.

— Je voudrais m'engager comme mousse sur un bateau marchand. Savez-vous s'il y a un navire en partance pour la ville de Cork, en Irlande ?

Le commis le scruta longuement. Le garçon qui se tenait devant lui était bien bâti, mais il avait un visage juvénile.

— Tu es beaucoup trop jeune pour travailler sur un bateau.

— J'ai quinze ans ! protesta Ian, en mentant sur son âge. Il y a des garçons plus jeunes que moi qui sont engagés.

L'employé se pencha vers lui.

— Tu sais, la vie d'un mousse est très dure. On lui donne les pires corvées, et son salaire lui permet à peine de se vêtir et de se nourrir.

— Mais c'est la meilleure façon d'apprendre la navigation, pas vrai ? rétorqua Ian.

Amusé par le sens de la répartie du garçon, le jeune homme sourit.

— Tu as raison. C'est le meilleur apprentissage qui soit. J'en sais quelque chose, moi aussi j'ai été mousse quand j'avais ton âge.

Il consulta un immense tableau situé derrière le comptoir, sur lequel l'horaire des arrivées et des départs des navires avait été inscrit.

— Tu as de la chance. Il y a un navire marchand, l'*Empress of Ireland*, en partance pour la ville de Cork dans une heure, au quai Chouinard.

Un sourire radieux éclaira le visage d'Ian.

— Merci, monsieur !

Il sortit de l'immeuble, acheta à un kiosque une casquette de matelot ornée d'une ancre et marcha d'un pas allègre vers le quai d'embarquement de l'*Empress of Ireland*, qui se trouvait en face de Pointe-Lévy. Il fut ébloui par le navire, un ancien trois-mâts qui avait été converti à la vapeur. Seul le mât de misaine avait été conservé. Le pont, dominé par deux cheminées, rutilait dans la lumière éclatante du soleil matinal. Des caisses de marchandises étaient transportées à bord à l'aide de treuils rattachés à des câbles. Un bœuf, des moutons et des poules, enfermés dans des compartiments grillagés, furent hissés à bord dans un tohu-bohu indescriptible de mugissements, de bêlements et d'ordres criés par un officier. Ian ajusta sa casquette, redressa les épaules pour se grandir et franchit la passerelle en tâchant de prendre un air assuré. Deux marins qui transportaient des bagages le bousculèrent au passage.

— Tu vois pas que t'es dans le chemin ! Allez, débarrasse le plancher ! cria l'un d'eux.

— Je travaille sur le bateau ! répliqua Ian sans réfléchir.

Le premier marin, un homme bâti comme une armoire à glace, dont les bras énormes étaient couverts de tatouages, l'observa et lui trouva une bonne carrure.

— Dans ce cas-là, donne-nous donc un coup de main au lieu de te tourner les pouces !

Ian ne se le fit pas dire deux fois. Il aperçut un monceau de valises et de malles empilées sur le quai. Il choisit un coffre de bonne taille, qu'il souleva en y mettant toutes ses forces, dans le but d'impressionner le premier marin, dont il sentait le regard posé sur lui. Le visage crispé par l'effort, l'adolescent transporta la malle jusqu'au gaillard d'avant et suivit les deux hommes qui se dirigeaient vers la cale. Il fit ainsi plusieurs allers-retours, jusqu'à ce que tous les bagages soient à bord.

Quand il eut terminé, il ne sentait plus ses bras et la sueur dégoulinait dans son dos, mais sa stratégie semblait avoir fonctionné à merveille, car celui qu'il avait déjà surnommé « l'armoire à glace » lui sourit, découvrant des dents noircies par le tabac à chiquer.

— Tu me plais, fiston. T'as du cœur au ventre, puis le travail te fait pas peur.

Il lui tendit une grosse main rugueuse.

— Je m'appelle Maurice Bastien. Momo, pour les amis.

Ian hésita.

— Moi, c'est Ian. Ian Kilkenny.

En prononçant le nom de son père, il ressentit une immense fierté.

— Mon père était un capitaine de bateau, renchérit-il.

Il était loin d'être sûr que ce dernier avait été un officier, mais ce titre sonnait si bien !

Bastien le regarda du coin de l'œil.

— *Kilkenny...* Je me souviens pas d'avoir vu ton nom sur la liste des hommes d'équipage.

Les joues d'Ian se colorèrent. L'homme comprit.

— T'es pas un engagé.

— S'il vous plaît, dites rien, le supplia Ian. J'ai un peu d'argent, je peux vous payer.

Le marin jeta un coup d'œil du côté de la passerelle, que des hommes avaient retirée. Le premier lieutenant de quart donnait des ordres pour le départ. La cheminée crachait un panache de fumée blanche.

— Garde ton argent, maugréa-t-il. J'vas parler de toé au maître d'équipage. C'est pas l'ouvrage qui manque icitte. En attendant, va te cacher dans la cale. Montre-toi pas la face avant que j'aille te chercher, compris ?

Ian courut en direction de l'écoutille qui menait à la cale. La sirène du navire retentit. Le garçon sentit une secousse et une vibration sous ses pieds. Le bruit du moteur remplit l'air. L'*Empress of Ireland* avait pris son départ. Il n'eut que le temps d'entrevoir des goélands qui virevoltaient dans le ciel avant de s'engouffrer dans le ventre sombre du bateau, serrant entre ses doigts le goéland sculpté.

⁂

Bertrand et Tioutai ne s'étaient pas arrêtés en route, pas même pour manger, se contentant de grignoter du pain banique tout en continuant à pagayer afin de ne pas perdre une seconde. Il ne leur fallut que quelques heures pour franchir les vingt-cinq milles qui séparaient le village de la Jeune Lorette du port de Québec. En chemin, Tioutai avait repéré des marques laissées par un bateau sur la berge, et des branches de saule brisées qui pouvaient indiquer qu'une embarcation avait passé la nuit à cet endroit. Rien ne prouvait qu'il s'agissait du canot qu'Ian avait volé à Bertrand, mais celui-ci en avait la conviction profonde. L'adolescent avait disparu peu avant le coucher du soleil. Une fois la nuit tombée, il lui aurait été impossible de poursuivre sa route. En toute logique, il aurait très bien pu s'être arrêté à cet endroit pour prendre du repos et attendre l'aube avant de repartir.

Encouragés par cette découverte, les deux hommes pagayèrent de plus belle. Le vieux Tioutai commençait à sentir de la douleur dans ses vieux os, mais il aurait été le dernier à s'en plaindre.

Il était près de dix heures lorsque le canot de Tioutai arriva à la hauteur du bassin Louise, à l'est du port de Québec. Bertrand et le vieux Huron attachèrent l'embarcation à un ponton où des bateaux de pêche et des voiliers étaient déjà amarrés, se balançant au gré des vagues. Ils se hissèrent sur le quai et marchèrent vers le bureau de la douane, qui gérait les activités portuaires. Bertrand s'adressa à un employé portant une moustache fine et lui demanda s'il aurait vu un garçon de treize ans, Ian O'Brennan, grand pour son âge, aux cheveux noirs et bouclés, avec de grands yeux sombres. Le commis hocha la tête.

— Je me rappelle qu'un garçon correspondant à cette description s'est présenté ici, ce matin, mais il prétendait avoir quinze ans. Il voulait se faire engager comme mousse dans un navire.

— C'est mon neveu, dit Bertrand, qui fixait le jeune homme de ses yeux charbonneux. Il s'est enfui de son domicile, et nous sommes ici pour le retrouver.

Ne voulant pas d'ennuis, l'employé crut bon de s'expliquer :

— J'ai dit à votre neveu qu'il était trop jeune pour travailler comme mousse.

Bertrand eut le sentiment que le commis lui cachait quelque chose.

— Est-ce qu'il vous a dit où il voulait se rendre ?

Le jeune homme lissa sa moustache, la mine embarrassée.

— Maintenant que j'y pense, il voulait savoir s'il y avait un navire en partance pour la ville de Cork, en Irlande.

Bertrand et Tioutai échangèrent un regard entendu.

— Qu'est-ce que vous lui avez répondu ?

— Je lui ai indiqué qu'un bateau marchand, l'*Empress of Ireland*, s'y rendait.

— Quand part ce navire ? l'interrogea Bertrand, tendu comme un arc.

— Il devait quitter le port à dix heures.

L'employé jeta un coup d'œil à une grosse horloge ronde placée au-dessus du tableau des horaires.

— Il est dix heures trois minutes. Vous avez tout juste le temps de le rattraper. Le quai d'embarquement est en face de Pointe-Lévy. Vous ne pouvez pas le manquer.

Bertrand se tourna vers le vieux Tioutai.

— Reste ici. Je reviens te chercher aussitôt que possible.

Le Huron comprit que Bertrand devait faire vite, et qu'il ne voulait pas être retardé par un vieil homme. Il acquiesça et prit place sur un banc, tandis que Bertrand sortait en coup de vent. Ce dernier courut de toutes ses forces dans la direction indiquée par le commis, bousculant des gens au passage, dont un débardeur qui transportait un gros sac de jute sur son dos. Le sac se renversa sous le choc, laissant s'échapper des graines de blé, qui se répandirent sur le sol. Le débardeur, furieux, voulut saisir Bertrand par le collet, mais le Huron, leste comme une anguille, réussit à se faufiler.

— Toutes mes excuses, dit-il, je dois rattraper un bateau.

— Maudit sauvage ! cria l'ouvrier.

Bertrand parvint au quai Chouinard, hors d'haleine. Des employés du port rangeaient l'équipement et passaient le balai devant le débarcadère. Le Huron interpella l'un d'eux.

— L'*Empress of Ireland*, parvint-il à dire, le souffle saccadé.

L'ouvrier tendit la main vers l'horizon.

— Là-bas.

Bertrand scruta le fleuve et aperçut un point noir qui se démarquait à peine des flots.

Le bateau était déjà loin. Il était trop tard pour le rattraper.

XX

Tapi dans le fond de la cale, le dos appuyé sur son sac, Ian guettait le moindre son, espérant la venue de Maurice Bastien, dit Momo, mais ce dernier n'avait pas donné signe de vie. Il faisait un noir d'encre à l'intérieur, car il n'y avait aucun hublot pour donner un peu de lumière. Le garçon avait perdu la notion du temps. Seuls les tiraillements de son estomac indiquaient que plusieurs heures s'étaient sans doute écoulées depuis le départ du navire.

Un petit couinement le fit sursauter. Il sentit quelque chose courir sur ses jambes. Ses yeux s'étant peu à peu habitués à l'obscurité, il crut distinguer une forme oblongue. *Un rat...* Il étouffa un cri d'horreur. La bête disparut dans un mouvement vif. Ian fut parcouru de frissons causés par la frayeur, mais aussi par l'humidité. Dans sa hâte de partir, il n'avait apporté qu'un chandail et deux chemises de rechange. Il entoura ses jambes de ses bras, tâchant de se réchauffer.

Un bruit de pas attira soudain son attention, suivi d'un son creux, comme celui d'un objet dur qui en cogne un autre. Un retentissant « bout de crisse ! » se fit entendre. Un halo de lumière se rapprocha. Une grande silhouette se profila au-dessus d'Ian. C'était Maurice Bastien. Il se frottait le crâne.

— 'Me suis assommé ben raide. Y fait noir comme dans un poêle éteint, icitte !

Il lança un paquet à côté d'Ian.

— Je t'ai apporté une écuelle, une vareuse de laine, un ciré pis des bottes. Tu vas en avoir besoin. Les nuittes sont frettes à bord, puis si une tempête nous tombe dessus, tu vas être ben content d'avoir de quoi te protéger de la bourrasque.

Le marin fouilla dans une poche de son pantalon de toile et en sortit un quignon de pain, qu'il tendit au garçon.

— J'ai parlé de toé au bosco[1], je lui ai dit que t'étais un orphelin pis que je t'avais pris sous mon aile. Tu vas travailler pour lui. Je t'avertis, y est dur comme de la couenne de lard pis méchant comme la gale, mais je serai là pour veiller au grain.

Ian s'empara du pain et le dévora, tandis que Bastien s'éloignait, le laissant de nouveau dans l'obscurité. Après avoir mangé son repas frugal, Ian prit la vareuse que le marin lui avait apportée et s'en servit comme d'une couverture. Il finit par s'endormir.

᠌᠌᠌ ᠌᠌᠌ ᠌᠌᠌ ᠌᠌᠌ ᠌᠌᠌ ᠌᠌᠌ ᠌᠌᠌ ᠌᠌᠌ ᠌᠌᠌ ᠌᠌᠌ ᠌᠌᠌ ᠌᠌᠌᠌ ᠌᠌᠌ ᠌᠌᠌ ᠌᠌᠌ ᠌᠌᠌ ᠌᠌᠌ ᠌᠌᠌ ᠌᠌᠌ ᠌᠌᠌ ᠌᠌᠌ ᠌᠌᠌ ᠌᠌᠌ ᠌᠌᠌ ☙

Une main secoua rudement Ian.

— Debout, fainéant !

Le garçon se frotta les yeux. Il s'attendait à voir Momo, mais au lieu du marin, un homme petit, mais râblé, au gros visage raviné, dont les yeux globuleux lui rappelaient ceux d'une carpe, se tenait debout près de lui.

— J'ai du travail pour toi ! Debout ! Plus vite que ça !

Un coup de pied suivit l'admonestation. Ian se redressa péniblement, les yeux encore embrumés par le sommeil.

— Momo m'a juré que t'étais vaillant. On va voir ça !

Ian devina qu'il avait affaire au maître d'équipage dont le marin lui avait parlé. Celui-ci saisit l'adolescent par l'oreille.

— Écoute-moi bien, tit-gars. Je sais que t'es pas sur la liste d'équipage. Si tu fais tout ce que je te demande, t'auras pas de trouble. Mais que je te prenne à paresser ou à mal faire ton travail, pis je te jette à l'eau comme un sac de patates, ni vu ni connu !

---

1. Maître d'équipage.

L'oreille d'Ian lui faisait mal. Il était sur le point de se dégager et d'envoyer son poing sur la gueule du bosco, mais il se raisonna. Sa survie à bord dépendait de cet homme. Il lui faudrait se montrer docile, en espérant que Momo Bastien tiendrait sa promesse de « veiller au grain », comme il l'avait dit. Le maître d'équipage lui lâcha enfin l'oreille.

— Suis-moi.

Lorsque Ian parvint au pont, il fut surpris de constater que la nuit était déjà tombée. Des milliers d'étoiles brillaient à l'infini, se confondant avec la lumière blanche du quinquet placé au faîte du mât de misaine. Les effluves marins se mêlaient à l'odeur âcre du charbon. Ian n'eut pas le temps d'admirer le ciel ni de respirer l'air frais. Le bosco l'entraîna vers la salle des machines, située sur l'entrepont, à côté des cuisines, dont elle était séparée par une épaisse cloison de métal. Une vague d'intense chaleur et un bruit infernal assaillirent Ian dès qu'il entra dans la pièce. Deux immenses chaudières chauffaient à plein régime, tandis qu'une dizaine d'hommes, dont le visage et le torse nu étaient couverts de sueur et de suie, jetaient des pelletées de charbon dans une fournaise qui ressemblait à la gueule d'un dragon. Ian reconnut Maurice Bastien. Ses bras musclés luisaient à travers les flammes de la fournaise.

Le marin aperçut son protégé, lui fit un clin d'œil et se remit au travail. Le maître d'équipage donna une pelle à Ian et le poussa du côté de la fournaise. Momo laissa tomber sa pelle et s'approcha du maître d'équipage.

— Y est trop jeune pour travailler dans la chaufferie, protesta-t-il.

— Si t'es pas content, j'vas le dénoncer au capitaine. Ça sera pas long qu'y va prendre le bord.

Le marin maugréa quelque chose entre ses dents et retourna à son poste. Le bosco s'adressa à Ian, élevant la voix pour couvrir le ronflement des machines :

— Astheure, montre-moi donc ce que tu sais faire, titgars !

Ian saisit la pelle et se mit au travail. Momo commença à chanter d'une belle voix de baryton, pour égayer les hommes fourbus et encourager son protégé :

Hô les gars !
La grand'voile a besoin d'nos bras !
Plus y a de toile, plus on étalera.
Le grand mât veut d'la route,
On lui en taillera !
Hô les gars !

Lorsque la cloche sonna pour annoncer la fin de leur quart, les hommes accotèrent leur pelle contre la cloison, se lavèrent sommairement en s'aspergeant d'eau provenant de seaux, puis se dirigèrent vers la cantine. Ian, dont les oreilles bourdonnaient et les bras étaient perclus de douleurs, soupira de soulagement en faisant ses ablutions. L'eau, bien que glacée, lui fit du bien. Cela faisait plusieurs heures qu'il s'échinait au travail. Momo lui avait permis de prendre une pause de temps en temps, lorsque le maître d'équipage n'était pas là pour écornifler, mais l'adolescent était malgré tout à bout de forces. Il se demandait comment il allait pouvoir continuer à ce rythme. Bastien lui frotta la tête.

— C'est dur au début, mais on finit par s'y faire. Va chercher ton écuelle, tu vas pouvoir prendre ton premier repas chaud.

La cantine était composée de tables rectangulaires munies de bancs cloués au plancher. Un gros homme, debout derrière un comptoir qui donnait sur une cuisine, portant un bonnet et un tablier sales, servait de la soupe aux hommes qui faisaient la queue, tenant chacun une écuelle à la main. Ian mourait de faim et voulut se placer dans la file, mais Momo le retint d'un geste.

— Prends ton mal en patience. Les meilleurs morceaux restent toujours au fond du chaudron.

Après avoir rongé son frein, Ian, dont l'estomac était douloureux tellement la faim le tenaillait, dut reconnaître que son protecteur avait raison. Lorsque le « coq », comme les marins avaient surnommé le cuisinier, lui servit sa ration, accompagnée d'une tranche de pain, le garçon vit de bons morceaux de lard et de bœuf au fond de son bol, alors que les écuelles des autres marins étaient remplies d'un liquide clairet où flottaient quelques filaments de viande.

Tandis que son protégé mangeait avec un appétit de loup, Bastien, assis en face de lui, l'observait du coin de l'œil.

— Tu ressembles comme deux gouttes d'eau à un type que j'ai connu, dans le temps. On travaillait dans le même camp de bûcherons, au nord de Québec. La carrure, les cheveux noirs, épais comme de l'étoupe, les yeux foncés : y aurait pu être ton père tellement vous vous ressemblez.

— Mon père était un marin, pas un bûcheron.

Bastien ne put s'empêcher de sourire.

— Capitaine, tu me l'as déjà dit. N'empêche…

Il scruta de nouveau l'adolescent, songeur.

— C'était un des meilleurs bûcherons du camp. Y pouvait abattre une vingtaine d'arbres dans une journée, une vraie force de la nature, mais y levait le coude pas mal fort, pis y se battait plus souvent qu'à son tour.

— Mon père a disparu en mer, au large de Cork, quand j'avais à peu près deux ans, expliqua Ian entre deux bouchées. Je veux essayer de le retrouver.

— Qu'est-ce qui te dit que ton père est encore en vie ?

Une étincelle brilla dans les grands yeux sombres de l'adolescent.

— Je le sais, c'est tout.

Le marin lui donna une tape dans le dos.

— Je te souhaite de tout mon cœur de le retrouver, mon garçon.

XXI

Le voyage se poursuivit pendant deux autres semaines. La vie à bord était dure. Le maître d'équipage, qui avait pris Ian comme souffre-douleur, lui assignait les pires corvées. Certains jours, le mousse briquait le pont jusqu'à ce que des ampoules et des crevasses douloureuses se forment sur ses paumes, ou bien il aidait des hommes à calfater les brèches dans le navire, respirant à longueur de journée la fumée âcre et nauséeuse du goudron. La tâche la plus pénible consistait toutefois à soulever les seaux remplis de matières fécales et les déverser dans la mer. Il en recevait toujours sur les pieds et devait se laver avec de l'eau salée, car le bosco refusait qu'il se serve d'eau potable, prétextant qu'elle était trop précieuse pour être gaspillée. Ses plaies aux mains lui faisaient alors si mal qu'il en pleurait, ce qui lui valait des injures du maître d'équipage :

— Maudite bigaille ! Si tu continues à pleurnicher, j'vas te frotter les oreilles jusqu'à temps que le lait te sorte par les ouïes !

Momo Bastien le protégeait du mieux qu'il le pouvait, lui procurant de l'onguent pour soigner ses blessures et lui obtenant parfois un extra de nourriture, quitte à sacrifier ses propres rations, mais Ian tenait le coup avec courage, porté par son rêve de retrouver son père. Lorsque après ses longues journées il retournait à son hamac, accroché dans un coin sombre et humide du roof, il pensait pour la millième fois à l'auteur de ses jours ; il lui parlait de son rêve de devenir un marin accompli, comme lui, et s'endormait avec un sourire apaisé aux lèvres, ne sentant plus la douleur, oubliant les vexations et les souffrances.

À l'aube du vingtième jour du voyage, les côtes de l'Irlande se dessinèrent à travers une brume opalescente. Des cris de joie s'élevèrent parmi les membres de l'équipage. La coque de l'*Empress of Ireland* fendait allègrement les eaux noires de l'Atlantique en faisant jaillir des bouillons d'écume. Ian, appuyé sur le bastingage, contemplait avec fascination le port de Cork, dont les quais apparaissaient peu à peu dans les filaments de brouillard qu'un soleil pâle faisait fondre. *L'Irlande, le pays de mes ancêtres.* Sa mère lui en avait si souvent parlé qu'il avait l'impression de le connaître : la mer agitée, les falaises abruptes, le vert émeraude des champs qui s'étendaient à perte de vue, le violon dont son grand-père, Ian O'Brennan, jouait à merveille, d'après ce que sa mère lui avait raconté. Debout près d'un feu de tourbe, Ian O'Brennan, trop grand pour la petite cabane, faisait danser son archet sur l'instrument pendant que sa femme et ses enfants, assis autour de lui, écoutaient avec ravissement les sons magiques se dérouler en cascades joyeuses dans la pièce exiguë.

La sirène du navire lança un mugissement plaintif. Ian sentit son cœur s'emballer. Dans quelques minutes, il foulerait le sol de l'Irlande.

☙

Portant son sac en bandoulière, Ian franchit la passerelle d'un pas léger, précédé par Momo. Ce dernier lui avait annoncé que le bateau ferait escale dans le port de Cork pendant deux jours, et que le capitaine avait donné congé à tout l'équipage. Le marin lui avait conseillé de se rendre au Custom House, l'édifice de la douane, où étaient classées les archives des départs et des arrivées des navires ainsi que la liste des équipages. Le naufrage y serait sans doute signalé.

— Bonne chance, mon garçon, lui avait dit Momo.

Le Custom House, un édifice de calcaire de style néoclassique, avec son fronton et ses arcades élégantes, dominait le port. L'intérieur bourdonnait comme une ruche, car plusieurs navires marchands étaient arrivés en même temps ; les capitaines devaient déclarer le fret et remettre la liste des passagers et des membres d'équipage. Ian se plaça derrière une longue file. Pendant l'attente, il répéta dans sa tête tous les renseignements que sa mère lui avait fournis sur son père. Une sorte de fébrilité le gagna. Saurait-il enfin ce qu'il était advenu de John Kilkenny ? Un guichet finit par se libérer. Un agent d'une trentaine d'années, à la moustache et aux cheveux roux et à la mine débonnaire, s'adressa à lui.

— *What can I do for you, young man ?*

L'accent irlandais était difficile à comprendre, mais Ian avait saisi l'essentiel. Il s'avança d'un pas et parla dans un anglais à peu près correct, que sa mère lui avait appris lorsqu'ils habitaient au Nouveau-Brunswick.

— *I'm looking for my father, John Kilkenny. He was a seaman on a boat called the* Rodena. *The boat sailed from Quebec City in 1851. It was lost at sea, near the port of Cork.*

Ian avait parlé d'un trait, sans reprendre son souffle. Le commis, surpris par la minutie de la demande et touché par la gravité avec laquelle celle-ci avait été formulée, jeta un regard indulgent au garçon.

— *The* Rodena, *lost at sea in 1851*, répéta-t-il. *Let me check that for you, young lad.*

L'homme aux cheveux roux s'éloigna du guichet et se dirigea vers un classeur de chêne qui faisait toute la longueur d'un mur de brique. Ian attendit, la gorge prise dans un étau. La perspective de connaître enfin le sort de son père le remplissait à la fois d'espoir et de crainte. Une quinzaine de minutes s'écoulèrent avant que l'employé revienne.

— *I'm sorry, young man, but I'm afraid I can't help you. There is no record of the sinking of a boat called the* Rodena *in 1851.*

Ian accueillit cette phrase avec incrédulité. Pourtant, sa mère lui avait bel et bien affirmé que le *Rodena* avait fait naufrage au large de Cork cette année-là.

— *It's impossible. My mother told me so.*

— *Perhaps she was mistaken*, dit l'agent gentiment.

Un employé d'une soixantaine d'années, qui travaillait au guichet voisin, se tourna vers son collègue.

— *Did you say the* Rodena *? My cousin's family took that boat, a long time ago.*

Il expliqua à Ian que le *Rodena* avait quitté Cork en juin 1847, l'année de la grande famine, et avait été mis en quarantaine durant plusieurs semaines à son arrivée à la Grosse Isle, près de Québec.

— *My poor cousin lost most of his family to typhus.*

L'agent rouquin regarda Ian dans les yeux.

— *Do you understand what my colleague just said ?*

Constatant que le jeune homme avait l'air confus, l'employé lui répéta lentement ce que son confrère venait de dire.

— *Do you understand ?* répéta le commis.

C'est impossible, se disait Ian, tandis que l'employé lui parlait. Le *Rodena* n'avait pas pu prendre son départ de Cork en 1847. Sa mère lui avait bien dit que le navire avait quitté Québec en 1851. Se pouvait-il qu'elle ait fait erreur ?

— *I can show you the register for 1847, if you want,* poursuivit le rouquin avec patience. *Then you could check the information for yourself.*

Ian entendait les paroles de l'homme à travers une sorte de brouillard. En admettant que sa mère se soit trompée d'année, pourquoi avait-elle prétendu que le *Rodena* avait fait naufrage et que son père avait disparu ? Il n'arrivait pas à comprendre qu'elle fût capable d'inventer un mensonge aussi cruel. Était-il possible que son père soit monté à bord du *Rodena* à partir du port de Cork, en juin 1847 ? Il n'y avait qu'une façon d'en avoir le cœur net.

— *Yes, I would like to see the register, thank you very much*, dit-il d'une voix mal assurée.

Le commis acquiesça et s'éloigna de nouveau. Cette fois, il revint rapidement, apportant un énorme registre de cuir noir, qu'il déposa sur le comptoir devant Ian.

— *There it is, young man. Good luck.*

Ian commença à feuilleter le registre en cherchant le mois de juin. Il ne lui fallut que quelques minutes pour trouver le *Rodena*. L'inscription avait été faite avec soin, d'une écriture penchée.

The Rodena, merchant ship converted to a passenger ship
Departure: the 15th of June 1847, from the Port of Cork
Number of passengers: 338.
Number of crew members, including officers: 53.

Ainsi, le vieil employé avait dit la vérité au sujet du *Rodena* : le bateau avait bien pris son départ du port de Cork. Ian replongea dans le livre. La liste des membres d'équipage suivait. Il la parcourut attentivement, avec le sentiment que sa vie dépendait de ce qu'il y découvrirait. Une émotion intense le traversa soudain. Un nom dansa devant ses yeux. *J. Kilkenny, officer, 31 years old.* Ian réfléchit. Il était né en 1849, soit deux ans après que ce J. Kilkenny eut été à bord du *Rodena*. S'il s'agissait de son père, comment sa mère l'avait-elle rencontré ? Pourquoi ce mensonge sur le naufrage du *Rodena* ? La suite de l'inscription le plongea dans le désarroi.

Was reported sick from the typhus and could not board the ship.

Le typhus. Sa mère lui avait parlé de cette terrible maladie, qui avait décimé sa propre famille. La réalité lui coupa le souffle, au point où l'agent rouquin lui demanda s'il se portait bien, mais Ian était enfermé dans son monde et ne l'entendit pas. J. Kilkenny ne pouvait être son père. Sa mère avait tout inventé. Pourquoi ne lui avait-elle pas dit la simple vérité, au lieu de fabriquer cette histoire de naufrage ? Qui était son vrai père ? Il n'arrivait pas à coller les morceaux du casse-tête ensemble. Il continua à feuilleter le registre. Aucun autre nom des membres d'équipage ne correspondait à celui de son père, aussi commença-t-il à déchiffrer le nom des passagers. Il se rappela le récit que sa mère lui avait fait, lorsqu'il avait neuf ou dix ans, de l'exil des O'Brennan pour fuir la famine de la pomme de terre. Amanda avait donné peu de détails sur le voyage, sinon la mort de ses parents et de deux petites sœurs des suites du typhus, et la séparation de la famille à son arrivée à la Grosse Isle. Le cœur serré, il se rendit jusqu'aux O. Le nom d'une famille retint son attention. *O'Brennan.*

> *Ian O'Brennan (age : 38, farmer, Skibbereen, County of Cork)*

Ian O'Brennan. Ce ne pouvait être que son grand-père. Des larmes lui montèrent aux yeux. Il poursuivit sa lecture, rempli d'appréhension :

> *Maureen O'Brennan (age : 36, spouse, Skibbereen, County of Cork)*
> *Amanda O'Brennan (age : 12, daughter, Skibbereen, County of Cork)*

Amanda O'Brennan. Nul doute qu'il s'agissait de sa mère. Était-il possible que cette dernière ait rencontré John Kilkenny à bord du *Rodena* ? Mais alors, pourquoi le registre indiquait-il que ce même J. Kilkenny n'avait pu être du voyage parce qu'il était atteint du typhus ? Sans compter que sa mère n'avait que douze ans à l'époque, et J. Kilkenny, toujours d'après le registre, en avait trente et un. Où s'étaient-ils connus ? S'étaient-ils revus après l'exil au Canada ? Tout se mêlait dans sa tête dans un écheveau inextricable. Il reporta son attention sur le registre.

> *Sean O'Brennan (age : 9, son, Skibbereen, County of Cork)*
> *Arthur O'Brennan (age : 8, son, Skibbereen, County of Cork)*

Fionnualá O'Brennan (age: 7, daughter, Skibbereen, County of Cork)
Helena O'Brennan (age: 2, daughter, Skibbereen, County of Cork)
Ada O'Brennan (newborn)

Fionnualá... Il devait sûrement s'agir de sa tante, Fanette. Quant aux petites Ada et Helena, Ian comprit avec émotion qu'elles étaient les sœurs dont sa mère lui avait dit qu'elles étaient mortes durant la traversée. Un étrange sentiment l'habitait devant ces noms dont la plupart lui étaient familiers, mais sur lesquels il ne pouvait mettre aucun visage, sauf celui de sa tante Fanette, qu'il avait connue à Québec après l'arrestation et l'emprisonnement de sa mère. Mais une certitude subsistait dans sa confusion : sa mère lui avait menti en affirmant que son père avait péri dans le naufrage du *Rodena*. Et il ne connaîtrait de paix que lorsqu'il saurait toute la vérité.

En sortant du Custom House, Ian aperçut Momo Bastien qui l'attendait. Ce dernier s'avança vers son jeune protégé.

— Et puis ? As-tu trouvé quelque chose ?

Le visage fermé de l'adolescent lui fit comprendre que sa démarche n'avait rien donné. Il lui frotta la tête.

— Viens, on va se promener en ville. Ça te changera les idées.

Ian le suivit à contrecœur. Il avait l'impression de ne plus avoir de passé, encore moins d'avenir.

⁓

Bastien loua un fiacre pour la journée. Il réussit à négocier un prix raisonnable avec le cocher, un vieil Irlandais dont les yeux d'un bleu vif contrastaient avec son teint de brique. Croyant que ses passagers étaient des marins britanniques, le conducteur ne leur adressa pas la parole, mais lorsqu'il comprit que la famille d'Ian venait de Skibbereen, son regard s'alluma.

— *What's your name ?* lui demanda-t-il.

— Ian O'Brennan, répondit le garçon sans réfléchir.

Momo Bastien jeta un regard surpris à l'adolescent. Ce dernier lui avait pourtant dit, lorsqu'ils s'étaient croisés sur le pont de l'*Empress of Ireland*, que son nom de famille était Kilkenny. Le cocher fit un grand sourire.

— *O'Brennan ! A very Irish name, if there is any.*

Lui-même était natif de Skibbereen, expliqua-t-il dans un anglais fortement teinté de l'accent irlandais du sud. Il n'avait que dix-sept ans lorsque la maladie avait ravagé les récoltes de pommes de terre. Ses parents avaient tout perdu. Comme si leur malheur n'était pas suffisant, leur *landlord* avait décidé de reprendre sa terre. Le shérif était arrivé avec ses hommes et avait mis le feu à leur maison. Sa famille avait quitté l'Irlande, mais lui avait décidé de rester, envers et contre tout. Il se mit à fredonner une chanson avec une belle voix de baryton, tandis que le cheval allait au petit trot.

O, father dear I often hear you speak of Erin's Isle
Her lofty scenes, her valleys green, her mountains rude and wild
They say it is a lovely land wherein a prince might dwell
So why did you abandon it, the reason to me tell

My son, I loved my native land with energy and pride
Till a blight came over all my crops and my sheep and cattle died
The rents and taxes were to pay and I could not them redeem
And that's the cruel reason why I left old Skibbereen

Sa voix s'étrangla dans sa gorge. Il s'essuya les yeux avec une manche. Ian avait écouté chaque parole avec une émotion grandissante. En contemplant les champs qui s'étendaient à perte de vue, il les imaginait dévastés ; il pouvait voir les paysans crevant de faim le long des routes poussiéreuses, les familles évincées, les flammes qui ravageaient les maisons de bois. Bien qu'il visitât l'Irlande pour la première fois, une partie de son être appartenait à ces terres, à ce ciel lumineux perlé de gris, à cette mer aux flots tumultueux.

❧

Le fiacre s'engagea dans une rue animée de la ville et s'arrêta devant un pub. Le cocher leur conseilla d'y prendre leur repas.

— *They serve the best Irish stew in the whole world.*

Le vieil Irlandais n'avait pas menti. Il y avait longtemps qu'Ian avait aussi bien mangé. Momo sourit en voyant son protégé dévorer son plat avec autant d'appétit. L'adolescent semblait avoir oublié sa déception. *À cet âge, un peu de bonne nourriture nous console de tout*, pensa le marin. Tandis que le garçon essuyait la sauce avec son morceau de pain, Momo, intrigué par le mensonge d'Ian sur son identité, chercha à en savoir davantage.

— Comment s'appelait ton père, déjà ?

— John Kilkenny.

— Pourtant, t'as dit au cocher que ton nom de famille était O'Brennan.

Ian rougit.

— Mon père a dû prendre son poste à bord du bateau avant de pouvoir marier ma mère, finit par dire Ian avec réticence. C'est pour ça que je ne porte pas son nom.

Momo garda un silence songeur. Cette explication lui sembla cousue de fil blanc. La mère d'Ian avait dû tomber enceinte et, abandonnée par le père, avait sans doute inventé cette histoire pour justifier sa grossesse, mais il garda sa réflexion pour lui, ne voulant pas blesser le garçon, qu'il sentait fragile, malgré sa force physique.

— Y a pas de honte à avoir, mon garçon.

— J'ai pas honte ! répliqua Ian un peu trop rapidement.

Ses yeux s'assombrirent. Une boucle de cheveux noirs lui barrait le front. Encore une fois, Bastien fut saisi par sa ressemblance étonnante avec son ancien compagnon. Ce dernier aurait eu l'âge d'être le père d'Ian. Un souvenir remonta à sa mémoire.

— Le type que j'ai connu au camp de bûcherons, y me parlait souvent d'une fille dont y s'était amouraché. Une belle Irlandaise,

151

à ce qu'y paraît, rousse comme un soleil couchant. Amanda, qu'elle s'appelait.

Ian pâlit en entendant le prénom.

— Comment il l'a connue ? balbutia-t-il, la gorge nouée.

— D'après ce qu'il m'a dit, elle a quitté l'Irlande à cause de la famine et est arrivée à Québec avec sa petite sœur. Les deux sœurs ont été recueillies par sa famille, des fermiers qui habitaient dans un village, pas loin de Québec.

Le cœur d'Ian battait à tout rompre. Jamais sa mère ne lui avait parlé du fait qu'elle et Fanette auraient été adoptées par une famille de cultivateurs, mais le reste du récit concordait avec ce qu'elle lui avait raconté sur son exil.

— Comment s'appelait votre compagnon ?

— Jacques Cloutier.

Jacques Cloutier. Ce nom ne lui disait rien.

— Connaissez-vous le nom du village où il habitait ?

— La Chevrotière, si ma mémoire est bonne.

Ce nom n'éveilla pas non plus de réminiscence chez Ian, mais l'espoir lui gonfla le cœur. Était-il possible que son vrai père fût ce Jacques Cloutier ?

— Savez-vous ce qu'il est devenu ?

Une sorte de pitié s'exprima dans les traits frustes de Momo Bastien. Il regrettait d'avoir mentionné son ancien compagnon à l'adolescent. À quoi bon lui donner de l'espoir, alors que Cloutier, bien qu'il ne manquât pas de cœur, avait le don de se mettre dans le trouble plus souvent qu'à son tour et avait mauvaise réputation partout où il passait ?

— La dernière fois que j'ai vu Cloutier, c'était à l'hiver de 1849, se contenta-t-il de dire. Il s'était pris aux cheveux avec un bûcheron, après une soirée bien arrosée. Le contremaître du chantier l'a renvoyé. J'ai plus jamais entendu parler de lui.

Ian eut beau l'assaillir de questions, Momo refusa d'ajouter un mot de plus.

XXII

Village de la Jeune Lorette
Au début d'août 1862

Amanda, étendue dans son lit, jeta un regard las à la fenêtre. Pas l'ombre d'une brise n'agitait les rideaux. Depuis plusieurs jours, il régnait une chaleur torride qui accablait la jeune femme, déjà éprouvée par la fuite de son fils et la crainte qu'elle avait eue de perdre son bébé. Le lendemain de la fugue d'Ian, elle avait ressenti des crampes, et un peu de sang avait taché ses vêtements. Lucie s'était empressée d'aller chercher Émilienne, qui avait administré à Amanda des concoctions de tisane et lui avait ordonné de garder le lit jusqu'à l'accouchement, afin d'éviter des chocs qui pourraient causer une fausse couche.

Heureusement, il n'y avait pas eu d'autre incident. Le danger d'une fausse couche s'était amenuisé au fil des semaines. Amanda posa une main sur son ventre. Elle pouvait sentir un léger renflement sous sa robe de nuit.

La porte s'ouvrit. Lucie entra dans la pièce, apportant le souper sur un plateau, qu'elle déposa sur une table, près du lit.

— Je n'ai pas faim, murmura Amanda. Avec cette chaleur…

Lucie jeta un regard soucieux à sa belle-sœur, se doutant que ce n'était pas seulement la canicule qui lui coupait l'appétit, mais son inquiétude sur le sort de son fils, qui n'avait pas donné signe de vie depuis sa disparition. Après être revenu bredouille de son expédition avec le vieux Tioutai pour tenter de retrouver Ian, son mari Bertrand avait dû se résigner à dire la vérité à Amanda.

— Ian s'est engagé à bord d'un navire en partance pour la ville de Cork.

Le visage d'Amanda était devenu cendreux. Elle n'avait pas prononcé un mot, enfermée qu'elle était dans une douleur sans remède. Depuis ce jour, elle n'avait pas reparlé de son fils, mais Lucie voyait bien que l'angoisse la taraudait.

— Tu dois manger un peu.

Amanda s'efforça de prendre un peu de soupe, le faisant davantage pour son enfant à naître que pour elle-même. Après le départ de sa belle-sœur, n'en pouvant plus d'être couchée, la jeune femme se leva et fit quelques pas vers la fenêtre. Le soleil déclinait à l'horizon. Noël, un sarcloir à la main, était en train d'arracher des mauvaises herbes dans le potager. Depuis l'incendie, Bertrand lui avait interdit tout travail dans les champs, mais il détestait l'oisiveté, et avait décidé de s'occuper du jardin.

Amanda contempla avec émotion la silhouette élancée de son mari, que les derniers rayons de soleil enrobaient d'une lumière cuivrée. Heureusement, Noël s'était à peu près remis de ses brûlures. Émilienne lui avait préparé des onguents, composés de camomille et de millepertuis, dont il devait enduire ses plaies chaque jour afin d'en accélérer la cicatrisation. Quant à sa blessure au genou, bien qu'elle le fît encore souffrir, elle s'était bien refermée.

Comme s'il avait perçu le regard d'Amanda posé sur lui, Noël leva la tête et sourit à sa femme en lui faisant un signe de la main. Amanda le salua de la main à son tour et fit un effort pour lui rendre son sourire. Une vague d'amour et de remords déferla sur elle. Noël méritait mieux que les miettes d'affection qu'elle lui donnait depuis la fuite d'Ian. Son regard se perdit au loin, scrutant l'horizon. Des ondes de chaleur montaient de l'étang, dont l'eau était lisse comme celle d'un miroir. Les feuilles des arbres restaient immobiles, tels des oiseaux qui auraient suspendu leur vol. Les stridulations des criquets s'élevaient et s'éteignaient pour reprendre ensuite de plus belle.

C'est alors qu'elle aperçut un point sombre à distance. Quelqu'un marchait sur le sentier qui menait de la rivière à la maison. C'était son fils.

La lune venait de se lever, ronde et laiteuse. Ian, épuisé par son long périple, marchait lentement. Aussitôt que l'*Empress of Ireland* avait accosté au port de Québec, il avait fait ses adieux à Momo Bastien, qui l'avait serré à le rompre dans ses énormes bras et lui avait fait promettre de lui écrire à la poste restante du port. Ian avait remercié son protecteur et quitté le navire, avec pour tout bagage son sac et son précieux goéland de bois. Par chance, il avait retrouvé le canot de Bertrand dans le vieux hangar, là où il l'avait laissé plus d'un mois auparavant, et avait pu faire le chemin du retour sans encombre. Tout au long du trajet, il avait senti monter en lui la révolte et la colère.

En s'approchant de la maison, Ian vit son beau-père qui se dirigeait vers le hangar où étaient rangés les outils de jardin. Soudain, la porte de la maison s'ouvrit. Sa mère apparut sur le seuil. Son visage baignait dans la clarté lunaire. Même de loin, Ian pouvait voir des larmes rouler sur ses joues pâles. Il faillit flancher devant la détresse d'Amanda, mais son besoin de savoir était plus fort que sa compassion. Il s'avança vers elle et s'arrêta à sa hauteur.

— John Kilkenny n'est pas mort dans le naufrage du *Rodena*, commença-t-il, tâchant de raffermir sa voix qui fléchissait déjà. Il n'est même pas monté à bord du bateau, pour la bonne raison qu'il avait le typhus.

— Comment peux-tu savoir cela ? fit Amanda d'une voix blanche.

— Le registre du port de Cork. Le *Rodena* n'a jamais fait naufrage. Le bateau est parti du port de Cork en 1847.

Amanda, pétrifiée, garda le silence. À quoi bon parler ? Elle ne ferait que s'enfoncer davantage.

— J'ai vu la liste des passagers, poursuivit Ian d'une voix plus ferme. Tu étais à bord du bateau avec toute la famille

O'Brennan, ma tante Fanette, mes grands-parents, mes oncles Arthur et Sean, Helena et la petite Ada. Pourquoi m'as-tu menti? Pourquoi m'as-tu fait croire pendant toutes ces années que John Kilkenny était mon père?

Le silence se prolongea, ponctué par le chant lancinant des criquets. Ian vint tout près de sa mère. Ses yeux noirs brillaient de colère.

— Je veux savoir qui est mon vrai père.

— Ton père…

La voix d'Amanda se cassa. Noël sortit du hangar et distingua les silhouettes de sa femme et d'Ian découpées dans la clarté de la lune. Il resta en retrait.

— Qui est Jacques Cloutier? reprit Ian.

La pauvre femme s'appuya sur le chambranle de la porte. Son teint était devenu crayeux.

— Je ne sais pas de qui tu veux parler.

Son fils, aussi impitoyable qu'un juge, la fixait de son regard sombre.

— J'ai rencontré un marin à bord de l'*Empress of Ireland*. Il a connu Jacques Cloutier dans un camp de bûcherons. D'après lui, Cloutier était tombé amoureux d'une jeune fille appelée Amanda, une Irlandaise aux cheveux roux, qui avait été recueillie avec sa petite sœur par sa famille, des cultivateurs de La Chevrotière, un village près de Québec.

Amanda sut qu'il n'y avait plus d'échappatoire possible. Son arsenal de mensonges était épuisé.

— C'est vrai que ta tante Fanette et moi avons vécu chez les Cloutier après notre arrivée à Québec, articula Amanda d'une voix éteinte. C'est là que j'ai connu Jacques Cloutier. C'était le fils aîné de la famille.

Une nausée monta dans sa gorge. Elle ferma les yeux un instant, comme pour se donner du courage.

— La nuit de ses noces avec une jeune femme du village, il m'a prise de force. Après quelques semaines, je me suis rendu compte que j'attendais un enfant.

Ian écoutait chacune de ces paroles avec le sentiment de s'approcher pas à pas d'un précipice.

— Un commerçant de passage, Jean Bruneau, a eu pitié de moi et a voulu me ramener avec lui aux Trois-Rivières. Jacques Cloutier nous a poursuivis et l'a tué. J'ai réussi à m'échapper. Un couple m'a accueillie pendant quelque temps, mais j'ai dû partir quand ils ont appris que j'étais enceinte.

Elle reprit péniblement son souffle, telle une noyée qui tente une dernière fois de sortir sa tête de l'eau.

— Par la suite, Jacques a été accusé du meurtre d'un agriculteur de l'île d'Orléans. Il… il a été pendu. J'étais là pendant l'exécution. Toute la haine que j'avais pour lui s'est envolée quand je l'ai vu monter sur l'échafaud. C'est pour ça que je t'ai menti pendant toutes ces années. Même pendant mon procès, j'ai refusé de dire qui était ton vrai père. Je ne voulais pas que tu saches, tu comprends ?

Sa voix se perdit dans le concert des grillons. Ian ne bougea pas, tétanisé par cette vérité qu'il avait tant voulu connaître et qui, maintenant, le détruisait. Amanda fit un pas vers lui, mais il recula. Sa colère avait fait place à une détresse incommensurable, qui lui broyait le cœur et l'esprit. Sans réfléchir, il se détourna et se mit à courir. Amanda fit un mouvement pour le suivre, mais une main lui saisit un bras. C'était Noël.

— Tu n'es pas en état de courir. Pense à l'enfant à naître.

— J'ai peur pour Ian.

— Je vais le ramener. Je te le promets. Mais tu dois te reposer.

Noël jeta un coup d'œil derrière lui. Ian était déjà loin. Il attendit qu'Amanda soit rentrée et se mit à courir à son tour. Son genou l'élançait, mais il n'en avait cure. Il lui fallait rattraper Ian. Pas un mot de la confrontation entre Amanda et son fils ne lui avait échappé. Sans l'avouer à Amanda, il craignait le pire.

∽

Guidé par la clarté lunaire, Noël, déjà à bout de souffle, marchait le plus rapidement possible sur le sentier qui menait au village. Il avait perdu Ian de vue depuis un bon moment, mais se doutait de l'endroit où le garçon se rendait. La nuit était douce et calme. Une chouette commença à chanter avec la régularité d'une horloge. Des mouches à feu allumaient des étincelles à travers la futaie. L'air embaumait la résine de pin.

Au tournant du chemin, Noël aperçut les ruines de l'église, auxquelles la lune donnait des reflets argentés. Il y avait quelques lumières aux fenêtres des maisons de planches qui longeaient la rue déserte. Le bruit familier de la chute Kabir Kouba lui parvint, apporté par la brise. Il s'engagea dans la piste abrupte aboutissant à la chute. Les aiguilles de pin craquaient sous ses pas. Les arbres étaient si serrés les uns contre les autres qu'ils cachaient la lune. Le tumulte de la chute était devenu assourdissant.

Noël arriva à une crête et s'immobilisa, tendant l'oreille. Malgré le fracas de l'eau, il crut entendre un son rauque, ressemblant à un sanglot. Il s'approcha à pas feutrés, scrutant les ombres à quelques pieds de lui. Il vit soudain Ian, debout devant un promontoire qui surmontait la chute. Le garçon était légèrement penché en avant et vacillait sur ses jambes. Il sanglotait, de ces sanglots qui sont comme des pierres qui s'entrechoquent. *Il va sauter*, comprit Noël. Il s'avança doucement, comme un chasseur sur la piste d'un animal qu'il ne veut pas effrayer.

Ian contemplait les remous. Sa douleur se fondrait dans les tourbillons de Kabir Kouba. La rivière aux mille détours, dans laquelle il se perdrait, effacerait les fantômes du passé, son père, ses rêves d'enfant. Il ferma les yeux et laissa son corps tomber vers sa délivrance.

Noël sauta d'un bond leste, agrippa Ian par un bras et le tira brusquement vers lui. Ils roulèrent tous les deux sur le sol. L'adolescent essaya de se dégager, mais Noël le tenait fermement par les épaules et l'empêchait de bouger.

— Lâchez-moi ! cria Ian d'une voix rauque en se débattant. Je veux mourir. Je veux mourir.

Bien que le garçon fût très vigoureux, Noël réussit à le maintenir au sol, pesant sur lui de tout son poids. Après de vaines tentatives pour se déprendre de l'étau qui l'enserrait, Ian cessa de bouger. Les deux hommes demeurèrent ainsi, dans une sorte d'embrassade, sur le tapis d'aiguilles de pin. Noël sentit les larmes du garçon sur ses joues. Il attendit longtemps, puis il relâcha peu à peu son étreinte. Ian resta étendu par terre, ses grands yeux sombres fixant le ciel couvert d'étoiles.

— À quoi ça sert, de vivre ? Mon père est un meurtrier, il a été pendu, je ne vaux pas mieux que lui.

— Tu n'as pas choisi ton père. Tu n'as pas demandé à naître non plus. Ce que ton père a fait lui appartient. Ce n'est pas à toi de porter le fardeau de ses gestes. Mais tu as le choix de mettre le passé derrière toi et de vivre comme tu l'entends.

Ian ne répondit pas.

— Moi aussi, j'ai voulu mourir quand j'ai perdu mon jeune frère, reprit Noël.

— Comment il est mort ?

— Il s'est noyé. Il avait ton âge. J'ai eu beaucoup de chagrin, mais j'ai décidé de vivre.

— Pourquoi ?

Noël désigna la chute, et ensuite les étoiles.

— Je ne voulais pas quitter la beauté du monde trop vite. Imagine tout ce que tu perdrais, si tu décidais de mourir.

Ian se redressa lentement. Ses joues étaient encore humides de larmes. Noël lui entoura les épaules de ses mains et lui parla avec affection, comme s'il eût été son propre fils.

— Ta mère t'aime plus que tout au monde. Cet amour, c'est ce que tu as de plus précieux. Personne ne pourra jamais te l'enlever.

L'adolescent garda le silence, puis il déposa sa tête sur une épaule de Noël. Le bruit de la chute remplissait tout l'espace, berçant les deux hommes, tel un chant de paix et d'harmonie.

Troisième partie

Chantage

XXIII

Quelques mois plus tard
Québec, mi-décembre 1862

La carriole glissait sur la route blanche striée d'ombres qui se déroulait à l'infini. Seuls le sifflement des patins sur la neige glacée et le son cristallin des clochettes brisaient le silence du soir. De gros flocons scintillaient dans le faisceau des lanternes suspendues devant la voiture. Fanette et Marie-Rosalie, emmitouflées dans une épaisse couverture de laine pour se tenir bien au chaud, étaient installées sur la banquette tandis que Madeleine, vêtue d'une pelisse et d'une toque de castor, conduisait, fixant attentivement le chemin afin d'éviter les congères que le vent avait formées ici et là en travers de la route.

Laissant son regard dériver sur le paysage qui semblait presque lunaire, Fanette pensa à sa mère. Quelle joie ce serait de la revoir ! La perspective de retrouver la petite maison où elle avait vécu une enfance si heureuse la comblait de bonheur. Sa tante s'était toutefois fait tirer l'oreille avant d'accepter d'accomplir ce voyage, prétextant avoir trop de travail sur les bras pour se permettre de quitter son bureau, même pour le temps des fêtes. Pourtant, Madeleine portait une grande affection à sa sœur aînée et se plaignait parfois de ne jamais la voir. Il y avait donc une autre raison qui expliquait cette attitude, mais comme sa tante se confiait rarement sur ses sentiments et ne parlait pour ainsi dire jamais de son passé, Fanette avait deviné entre les lignes que cette réticence d'aller à Québec avait sans doute un lien avec une enfance malheureuse.

La jeune femme tourna la tête vers Marie-Rosalie, qui dormait, la tête posée sur son épaule. Ses joues rondes étaient rosies par le froid. Une immense tendresse l'envahit. *Comment ne pas croire en la beauté de la vie devant ces êtres qu'il nous faut protéger et chérir ?* Elle songea à la merveilleuse nouvelle qu'Amanda lui avait apprise dans une lettre qu'elle lui avait envoyée en juillet dernier. Sa sœur attendait un enfant ! Rien n'aurait pu la réjouir autant. Elle avait été cependant bouleversée d'apprendre l'incendie qui avait ravagé l'église du village, la bravoure de Noël, qui s'était jeté dans le brasier pour sauver un enfant de chœur et, comme si cela n'était pas suffisant, la fugue de son neveu, Ian.

Ian a disparu le jour de l'incendie, lui avait écrit Amanda. *Il est hanté par ses origines et m'a laissé un mot me disant qu'il voulait à tout prix retrouver son père. Oh, ma Fanette, si tu savais comme cette situation me met au supplice ! Comment révéler à mon fils la véritable identité de son père sans le détruire à jamais ? Je lui ai menti maladroitement, lui faisant croire que son père était un marin dont le bateau avait fait naufrage au large de Cork. Je suis morte d'angoisse à l'idée qu'il puisse découvrir la vérité.*

Fanette était restée sans nouvelles pendant près de deux mois et s'était fait un sang d'encre quant au sort d'Ian. Heureusement, une autre lettre avait suivi, annonçant « le retour de l'enfant prodigue », comme l'avait décrit Amanda. Cette dernière s'était montrée discrète sur les circonstances de ce retour, se contentant d'expliquer qu'Ian avait finalement appris la vérité au sujet de son vrai père, qu'il en avait d'abord été dévasté, mais que, grâce à Noël, le pire avait pu être évité. Fanette avait pressenti que son pauvre neveu avait peut-être tenté de s'enlever la vie, mais dans sa réponse à sa sœur, elle n'avait osé aborder la question de front et avait préféré exprimer son soulagement devant la tournure des événements.

Comme tout aurait été différent si les deux sœurs n'avaient pas été si cruellement séparées et avaient pu se parler de vive voix ! Leurs regards, leurs paroles, une simple pression de la main auraient traduit l'ineffable. L'injustice de cette séparation rongeait Fanette. Les années passaient, et tout ce temps précieux, vécu dans l'absence d'Amanda, ne pourrait plus jamais se rattraper. Elle apprenait les joies de sa sœur aînée, ses chagrins, ses craintes, à distance, par le truchement de mots qui finissaient par ressembler à des coquillages vides que la mer rejette sur la rive. Bien qu'elle se réjouît de tout son cœur du fait qu'Amanda attendait un enfant, elle souffrait de ne pas être à ses côtés. Elle ne serait pas là pour lui tenir la main lors de son accouchement, l'encourager dans son labeur, essuyer tendrement son front en sueur; elle ne pourrait pas laver le nouveau-né, le langer, le prendre dans ses bras et le bercer pour lui faire passer ses coliques, ni respirer son doux parfum de lait et d'amandes.

Fanette tint sa fillette contre elle, comme pour se consoler de tout ce bonheur qui lui était refusé, et s'endormit à son tour, bercée par le son des clochettes et le sifflement du vent, sans se douter un instant que sa sœur habitait dans un village huron, à seulement une quinzaine de milles de Québec.

❧

Une neige duveteuse tombait depuis plusieurs heures, déposant une fine couche blanche sur la ville. Emma Portelance regardait anxieusement par la fenêtre, surveillant la rue Sous-le-Cap dans l'espoir d'y apercevoir la voiture de sa sœur, qui lui avait envoyé un télégramme quelques jours auparavant lui confirmant son départ pour Québec, en compagnie de Marie-Rosalie et de Fanette. Le trajet s'effectuait normalement en deux jours, comprenant un arrêt aux Trois-Rivières; Emma les attendait donc d'un moment à l'autre. Elle laissa retomber le rideau en poussant un soupir d'inquiétude. Le mauvais temps les avait sûrement retardées, ou pire, un accident s'était peut-être produit. Elle se morigéna de broyer ainsi du noir, se rendit dans la cuisine et s'activa aux préparatifs du souper en espérant ainsi chasser ses idées sombres, mais un flot de pensées continuait à déferler dans sa tête. Était-ce possible que Madeleine ait changé d'idée et renoncé à entreprendre ce voyage? Car Emma avait dû user de tout son pouvoir de persuasion pour la décider d'accepter son invitation de venir passer le temps des fêtes à Québec. Dans un premier temps, Madeleine lui avait envoyé un télégramme au ton pour le moins expéditif :

> Emma,
> Merci pour ton invitation, mais je me suis juré de ne plus jamais revenir à Québec, dont j'ai gardé de pénibles souvenirs.
> À toi,
> Madeleine

Sur le coup, Emma s'était sentie blessée par le ton sec du télégramme, puis s'était efforcée de faire la part des choses. Madeleine avait effectivement connu une enfance difficile. La mort prématurée de leur mère, la tentative d'Édouard, leur frère aîné, qui était curé de la paroisse Notre-Dame-de-Beauport, de la faire interner dans un asile d'aliénés, le mépris que lui manifestait ouvertement leur sœur Anita, qui rêvait d'un mariage dans la haute société de Québec et que le comportement « anormal » de sa sœur cadette rebutait au plus haut point, tout cela avait renforcé la rancœur et le sentiment de rejet de Madeleine. Le fait qu'elle eût par la suite obtenu un certificat d'enseignante de l'École normale de Québec avec une mention d'excellence avait sûrement mis un peu de baume sur ses plaies, mais les stigmates du passé étaient néanmoins demeurés. Après avoir enseigné pendant quelque temps dans une école primaire de Sillery, Madeleine avait décidé de couper les ponts avec son ancienne vie et de partir pour Montréal. C'était donc dans un esprit de conciliation qu'Emma avait répondu à sa sœur :

> *Québec, le 14 novembre 1862*
> Chère Madeleine,
> Je sais que tu as gardé des souvenirs pénibles de ton enfance.
> Je comprends tes sentiments, et je les respecte entièrement.
> Mais songe que plus de vingt ans se sont écoulés depuis

ton départ de Québec. Bien de l'eau a coulé sous les ponts depuis. Sans compter que je n'ai jamais eu le bonheur de t'accueillir dans ma petite maison. Tu pourras me reprocher à juste titre que je ne sois jamais allée non plus te voir à Montréal. Mes nombreuses responsabilités au domaine de Portelance et au refuge m'en ont empêchée, mais je n'ai pas hésité à t'envoyer Fanette et Marie-Rosalie, auxquelles je tiens comme à la prunelle de mes yeux. Ce serait une telle joie pour moi que de vous avoir toutes les trois réunies sous mon toit pour Noël ! Enfin, fais comme tu l'entends. Sois assurée que, quelle que soit ta décision, je ne t'en tiendrai pas rigueur.

Avec toute mon affection.

Emma

P.-S. À ma dernière visite à Marie, au couvent des Ursulines, notre « petite sœur » m'a longuement parlé de toi. Elle t'envoie tous ses vœux de paix et de bonheur, et espère de tout cœur te revoir.

Ce post-scriptum n'était pas innocent. Bien qu'elle fût la benjamine de la famille, Marie avait défendu avec éloquence sa sœur Madeleine lorsqu'il avait été question de la faire interner. Cette dernière ne pouvait l'avoir oublié, avait raisonné Emma, qui espérait que cette allusion à leur « petite sœur », comme elles l'appelaient avec affection dans leur jeunesse, ferait pencher la balance de son côté. Sa stratégie semblait avoir fait mouche, car la semaine suivante, Emma avait reçu une lettre de Madeleine, dont le ton s'était beaucoup adouci.

Chère Emma,

Loin de moi l'idée de te blâmer pour ce triste passé. Je sais que tu as fait ton possible pour me soutenir dans les moments difficiles. Aussi, j'accepte ton invitation, mais je t'avertis, je ne pourrai rester qu'une semaine, car j'ai beaucoup de pain

sur la planche ces temps-ci, avec un nouveau projet de feuilleton qui ne m'inspire guère et me donne bien du fil à
retordre.

Affection,

Madeleine

P.-S. Embrasse notre « petite sœur » de ma part.

Le mot « affection » avait touché Emma. Connaissant l'aver-
sion de sa sœur pour les épanchements, elle savait que celle-ci
avait fait un effort pour se montrer plus chaleureuse que d'habitude. Mais c'était le post-scriptum en réponse au sien qui lui avait
fait mesurer tout l'attachement que Madeleine éprouvait pour
leur « petite sœur », attachement qui l'avait sans doute décidée à
entreprendre le voyage.

෫෮

Emma entendit un bruit de sabots amorti par la neige. Elle
se précipita vers la fenêtre du salon et aperçut une carriole
d'hiver tirée par deux chevaux qui s'arrêtait devant la maison.
Le conducteur, portant une toque et un manteau de fourrure
couverts de frimas, un fouet à la main, s'extirpa du siège et mit
le pied à terre. Emma reconnut sa sœur Madeleine, bien que son
chapeau enfoncé jusqu'aux yeux lui cachât en partie le visage.
Fanette sortit à son tour de la voiture, puis souleva Marie-Rosalie
dans ses bras pour l'aider à en descendre. La fillette était tellement emmitouflée qu'elle ressemblait à une petite boule de poils.

Sans même prendre le temps de mettre un châle sur ses
épaules, Emma courut vers la porte, qu'elle ouvrit toute grande,
indifférente à la bourrasque de vent et de neige qui s'engouffrait
dans la maison.

— Mes enfants, vous êtes enfin arrivées ! Entrez vite, avant
de vous transformer en bonshommes de neige !

Elle souleva Marie-Rosalie et la serra contre sa poitrine.

— Ma petite chérie. Comme tu m'as manqué !

Les retrouvailles se firent dans un maelström de manteaux, d'écharpes humides et d'embrassades émues. Mère et fille s'enlacèrent longuement, sans dire un mot tellement l'émoi leur serrait la gorge. Madeleine, vêtue d'une robe de soie moirée garnie d'un col de dentelle, se tenait debout, en retrait. Lorsque Emma voulut prendre sa sœur dans ses bras, celle-ci resta raide comme une barre de fer, ne sachant trop quoi faire de ses bras, ce qui n'empêcha pas Emma de planter deux baisers sonores sur ses joues glacées.

— Enfin, te voilà, chère sœur. Il y avait si longtemps que j'attendais ce moment.

Madeleine toussota pour se donner une contenance, mais un flot de sentiments l'envahissait en revoyant sa sœur aînée après ces longues années d'absence. Les deux femmes se regardèrent longuement sans parler, observant sur le visage l'une de l'autre le passage du temps : des fils de cheveux argentés, des rides plus profondes, des ombres sous les yeux, qui exprimaient les soucis de la vie, mais aussi une maturité nouvelle.

— Chère Madeleine, murmura Emma, retenant difficilement ses larmes. Chère enfant.

— Il y a belle lurette que je ne suis plus une enfant ! répliqua Madeleine un peu trop sèchement afin de masquer son émotion.

Après que les vêtements d'hiver eurent été mis à sécher près du poêle, Emma servit du thé bouillant accompagné d'une tourtière qu'elle avait confectionnée elle-même.

— Je ne suis pas aussi bonne cuisinière qu'Eugénie, tant s'en faut, mais j'ai fait de mon mieux.

Un voile de tristesse couvrit les yeux d'Emma.

— Tu me parlais souvent d'elle dans tes lettres, observa Madeleine.

— C'était une femme intelligente et sensible, ajouta Fanette avec chaleur. Vous l'auriez aimée, ma tante.

Emma sortit un mouchoir de sa manche et essuya subrepticement ses larmes, prétextant que la fumée que dégageait le poêle irritait ses yeux. À sa grande surprise, Madeleine lui saisit une main et la serra dans la sienne.

— J'aurais voulu la connaître.

Une fois le repas terminé, Fanette, accompagnée par Marie-Rosalie, monta à la chambre qu'elle avait occupée avant son départ pour Montréal, tandis qu'Emma faisait visiter la maison à sa sœur. Elle termina la visite par une pièce petite, mais confortable.

— Tu dormiras dans la chambre qu'occupait Eugénie, lui expliqua-t-elle.

Madeleine fit quelques pas dans la pièce, qui sentait la lavande et la cire d'abeille. Elle remarqua les rideaux de dentelle, le lit couvert d'une couette aux couleurs gaies, le coffre de pin. Un livre avait été déposé sur une table de chevet. Elle le prit et jeta un coup d'œil à la couverture.

— *Mémoires de deux jeunes mariées*, de Balzac, murmura-t-elle.

— C'était le livre qu'Eugénie lisait avant sa mort, expliqua Emma, la voix enrouée par le chagrin. Je l'avais laissé au docteur Lanthier, mais il me l'a rendu.

Un trouble indéfinissable se fit jour sur les traits de Madeleine.

— C'est mon roman préféré de Balzac. Il y a tant de fraîcheur et de vérité sur les relations amoureuses décrites par les deux héroïnes. J'avoue que j'ai pleuré en lisant la fin, moi qui pleure rarement.

Lorsque Emma la laissa seule, Madeleine se déshabilla, revêtit une robe de nuit chaude et fit sa toilette avant de gagner son lit. Le voyage de deux jours ne l'avait pas fatiguée outre mesure. Elle adorait conduire, surtout l'hiver. Le doux chuintement de la neige sous les patins et les paysages blancs qui défilaient sans fin la grisaient.

Au moment d'éteindre la lampe au kérosène qui se trouvait sur la table de chevet, elle s'attarda de nouveau au roman de Balzac, qu'elle avait remis au même endroit. Elle l'avait lu dès sa parution, en 1841, et l'avait tant aimé que, quelques années plus tard, elle avait fait venir de Paris à grands frais une reproduction au burin du fameux daguerréotype de Balzac exécuté par

Louis-Auguste Bisson, où l'on voyait le célèbre écrivain à l'âge de quarante-deux ans, posant pour le photographe, avec une main sur le cœur. Elle avait fait encadrer le portrait et l'avait suspendu devant sa table de travail pour se donner du courage lorsque l'inspiration lui faisait défaut, ce qui lui arrivait plus souvent qu'à son tour, ces derniers temps.

La tête appuyée sur son oreiller, elle feuilleta le roman, s'arrêtant parfois à une phrase, qu'elle relisait à mi-voix. Elle se rendit compte qu'un signet avait été laissé à la page cent quatre-vingt-trois, et se demanda avec émotion si c'était la dernière page qu'Eugénie avait lue avant de mourir.

> *« 15 janvier.*
> *Ah ! Louise, je sors de l'enfer ! Si j'ai le courage de te parler de mes souffrances, c'est que tu me sembles une autre moi-même. Encore ne sais-je pas si je laisserai jamais ma pensée revenir sur ces cinq fatales journées ! Le seul mot de convulsion me cause un frisson dans l'âme même. Ce n'est pas cinq jours qui viennent de se passer, mais cinq siècles de douleurs. Tant qu'une mère n'a pas souffert ce martyre, elle ignorera ce que veut dire le mot souffrance. Je t'ai trouvée heureuse de ne pas avoir d'enfants, ainsi juge de ma déraison ! »*

Ce passage ramena Madeleine des années en arrière, ravivant une douleur qu'elle croyait éteinte depuis longtemps. Comme elle avait souffert ! Que de nuits sans sommeil à fixer le vide, avec comme seul sentiment l'envie de mettre fin à cette existence absurde et sans but ! Il n'y avait rien de plus cruel que la mort d'un enfant, surtout lorsqu'il était le fruit d'une passion aussi dévorante, qui l'avait consumée jusqu'au cœur et l'avait laissée anéantie. Le petit être qu'elle avait tenu contre elle pendant quelques secondes avant qu'il lui soit brusquement arraché par la religieuse était devenu l'image même de ce naufrage amoureux. Et pourtant, les traits de cet homme tant aimé s'étaient complètement effacés. *Si je le revoyais aujourd'hui, je ne le reconnaîtrais probablement pas.* Avec cette réflexion, un autre souvenir refit surface, celui d'un être exquis, à l'intelligence vive et au talent exceptionnel, qui l'avait consolée de ce premier amour désastreux. Encore une fois, cette relation s'était mal terminée, mais c'était elle qui avait rompu la première, préférant la solitude que de partager l'être aimé avec quelqu'un d'autre. Depuis la rupture, Madeleine avait parfois entrevu le nom de cette personne dans des carnets mondains, mais elle n'avait jamais croisé son chemin de nouveau. Elle murmura, avant de sombrer dans le sommeil : « M'as-tu pardonnée ? »

XXIV

L'odeur agréable du café et du pain frais accueillit Fanette lorsqu'elle descendit à la cuisine. L'image familière de sa mère penchée au-dessus du poêle lui rappela son enfance, lorsque Emma lui préparait du lait chaud tout en lui faisant répéter une leçon de grammaire ou d'arithmétique. En l'embrassant, elle respira le même parfum de violette et de savon qu'elle trouvait si rassurant quand sa mère montait lui souhaiter une bonne nuit. Elle l'embrassait alors sur chaque joue après lui avoir lu un conte, en lui disant invariablement: « Fais de beaux rêves, ma chouette. » Dans le tourbillon de la vie montréalaise, Fanette avait presque oublié ces rituels quotidiens, qui étaient devenus des remparts la protégeant contre les mauvais rêves et les souvenirs pénibles de sa vie à la ferme des Cloutier.

— Tu as bien dormi ? lui dit Emma en souriant.

— Comme un loir.

— Et Marie-Rosalie ?

— Je n'ai pas eu le cœur de la réveiller.

Une voix de stentor s'éleva.

— C'est si tranquille chez toi, on se croirait en pleine campagne !

Madeleine entra dans la pièce, portant une robe de chambre et un bonnet de nuit enfoncé sur la tête, ce qui lui donnait un air bizarre. Elle mangea avec un appétit d'ogre la soupane chaude qu'Emma lui servit. Après le déjeuner, cette dernière se prépara à sortir.

— Où vas-tu ? lui demanda Madeleine.

— C'est jour de parloir au couvent des Ursulines. Je vais voir Marie. Viens avec moi, ta visite lui ferait tellement plaisir.

Madeleine hésita. Bien qu'elle souhaitât vivement revoir sa sœur cadette, elle craignait que les retrouvailles fassent resurgir des réminiscences douloureuses qu'elle aurait préféré garder enfouies pour toujours. Percevant son hésitation, Emma lui proposa de la rejoindre au parloir un peu plus tard, « pourvu que ce soit avant l'Angélus ». Les heures de visite étaient strictes. Madeleine réfléchit, puis prit un air décidé.

— Laisse-moi cinq minutes pour me changer.

⁊

Une bise glaciale soulevait la poudrerie qui chatoyait dans le soleil matinal. Le boghei d'Emma, muni de patins pour l'hiver, glissait rapidement sur la chaussée d'une blancheur aveuglante. Un passant penchait l'échine pour ne pas être emporté par une rafale. Emma jeta un coup d'œil à sa sœur. Celle-ci claquait des dents malgré sa pelisse chaude et une couverture de laine qui lui couvrait les genoux.

— Il n'y a qu'à Québec que le vent soit aussi sibérien, marmonna Madeleine.

Emma sourit.

— J'en conviens. Mais c'est si beau !

Madeleine regarda autour d'elle. Les trottoirs étaient déserts, comme figés dans le frimas. Une couche de neige s'étendait sur les toits et les façades des maisons, ressemblant à du pain d'épice saupoudré de sucre fin. Les vitrines des échoppes, encerclées de givre qui se confondait avec les rideaux de dentelle, étaient invitantes, telles les gravures qui illustraient un livre de contes qu'elle avait reçu pour ses étrennes lorsqu'elle était enfant. L'air sentait la fumée et cette odeur indéfinissable de l'hiver, mélange de froidure et de résine de sapin. Tout en remontant le col de son manteau de castor, Madeleine ne put s'empêcher de dire :

— Tu as raison. C'est très beau. Mais frette en diable !

Le boghei s'engagea dans la rue du Parloir. Le couvent parut au fond de la rue, tout blanc avec des teintes de bleu prussien qui reflétaient le ciel. Madeleine trouva l'édifice moins austère que dans son souvenir. Elle n'avait jamais pu oublier la cérémonie de prise d'habit de sa sœur Marie, qui s'était déroulée dans la chapelle du couvent. Madeleine avait d'abord refusé d'y assister, tant l'idée de voir sa sœur s'enterrer pour toujours dans un monastère lui répugnait, mais Édouard, son frère aîné, l'avait obligée à les accompagner.

— C'est un honneur pour notre famille, avait-il décrété avec cet air gourmé qu'il prenait souvent. Au lieu d'agir comme une enfant gâtée, tu devrais te réjouir que ta sœur ait écouté l'appel du Seigneur.

Madeleine s'était pliée à la volonté de son frère, mais la mort dans l'âme. Les Portelance s'étaient alors rendus au parloir pour rencontrer Marie une dernière fois dans sa vie séculière. Le simple fait de voir leur sœur à travers les doubles grilles qui séparaient les postulantes des visiteurs avait bouleversé Madeleine et Emma. Même leur père, peu porté à exprimer ses sentiments, avait essuyé une larme. La famille avait ensuite gagné la chapelle extérieure, où la parenté et les amis des futures religieuses s'étaient rassemblés pour assister à la célébration.

Lorsque Marie avait fait son entrée dans la chapelle intérieure du cloître, parmi une procession de jeunes filles entièrement vêtues de blanc, telles de jeunes mariées, tenant un bouquet de fleurs dans les mains et le front ceint d'un voile, Madeleine n'avait pu réprimer ses pleurs. La beauté du lieu, l'éclat des lampions et des chandeliers en or qui brillaient sur l'autel, le chant pur qui s'élevait du chœur des religieuses, le parfum enivrant des fleurs et de l'encens, le visage de sa sœur, illuminé par la foi, au lieu de la rasséréner, n'avaient fait qu'accentuer sa détresse. *Bientôt, Marie revêtira son habit noir, et renoncera à jamais à sa liberté.* Le prêtre qui officiait pendant la cérémonie s'était adressé à Marie, lui demandant si elle consentait à renoncer au monde ainsi qu'à Satan, à ses pompes et ses œuvres, afin de prendre le voile. La voix de sa sœur avait résonné dans l'église, claire et ferme.

— Oui, je le veux.

— Votre nom sera désormais Marie de la Visitation.

Le moment le plus éprouvant avait été celui de la prosternation. Marie, qui avait quitté entre-temps sa robe blanche pour revêtir l'habit des Ursulines ainsi qu'un long voile noir, s'était agenouillée sur le plancher de pierre et inclinée jusqu'à ce que son front touche le sol. Selon le rituel de la cérémonie, il s'agissait de « mourir au monde ». Madeleine, incapable d'en supporter davantage, avait fait un mouvement pour courir vers sa sœur afin de la relever, mais Édouard l'avait saisie vigoureusement par un bras, la toisant avec une sévérité accentuée par son habit d'ecclésiastique. Elle était donc restée debout au même endroit, comme pétrifiée, sachant qu'elle ne pourrait plus jamais revoir Marie autrement que derrière des grilles.

⁓

Le boghei s'immobilisa devant la clôture de fer forgé qui entourait le couvent. Les branches d'un érable ployaient sous le poids de la neige. Les deux femmes descendirent de la voiture, ouvrirent la porte de la grille qui grinça sur ses gonds et marchèrent jusqu'à l'entrée du parloir. En entendant la cloche résonner dans les murs, Madeleine eut l'impression que son cœur se glaçait, tout comme ses mains, si gelées qu'elle ne les sentait plus. Elle regretta soudain d'être venue. Comment pourrait-elle supporter de revoir Marie derrière des barreaux qui l'empêcheraient de la prendre dans ses bras ? Emma, comme si elle avait deviné son désarroi, lui mit une main sur l'épaule.

— Tout ira bien.

Une jeune novice les conduisit au parloir. Le cliquetis de son trousseau de clés et le léger craquement du plancher de chêne rompaient le silence monacal. Madeleine reconnut sans peine la pièce blanche du parloir et les doubles grilles. En levant les yeux, elle vit un portrait de sœur Marie de l'Incarnation accroché à un mur. Puis un léger toussotement attira son attention. Une religieuse était assise sur une chaise droite, de l'autre côté du grillage. Ses traits, pris séparément, étaient irréguliers, mais formaient un ensemble harmonieux. Les yeux surtout, d'un brun velouté, ajoutaient de la douceur à son expression déjà empreinte de bienveillance. Emma lui sourit.

— Chère Marie, je t'ai emmené de la visite bien spéciale.

La religieuse tourna la tête et aperçut une femme mince, aux traits énergiques et au regard perçant, qui se tenait debout à quelques pieds des grilles. Elle portait un chapeau garni d'une plume et une robe à la coupe élégante, mais sévère.

— Madeleine, murmura la religieuse, ravie. Je suis si heureuse de te voir. Tu n'as pas changé.

— Toi non plus, répliqua Madeleine, serrant les lèvres pour contenir son émotion.

Emma s'éclipsa discrètement, préférant laisser ses sœurs seule à seule. Les deux femmes se contemplèrent en silence. Madeleine était émue de revoir sa « petite sœur », mais en même temps, se sentait oppressée par l'austérité du parloir et surtout, par les barreaux qui les séparaient.

— On se croirait dans une prison, finit-elle par dire avec sa franchise habituelle.

Marie esquissa un sourire en constatant que sa sœur restait fidèle à elle-même malgré le passage des années.

— Une prison que l'on choisit n'en est pas une.

— N'empêche, je ne m'habituerai jamais à te voir en robe noire.

— Tu parles comme Emma, répondit Marie, amusée. Je ne te cacherai pas que les premiers mois ont été difficiles. J'avais du mal à manger ma soupe comme il faut, à cause de la guimpe qui gênait le mouvement de mes bras, mais j'ai fini par m'y faire. Maintenant, je mange à peu près convenablement.

Pour la première fois, un mince sourire éclaira le visage de Madeleine. Un courant de sympathie passa entre les deux sœurs.

— Es-tu heureuse, au moins ? l'interrogea Madeleine après un silence.

— Cela dépend de ce que tu entends par le mot « heureuse ». Chaque jour, en me levant, je remercie Dieu d'être encore en vie. Je lui demande de me donner la force d'accomplir mes tâches, et assez de clairvoyance pour donner à mes élèves des connaissances qui leur seront utiles, même si la plupart d'entre elles se marieront et deviendront mères de famille.

Le tintement lointain d'une cloche se fit entendre. Marie reprit la parole.

— Et toi, chère Madeleine, es-tu heureuse ?

Saisie par la question, Madeleine hésita avant de répondre.

— Je mène l'existence que j'ai choisie. Ce n'est pas toujours facile, tant s'en faut, mais au moins, personne n'a décidé de mon sort à ma place.

Marie regarda sa sœur pensivement. Elle avait perçu de l'amertume, presque de l'agressivité dans le ton de sa voix, ce qui la peina, bien qu'elle ne songeât pas à lui en faire le reproche.

— Personne ne m'a forcée à prendre le voile, dit-elle doucement.

— Notre frère Édouard y tenait mordicus. Il prétendait que c'était la seule voie acceptable pour une femme qui souhaitait recevoir une bonne éducation. Tu ne peux pas l'avoir oublié ! s'exclama Madeleine, cachant mal son indignation.

— Sans doute, mais cela n'a rien changé à mon désir d'entrer au couvent.

Le visage de Madeleine s'était assombri, et un pli contrarié barrait son front. Marie se leva et s'approcha de la grille. Son regard s'était teinté de compassion.

— Ne lui as-tu donc jamais pardonné ?

— Pardonner à celui qui m'a toujours traitée avec mépris, et qui a tout tenté pour me faire interner dans un hôpital pour aliénés ? Jamais, m'entends-tu ? Jamais !

La voix résonnait entre les murs blancs de la pièce. Marie aurait voulu dire à sa sœur que la haine était plus lourde à porter que le pardon, mais elle sentait que celle-ci n'était pas disposée à entendre ce genre de réflexion, qu'elle interpréterait probablement comme un jugement sur son manque de bonté. Elle glissa une main à travers la grille et effleura le bras de sa sœur.

— J'ai toujours eu beaucoup d'affection pour toi. Je te souhaite de tout mon cœur de connaître la sérénité.

Madeleine lui jeta un regard où perçait de l'ironie.

— Tu crois donc que je ne suis pas sereine ?

— Ce que je crois n'a pas d'importance. Ce qui compte, c'est que tu sois en paix avec toi-même.

Une porte s'entrouvrit derrière Marie. La silhouette noire d'une religieuse apparut sur le seuil.

— Je dois te quitter, chuchota Marie. L'office commence dans quelques minutes.

Elle passa de nouveau une main entre les barreaux et effleura l'épaule de sa sœur.

— Prends bien soin de toi. Je penserai à toi dans mes prières.

La lourde porte de chêne se referma sur elle. Madeleine resta dans le parloir un moment, encore bouleversée par ses retrouvailles avec Marie, et par ses paroles chargées de sagesse. *Ce qui compte, c'est que tu sois en paix avec toi-même.* Sans le savoir, sa « petite sœur » avait mis le doigt sur une blessure qui ne s'était jamais refermée. Car s'il y avait une chose que Madeleine n'avait jamais réussi à atteindre, c'était justement d'être en paix avec elle-même.

☙

Madame Régine s'affairait à accrocher des guirlandes de houx sur le manteau de la cheminée, tandis que Rosalie terminait la décoration d'un arbre de Noël que monsieur Joseph était allé chercher au marché Champlain. La jeune femme était arrivée à Québec la veille, en diligence. Elle avait fait le voyage sans Lucien, qui avait préféré rester à Montréal afin de s'atteler à un nouveau recueil de poésie. Heureuse de constater que son mari s'était enfin décidé à se remettre à l'écriture, Rosalie avait accepté de bon cœur de partir seule. Si seulement Lucien pouvait retrouver son inspiration et cesser de gaspiller son talent en soirées mondaines ! Car, malgré ses belles promesses, il avait recommencé à sortir, ne revenant souvent qu'au petit matin, dormant parfois jusqu'au milieu de l'après-midi. Son humeur était redevenue maussade. Se sentant coupable de ne pas être à la hauteur des attentes de Rosalie, il s'était de nouveau mis à lui reprocher ses propres manquements.

Rosalie plaça une dernière boule de Noël sur une branche, puis recula de quelques pas pour juger de l'effet. Bien qu'elle n'eût pas gardé de bons souvenirs de son enfance, elle avait toujours aimé l'activité bourdonnante qui régnait dans la maison durant la période de l'avent, les odeurs appétissantes qui provenaient de la cuisine, le parfum frais de l'immense sapin que le notaire Grandmont faisait couper et livrer chez lui, l'attente fébrile du dévoilement des étrennes. Un souvenir poignant de son frère Philippe lui revint. Cela s'était produit une douzaine d'années auparavant, lors de la première visite de Fanette à leur maison dans la Grande Allée durant la période des fêtes. Madame Régine avait trouvé une souris morte dans la chambre de Philippe et avait poussé les hauts cris. Le notaire Grandmont, alerté par le bruit, avait exigé des explications. Philippe avait alors avoué à son père qu'il avait disséqué une souris pour son cours de biologie, et il avait reçu une sévère raclée. Pauvre Philippe, dont le rêve de devenir médecin avait été constamment brimé par le notaire Grandmont, et dont la trop courte vie s'était terminée en tentant de secourir celui-là même qui l'avait tant opprimé. La voix de madame Régine la tira de ses rêveries mélancoliques.

— Comme c'est joli ! s'exclama la servante, qui s'était retournée pour contempler le sapin, dont les décorations scintillaient dans la clarté d'un lustre. Ça me rappelle le bon vieux temps.

Rosalie fit un effort pour retrouver sa gaîté.

— Allons chercher maman. J'allumerai les chandelles, l'effet sera encore plus charmant. Cela lui changera peut-être les idées.

Lorsque Rosalie avait revu sa mère, elle avait été frappée par sa pâleur, sa nervosité, une sorte d'angoisse qui se lisait dans son regard. Craignant que Marguerite n'ait repris sa consommation de laudanum, elle s'était enquise auprès de madame Régine des causes possibles de son état. La servante avait hoché la tête.

— Votre mère ne prend pas de laudanum.

— Vous en êtes certaine ?

— Je la vois tous les jours que le Bon Dieu amène, je m'en serais rendu compte, avait répliqué madame Régine, visiblement froissée.

— De quoi s'agit-il, dans ce cas ? Quelque chose semble la ronger.

Madame Régine s'était mordu les lèvres et n'avait rien répondu. Rosalie avait eu beau insister, la servante était restée muette comme une carpe. Un doute s'était alors insinué dans son esprit : et si sa mère était encore amoureuse de Lucien ? Cette seule pensée l'avait profondément troublée. Cet amour insensé avait été source de tant de souffrance, pour elle comme pour sa mère ! Elle n'osait imaginer que les sentiments de Marguerite pour son beau-fils ne s'étaient pas éteints, ou pire, qu'ils avaient peut-être été exacerbés par la distance.

— Madame Régine, allez chercher ma mère, répéta-t-elle, tâchant de chasser son appréhension.

La servante, étonnée par le ton inhabituellement coupant de la jeune femme, obéit. Rosalie prit une boîte d'allumettes et commença à allumer les chandelles. Madame Régine revint sur ces entrefaites, la mine préoccupée.

— Votre mère refuse de descendre. Elle prétend qu'elle a la migraine.

Rosalie souffla sur l'allumette qui menaçait de lui brûler les doigts. L'odeur du soufre remplit la pièce. Jetant la tige de bois dans la cheminée, elle sortit d'un pas résolu, bien décidée à découvrir une fois pour toutes la cause des tourments de sa mère.

Assise sur son lit, le visage empreint de détresse, Marguerite était en train de lire une lettre froissée à force d'avoir été lue. Elle entendit soudain des coups frappés à sa porte. Se levant d'un bond, elle courut vers son secrétaire et s'empressa de ranger la missive dans un tiroir tandis que la porte s'ouvrait. Elle n'eut que le temps de refermer le tiroir à clé. La voix de Rosalie s'éleva sur le seuil de la porte entrebâillée.

— Maman, je suis navrée de vous déranger. Je souhaiterais vous parler.

Marguerite enfouit prestement la clé dans une poche de sa robe et se tourna vers sa fille, tâchant de cacher son embarras.

— Une autre fois, ma chérie. Ma migraine me fait vraiment trop souffrir.

— Je ne vous importunerai pas longtemps, insista Rosalie.

Marguerite contint un soupir contrarié. La dernière chose qu'elle souhaitait était d'avoir une explication avec sa fille, mais en observant sa mine résolue, il lui apparut clairement que cette dernière ne se laisserait pas facilement éconduire.

— Comme tu veux, dit-elle en prenant place dans un fauteuil. Mais je ne t'accorde que quelques minutes. Ma tête éclate.

Rosalie s'assit à son tour. Un silence embarrassé s'ensuivit.

— Je suis désolée que vous soyez souffrante, commença-t-elle.

— Ne t'inquiète pas pour moi. J'ai l'habitude de ce genre de migraine. Un peu de repos, et j'en viendrai à bout.

De toute évidence, Marguerite voulait lui signifier de nouveau son désir d'écourter l'entretien. Rosalie ne se laissa pas décontenancer. En entrant dans la chambre, elle avait cru voir sa mère refermer un tiroir et remettre ensuite discrètement une clé dans sa poche. À en juger par sa mine confuse, comme celle de quelqu'un qui est pris en faute, elle aurait mis sa main au feu que sa mère était en train de lire une lettre de Lucien lorsqu'elle avait frappé à sa porte.

— Maman, je vous connais suffisamment pour savoir que quelque chose vous tracasse.

— Je ne comprends pas de quoi tu veux parler, répondit Marguerite, la voix blanche.

Rosalie hésita, puis se décida à poursuivre.

— Si vous aviez encore des... sentiments pour Lucien, vous me le diriez, n'est-ce pas ?

Marguerite regarda sa fille, interdite. Ainsi, Rosalie la croyait encore amoureuse de son mari. La tentation de lui laisser croire que tel était le cas, afin d'éviter d'autres questions, l'effleura. Mais la cruauté du procédé lui répugna.

— Ma pauvre Rosalie, je t'assure que je n'éprouve pour ton mari que l'affection d'une mère pour son fils. J'espère que tu me crois.

Rosalie leva les yeux vers sa mère, qui soutint son regard sans broncher. La sincérité de Marguerite ne semblait pas faire de doute. Pourtant, la jeune femme n'avait pas inventé l'embarras de sa mère, et sa façon de remettre subrepticement la clé dans sa poche.

— Si vous aviez des raisons d'être malheureuse, j'espère que vous auriez assez confiance en moi pour m'en faire part.

— Je t'assure que tu te fais du souci pour rien. Maintenant, laisse-moi me reposer.

Rosalie se résigna à quitter la pièce, avec la désagréable impression que sa mère ne lui avait pas dit toute la vérité.

Ce ne fut qu'une fois la porte refermée et lorsque les pas de sa fille se furent éloignés que Marguerite put enfin respirer plus librement. Il s'en était fallu de peu pour que Rosalie découvre son secret. Elle ne voulait à aucun prix que sa fille apprenne le terrible chantage dont elle était victime. Seule madame Régine était au courant, et Marguerite savait qu'elle pouvait compter sur sa plus entière discrétion.

Marguerite se leva et fit quelques pas vers la fenêtre. Son impuissance lui corrodait l'âme. Si seulement elle avait été un homme ! Elle se serait procuré une arme et aurait abattu Auguste

Lenoir comme un chien, sans l'ombre d'une hésitation ou d'un regret. Mais elle n'était qu'une femme et ne pouvait rien contre cet être ignoble, qui la tenait entre ses mains aux ongles aussi noirs que son âme.

XXV

Québec
La veille de Noël

Fanette aida sa mère à suspendre une banderole au-dessus de la porte du refuge du Bon Samaritain sur laquelle les mots « Grand bazar » avaient été écrits en lettres rouge vif, qu'entouraient des trèfles verts qu'une orpheline, Nelly, avait dessinés. Nelly, une petite Irlandaise maigrichonne de neuf ans, avait perdu ses parents lors d'un incendie qui avait détruit une bonne partie du quartier Saint-Sauveur, quelques années auparavant. Elle avait été recueillie par Emma, qui l'avait ensuite envoyée au St. Brigid's Home, fondé par le père McGauran en 1856. Malgré ses malheurs, c'était une enfant vive et gaie.

Bon an mal an, Emma organisait une vente de charité afin d'offrir de la nourriture et des étrennes aux pauvres de la ville, dont la misère était encore plus criante durant la saison froide, mais cette fois, elle avait eu l'idée de demander la participation du Home. Le père McGauran avait accepté avec enthousiasme, car malgré la générosité des donateurs, son refuge était toujours à court d'argent. Il fallait réparer le toit, acheter des lits pour ses nouveaux pensionnaires, sans compter l'achat de nourriture, qui coûtait de plus en plus cher. Il avait donc demandé à Mrs. McPherson, une dame patronnesse dévouée qui dirigeait le Home, de prêter main-forte à Emma Portelance. Non seulement cette dernière avait accepté, mais elle avait invité d'autres dames charitables de la ville à se joindre à elles pour faire du bazar un succès.

Lorsque la banderole fut installée, Fanette frotta ses mains gelées et se hâta d'entrer dans le refuge. Une bonne chaleur, diffusée par un vieux poêle qui avait été fabriqué dans les forges du Saint-Maurice, régnait dans la grande pièce blanchie à la chaux. Mrs. McPherson, aidée par plusieurs dames patronnesses, était en train de dresser une table qui servirait pour la vente de rafraîchissements tandis qu'Emma, assistée par Marie-Rosalie, mettait en place les différents jeux dont les profits seraient versés aux deux refuges : tombola, concours de fléchettes, ballons, etc. Un stand de tir avait même été installé à l'extérieur pour les participants de la gent masculine.

De son côté, Madeleine n'était pas restée inactive. Quelques jours auparavant, elle avait fait le tour d'un bon nombre de salles de rédaction et convaincu plusieurs gazettes de faire un don et de placer gratuitement une annonce afin de promouvoir l'événement. Ainsi, le *Daily Telegraph*, le *Courrier du Canada*, *L'Événement*, le *Mercury* et *L'Aurore de Québec* avaient accepté de se mettre à contribution. C'est une Madeleine triomphante qui était revenue chez sa sœur pour lui faire part de la bonne nouvelle.

— La somme totale de leurs dons se chiffre à plus de cinq cents dollars ! s'était-elle exclamée, fière de son coup.

Emma avait été impressionnée par la somme, mais surtout par le dévouement dont sa sœur avait fait preuve. Bien que Madeleine ne fût pas toujours facile à vivre à cause de son caractère ombrageux et de ses nombreuses sautes d'humeur, Emma lui découvrait des qualités de cœur qu'elle ne lui avait pas soupçonnées. Comme elle avait bien fait d'insister pour que sa sœur vienne à Québec ! Ce rapprochement, qu'elle avait souhaité depuis si longtemps, était un baume sur une trop longue séparation.

❧

Le bazar battait son plein. Grâce aux annonces dans les gazettes, un nombre considérable de gens s'étaient présentés pour participer à la vente de charité. Ils étaient accueillis à l'entrée du refuge par un chœur d'enfants du Bon Samaritain et du St. Brigid's Home, qui chantaient des cantiques de Noël. Leurs voix cristallines s'élevaient dans l'air froid constellé de flocons.

Les anges dans nos campagnes
Ont entonné l'hymne des cieux
Et l'écho de nos montagnes
Redit ce chant mélodieux...

À l'intérieur du refuge, des bénévoles avaient fabriqué une crèche de papier mâché avec l'aide des enfants. Des branches de sapin embaumant la résine avaient été suspendues aux poutres qui longeaient le plafond.

Le père McGauran avait tenu à être présent au bazar. Il était accompagné de plusieurs membres de la congrégation. Lorsque Fanette aperçut l'homme d'Église, dont la grande silhouette s'était un peu voûtée avec les années et dont les cheveux avaient blanchi, une émotion inexprimable la submergea. C'était cet homme qui avait donné les derniers sacrements à sa mère ; celui qui avait tendu une main charitable à Amanda et l'avait sortie des griffes de madame Bergevin. Il s'avança vers la jeune femme, un sourire égayant ses traits austères. Il portait les mêmes lunettes cerclées de métal qu'elle lui avait toujours connues.

— *A Fhionnuala, a ghrá, nach breá tú a fheiceáil arís.* Chère Fionnualá, comme c'est bon de vous revoir.

— Père, je vous présente ma fille, Marie-Rosalie.

Il regarda la fillette avec une sorte de gravité émue, en se disant que l'avenir du peuple irlandais reposait entre les mains de ces enfants, dont les parents avaient dû accomplir de lourds sacrifices afin de leur assurer une vie remplie d'espoir.

Des chaises avaient été placées devant une petite scène improvisée sur laquelle un groupe de musiciens jouait des chansons irlandaises. Emma invita les prêtres à s'asseoir, tandis que des dizaines de gens faisaient la queue devant les tables pour participer aux jeux et prendre des rafraîchissements. Les cris de joie des enfants étaient ponctués par les notes joyeuses des violons, des flûtes et des tambours.

Profitant d'une pause des musiciens, Emma obtint le silence pour remercier tous les généreux donateurs ainsi que les citoyens de Québec qui s'étaient déplacés pour le bazar. Elle fit signe à la petite Nelly de venir en avant. Cette dernière, un petit panier d'osier au bras, fit une révérence et récita d'une voix fluette un court texte par cœur en s'adressant au père McGauran :

To you, Reverend Father, we owe a great debt
Which we feel that we never can pay,
Your kindness to us, we shall never forget,
And for you we will fervently pray.

Le prêtre enleva ses lunettes et s'essuya les yeux. La vision de cette orpheline, qui avait été sauvée de la misère, était sa plus chère récompense.

La kermesse reprit de plus belle. Madeleine s'était portée volontaire pour servir de l'orangeade qu'un marchand de Québec leur avait fournie gratuitement. Une voix coupante la fit tressaillir.

— Tiens donc… Toi ici.

Elle leva les yeux. Un homme plutôt grand, au ventre rebondi sous sa soutane, était debout devant elle.

— Moi qui croyais que tu ne voulais plus jamais remettre les pieds à Québec, persifla le prêtre.

— Édouard, dit-elle, la voix glaciale. Tu es bien la dernière personne au monde que je souhaitais rencontrer.

Son frère aîné lui lança un regard réprobateur, le même regard qui avait hanté Madeleine toute son enfance.

— Tu n'as pas changé. Toujours aussi impertinente, à ce que je vois. Que fais-tu dans les parages ?

— Je suis en visite chez ma sœur, avec ma nièce et sa fille.

Emma, qui avait aperçu son frère à distance et s'était rendu compte qu'il parlait à sa sœur avec une expression courroucée, se hâta d'aller vers eux et s'efforça de prendre un air aimable.

— Édouard ! Quel bon vent t'amène ?

— Comme tu n'as pas songé à m'inviter à ton bazar, j'ai pris l'initiative de venir par moi-même, répliqua-t-il sèchement.

Il jeta un coup d'œil autour de lui, la mine sévère.

— De la musique, des jeux… La charité ne devrait pas dépendre de ces activités bien peu chrétiennes. Cela nuit à l'image des bonnes œuvres.

— L'important, c'est de ramasser des fonds pour aider les pauvres, non ? répondit Emma, faisant un effort pour masquer son irritation.

Il poursuivit comme s'il ne l'avait pas entendue.

— Sans compter qu'on ne devrait pas mêler de bons catholiques canadiens-français avec des Irlandais.

Il avait prononcé le mot « Irlandais » avec dédain. Le sang d'Emma ne fit qu'un tour.

— Tu n'ignores pas que ma fille d'adoption est d'origine irlandaise.

— Je n'ai jamais approuvé ton geste. On ne devrait pas mêler deux peuples aussi différents. Les Irlandais sont indisciplinés, et ils ont la réputation d'être des buveurs invétérés. Ils représentent une mauvaise influence pour notre jeunesse.

Cette fois, ce fut Madeleine qui intervint, indignée :

— Je suis peut-être impertinente, mais toi, tu es le pire bigot que je connaisse !

— Notre père aurait dû m'écouter et te faire interner ! répliqua Édouard, cinglant. Tu n'as jamais su ce qu'était le respect de la religion et de l'autorité.

— Ah, parce que pour toi, être libre penseur équivaut à être fou ? rétorqua Madeleine, sarcastique.

— Tu es un déshonneur pour notre famille !

Emma se fâcha pour de bon.

— Madeleine est une femme remarquable, d'une intelligence et d'une éducation hors du commun. Elle s'est bâti une réputation enviable à Montréal, grâce à son courage et à sa persévérance. Tu ne lui vas pas à la cheville ! s'exclama-t-elle, les joues rouges de colère.

Le visage d'Édouard se crispa. Il quitta le refuge, l'air offusqué. Les deux sœurs restèrent silencieuses un moment, puis échangèrent un regard complice et pouffèrent de rire.

XXVI

Village de la Jeune Lorette
Le soir du 24 décembre 1862

La neige tombait sans relâche depuis plusieurs jours. Le blizzard avait recouvert le village sous une épaisse chape immaculée. Même la chute Kabir Kouba semblait prisonnière d'un étau de glace. Noël, en sueur malgré le froid, fendit une dernière bûche, qu'il plaça sur une pile abritée sous une bâche, puis rentra dans la maison. Une chaleur réconfortante l'accueillit. Il se secoua pour enlever la neige dont sa tête et ses épaules étaient saupoudrés. Quelques marques rougeâtres sur sa joue droite témoignaient des brûlures qu'il avait subies lors de l'incendie de l'église.

Après avoir suspendu son manteau à un crochet sur le mur, il jeta un coup d'œil à sa femme, dont le ventre énorme saillait sous sa robe. Elle était installée dans une chaise berçante et tricotait une layette pour l'enfant, qui était attendu d'une journée à l'autre. Émilienne, la guérisseuse et sage-femme du village, l'avait examinée quelques jours auparavant et avait décrété que le bébé naîtrait peu après le dernier quartier de lune.

Noël posa doucement une main sur le ventre de sa femme.

— Tu as les mains froides ! s'exclama Amanda en souriant.

— Comment te portes-tu ?

— J'ai bien hâte que notre fille se décide à quitter son abri.

— Qu'est-ce qui te fait dire que ce sera une fille ?

— Je ne sais pas. Je le sens ainsi.

Une bourrasque fouetta les fenêtres. Le hululement du vent ressemblait à celui d'une meute de loups.

— J'espère qu'Ian et Bertrand ne sont pas allés trop loin, murmura Amanda.

Son beau-frère et son fils étaient partis depuis quelques heures afin de poser des collets à lièvres dans la forêt.

— Bertrand connaît le bois comme le fond de sa poche. Il n'y a aucun danger.

Même si les ponts entre Amanda et son fils s'étaient peu à peu rétablis après leur douloureuse confrontation au sujet du vrai père d'Ian, et bien qu'une affection réelle se fût développée entre Noël et l'adolescent, la jeune femme conservait une sorte d'inquiétude, qui était peut-être l'expression d'un sentiment de culpabilité. Ian semblait avoir fait la paix avec le passé, mais sait-on vraiment ce qui se cache dans la tête et l'âme d'un autre être, même quand on l'aime de toutes ses forces ?

— As-tu pensé à un prénom ? s'enquit Amanda pour chasser ses idées noires.

— Si c'est un garçon, ça pourrait être Jérémie, comme mon frère.

— Et si c'est une fille ? J'avais songé à Marie-Noëlle.

Noël eut une moue timide.

— J'avais une autre idée, mais peut-être qu'elle ne te plaira pas.

— Dis toujours.

— Marie-Awen.

— Awen ?

— Ça veut dire « eau » en huron. Pure et vive comme l'eau, c'est ainsi que j'imagine notre enfant.

Le visage d'Amanda se crispa soudain. Elle plaça ses mains sur son ventre d'un geste instinctif. Noël sut aussitôt que le moment du labeur était arrivé. Par malchance, Lucie avait dû s'absenter pour prendre soin de leur grand-père, qui était malade. Il hésitait à laisser sa femme seule, mais il n'avait pas le choix. Il l'embrassa tendrement sur la tempe.

— Je vais chercher Émilienne. Surtout, ne t'inquiète pas, tout va se passer à merveille.

C'était plutôt lui-même qu'il cherchait à rassurer. Tout en endossant un épais manteau de fourrure, il se prit à espérer que son beau-frère et Ian reviendraient au plus tôt. *Quelle idée d'aller poser des collets dans un moment pareil !* ne put-il s'empêcher de se dire en enfonçant une toque de renard sur sa tête. Sa première intention avait été d'atteler le berlot qui servait aussi au transport de la glace et du foin pour se rendre chez la sage-femme, mais avec toute la neige qui s'était abattue sur le village, jusqu'à faire disparaître les chemins sous une épaisse couche blanche, il jugea que ce serait plus rapide et plus prudent d'y aller à pied. Il chaussa une paire de raquettes de babiche que Bernard avait fabriquées, prit une lanterne et ouvrit la porte. Une rafale de neige s'engouffra dans la maison. Noël se hâta de refermer la porte.

Une fois dehors, une bise glaciale l'assaillit, sifflante comme une forge. Noël en eut presque le souffle coupé. Le paysage s'était transformé en un désert immaculé. La poudrerie formait des colonnes blanches qui virevoltaient dans le ciel gris. Il se mit en marche, aveuglé par les flocons. Sa lanterne faillit s'éteindre à quelques reprises. Par chance, la maisonnette d'Émilienne n'était qu'à un mille de là, mais le vent et la neige rendaient la marche ardue.

Après avoir parcouru environ un demi-mille, il repéra deux silhouettes courbées à cause du blizzard. Il crut reconnaître Bertrand et Ian, et fit de grands moulinets avec ses bras. Les deux silhouettes s'approchèrent. C'était bien eux. Noël dut crier pour couvrir le bruit de la tempête.

— Amanda va accoucher bientôt ! Allez la rejoindre au plus vite !

Bertrand, le visage rougi par le froid et les sourcils givrés, acquiesça. Noël poursuivit sa route, luttant contre les rafales de neige qui l'enveloppaient comme un linceul.

Lorsque Noël parvint enfin à la cabane d'Émilienne, après une demi-heure de marche, il fut rassuré d'apercevoir un panache de fumée qui sortait de la cheminée. La sage-femme était chez elle.

Lorsqu'il entra dans sa cabane, son manteau couvert de frimas, il n'eut pas à prononcer une parole. Émilienne comprit tout de suite de quoi il retournait. Le visage calme, elle plaça des pots et des onguents dans un sac de cuir et s'habilla chaudement.

— Allons-y.

&

Amanda avait perdu ses eaux depuis un moment déjà. Ses contractions avaient commencé et devenaient de plus en plus rapprochées. Bertrand et Ian la couvaient des yeux, se sentant inutiles.

— Maman, tu as mal ?

— Ça va aller, dit-elle pour le rassurer.

Elle tâcha de respirer comme Émilienne le lui avait appris, puis fit quelques pas, les deux mains sur son dos endolori, comme pour alléger son fardeau. Elle n'avait pas peur. Le souvenir de son premier accouchement avait laissé une empreinte pénible dans son esprit, mais cette fois, Amanda était chez elle, parmi les siens. Sa fille remuait dans ses entrailles, déjà pleine de vie et du désir de voir la lumière du jour. *Marie-Awen.*

&

L'accouchement fut rapide. Noël et la sage-femme avaient à peine eu le temps d'arriver et de secouer leurs vêtements qu'Amanda avait commencé son labeur. Émilienne enjoignit aux hommes de sortir et mit de l'eau à chauffer. Puis elle conseilla à Amanda de s'accroupir afin de faciliter la sortie du bébé. Déjà, la tête couverte d'un épais duvet noir était visible.

— Tu y es presque, ma belle. Pousse de toutes tes forces.

Galvanisée par les paroles de la sage-femme, Amanda poussa, poussa, les oreilles remplies de la complainte du vent qui faisait claquer les fenêtres et du son de sa propre respiration. Le corps du bébé apparut à son tour. Émilienne saisit le nouveau-né par les jambes et lui tapota le dos. Des cris aigus s'élevèrent.

— C'est une fille, dit la sage-femme. Une belle petite fille.

Amanda se mit à pleurer, mais c'était des larmes de joie. La sage-femme lava la nouveau-née dans une bassine d'eau tiède, la langea et la déposa doucement sur la poitrine de sa mère. Le poupon chercha tout de suite le sein.

— Émilienne, va chercher son père, murmura Amanda, affaiblie, mais heureuse.

Noël, qui faisait les cent pas dans la pièce voisine, accourut aussitôt que la sage-femme lui fit signe. Il se pencha au-dessus de sa femme, caressant son front humide de sueur.

— Tu vois, j'avais raison, c'est une petite fille, dit Amanda en souriant malgré l'épuisement.

Il contempla le corps minuscule de l'enfant, ébloui par la venue au monde de ce petit être qui était sa fille.

— Prends-la dans tes bras.

Noël souleva délicatement le bébé, qu'il posa sur sa poitrine, respirant avec émotion l'odeur légèrement acidulée de sueur et de lait. Pendant ce temps, Ian s'était approché, intimidé par la présence soudaine du bébé et par l'intimité qui soudait le couple et la nouvelle venue. Amanda tourna la tête vers son fils.

— Tu peux la tenir dans tes bras, toi aussi, l'encouragea-t-elle.

Ian s'avança, tandis que Noël lui tendait le nourrisson. Il le prit avec précaution, craignant de lui faire mal. Amanda regarda son fils, touchée de voir ce grand garçon tenir la petite dans ses bras longs et musclés, comme s'il s'était agi d'un bibelot de porcelaine qu'il avait peur de briser. La petite se mit alors à geindre. Après les premiers instants de panique, Ian se mit à fredonner un chant de marins tout en la berçant.

Hô les gars !
La grand'voile a besoin d'nos bras !
Plus y a de toile, plus on étalera.
Le grand mât veut d'la route,
On lui en taillera !
Hô les gars !

L'enfant se calma aussitôt. Amanda n'avait jamais vu une telle douceur dans le regard de son fils, qui semblait surpris de son propre talent, tel un apprenti magicien qui réussit à sortir un lapin de son chapeau pour la première fois.

XXVII

Village de La Chevrotière
La nuit de Noël

Ernest Petitclerc attendit que la nuit tombe pour aller poser des collets à lièvres dans la forêt, à un demi-mille du village de La Chevrotière, comme il avait l'habitude de le faire depuis des lustres durant les mois d'hiver. La lune était pleine, de sorte qu'il n'avait pas besoin d'apporter une lanterne pour y voir clair. Avec cette lumière, il courait le risque de se faire repérer par un garde-chasse, mais en vingt ans de braconnage sur ces terres appartenant à la Couronne, il n'avait jamais été pris sur le fait.

Connaissant le sentier par cœur, le bedeau marchait rapidement, bien au chaud dans son manteau et sa tuque en laine du pays. Une besace de cuir dans laquelle il transportait ses collets pendait à son épaule. La neige craquait sous ses pas. Un vent aigre soufflait, faisant bruisser les branches dénudées. Il remarqua un sous-bois où poussaient des sapins et des bouleaux. Il choisit une branche encore verte, d'assez bonne dimension, qu'il planta à l'orée du sous-bois, puis ouvrit son sac et en sortit un collet en fil de laiton qu'il fixa sur la branche, à quelques pouces du sol. Il avait les gestes précis et économes de quelqu'un qui les effectue depuis longtemps. Après s'être assuré que la branche tenait bien en place, il se redressa. Une bourrasque glaciale souleva un peu de poudrerie. Saisi d'un frisson, le bedeau releva le col de son manteau et poursuivit son chemin. Il avait encore une demi-douzaine de collets à poser. Ensuite, il retournerait chez lui et repartirait au petit matin pour les lever. Il garderait quelques lièvres pour lui et vendrait les autres au marché du village. Il en obtiendrait au moins cinquante sous pièce, ce qui agrémenterait son ordinaire.

Un son étrange, ressemblant à une crécelle éraillée, s'éleva tout à coup. Le bedeau tressaillit et tâcha d'en trouver la provenance. Il n'eut que le temps d'entrevoir un engoulevent qui s'envola au-dessus de sa tête dans un froissement d'ailes. Il se remit à marcher en maugréant entre ses dents. *Tu te fais vieux. Une vraie mauviette !* Il s'arrêta et sortit de son sac un autre collet lorsqu'il entendit des branches craquer à quelques pieds de lui. Cette fois, il n'y prêta pas attention. Il s'agissait sans doute d'une marmotte ou d'un raton-laveur, peut-être même d'un lièvre qui cherchait de la nourriture. Mais un malaise s'insinua en lui. Il eut le sentiment étrange que quelqu'un le fixait. *C'est peut-être un garde-chasse.* Son cœur se mit à battre la chamade. Un hurlement lugubre lui glaça le sang. Une paire d'yeux jaunes apparut dans une futaie. *Un loup*, comprit-il. L'hiver avait commencé tôt, et des meutes avaient été aperçues par des fermiers dans les parages depuis quelques semaines. Un autre hurlement fit écho au premier, suivi d'un troisième. La peur lui noua le ventre. Un loup isolé ne lui inspirait pas vraiment de crainte, mais une meute pouvait être dangereuse. Les cris reprirent de plus belle. Il pressa le pas, espérant avoir le temps de rentrer avant que les loups le rattrapent.

Des nuages masquèrent la lune. Ernest Petitclerc ne voyait plus le sentier et regretta de ne pas avoir apporté sa lanterne. Il avait beau connaître la région par cœur, de nombreuses pistes traçaient un réseau complexe dans la forêt. Même un promeneur expérimenté pouvait s'y perdre. Après avoir marché pendant une quinzaine de minutes, il s'arrêta, complètement désorienté. La neige était plus profonde et les arbres semblaient se resserrer davantage autour de lui. Peut-être avait-il quitté le sentier. Des branches craquèrent non loin de lui. Saisi de panique, il se mit à courir, ses pieds s'enfonçant dans la neige, ses bras tendus comme ceux d'un aveugle pour éviter de se frapper aux troncs d'arbre. Il n'entendait plus que le sifflement de sa respiration, mêlée à celui du vent.

La lune réapparut enfin au-dessus de grands sapins baumiers, traçant des lueurs grisâtres sur la neige. Ernest Petitclerc se rendit compte qu'il avait largement bifurqué et se trouvait maintenant à l'orée d'une clairière, située à quelques milles de la ferme des Cloutier. Un sentiment d'épouvante s'empara de lui. Le souvenir de la terrible scène qui s'était déroulée à cet endroit, plus de dix ans auparavant, l'assaillit. Chaque détail sordide s'était incrusté dans sa mémoire, malgré le passage du temps.

⟳

Il est en train de poser des collets lorsqu'il aperçoit à distance une *sleigh* immobilisée au milieu du chemin. Deux fanaux, accrochés devant la voiture, forment un halo de lumière diffuse. La silhouette du conducteur, portant un manteau et une toque de fourrure, se détache sur la neige telle une ombre chinoise. Le bedeau voit soudain un cavalier qui galope en direction de la *sleigh*, l'air d'un géant sur sa monture. Le cavalier s'approche de la voiture, puis tire brusquement sur les rênes. Son cheval rue en hennissant. Le bedeau reconnaît Jacques Cloutier dans les dernières lueurs du soleil qui disparaît alors à l'horizon.

Le conducteur de la *sleigh* se dresse sur son siège, tenant un objet noir dans sa main. Le bedeau entend les deux hommes parler, mais il est trop loin pour comprendre leurs paroles. Cloutier brandit un couteau dont la lame luit dans la lueur tremblotante des fanaux. Il saute à bas de son cheval et se précipite vers le conducteur du traîneau. Une déflagration ressemblant à un coup de feu éclate dans un éclair orangé. Apeuré, le sacristain se réfugie derrière un sapin pour s'assurer de ne pas être vu. Depuis sa cachette, il voit Jacques Cloutier qui se jette sur l'inconnu. Les deux hommes roulent dans la neige. Une lutte acharnée s'engage entre eux.

Le bedeau est tenté de s'enfuir, mais une curiosité morbide l'en empêche. Pourquoi ce vaurien de Cloutier s'est-il attaqué à un voyageur ? Sûrement pour lui voler sa bourse. Jacques Cloutier a mauvaise réputation dans tout le village. Pas une semaine ne passe sans qu'une rumeur ne circule sur son compte : quand ce n'est pas une altercation à la sortie d'un tripot de Québec, c'est une soirée bien arrosée dans une des maisons closes qui abondent près du port.

Les deux hommes se battent toujours. Puis une mince silhouette saute de la *sleigh* et s'élance dans leur direction. Le bedeau la reconnaît dans la clarté spectrale de la lune qui vient de se lever. Amanda O'Brennan. Que fait-elle en compagnie d'un étranger, par cette soirée d'hiver glaciale, au lieu d'être chez elle, bien au chaud ? Amanda se penche pour ramasser quelque chose. Lorsqu'elle se redresse, elle tient un objet noir dans une main. Un pistolet. Elle tire en l'air. Le cheval attelé au traîneau, effrayé par la détonation, prend le mors aux dents et part en flèche.

Le voyageur se dégage de l'étreinte de Jacques Cloutier et se met à courir sur le chemin, tentant de rejoindre la *sleigh* qui s'éloigne rapidement. Cloutier pousse un cri sauvage et se lance à sa poursuite. Il finit par le rattraper et par l'empoigner. Les deux hommes s'écroulent dans la neige, qui poudroie autour d'eux. Le bedeau voit Cloutier lever un couteau dans la clarté lunaire et le rabattre sur le voyageur. Son devoir lui dicte de porter secours à l'étranger, mais la peur le rive sur place. Il n'est pas armé, tandis que Cloutier a un couteau.

Des hurlements lugubres brisent alors le silence crépusculaire. Le sacristain croit que c'est la victime qui crie, mais il comprend qu'il s'agit de loups. Effrayé, il prend ses jambes à son cou et s'engage dans le sentier par lequel il est venu. Après avoir couru pendant quelques minutes, il s'arrête, saisi par la honte. Un pauvre homme est en train de se faire assassiner, et tout ce qu'il trouve à faire, c'est de se sauver comme un pleutre !

En nage malgré le froid, paralysé par la peur, le sacristain décide tout de même de revenir sur ses pas. Le concert sinistre des loups semble s'être approché. Le chemin apparaît de nouveau au détour du sentier. Amanda O'Brennan a disparu. Il n'y a plus de trace de la *sleigh*. Seule une forme noire se profile sur la neige blanche, au milieu de la route. Prenant son courage à deux mains, le bedeau marche dans cette direction. La clameur de la meute cesse tout à coup, plongeant la campagne dans un silence étrange.

Le cœur battant, Ernest Petitclerc continue à avancer dans la neige. La forme se précise de plus en plus. Il distingue maintenant une tache pâle. Un visage. Les yeux sont figés et remplis d'effroi. La bouche est entrouverte. Un filet de sang s'en écoule, traçant une ligne rouge qui s'égoutte sur la neige blanche. Le bedeau se penche au-dessus de l'étranger, qui ne respire plus. Son manteau de fourrure est tailladé à de nombreux endroits. Les mains tremblantes, le bedeau entrouvre les pans de la pelisse, révélant de larges taches sombres. Il reste immobile pendant un moment, figé d'horreur. Presque machinalement, il esquisse un signe de croix en murmurant une prière.

❧

La lune luisait comme une pièce de monnaie à travers des filaments de nuages. Ernest Petitclerc entendit un son bizarre, comme un claquement. Il se rendit compte que c'était ses propres dents qui s'entrechoquaient. Par une sorte d'impulsion qu'il ne comprenait pas lui-même, le bedeau revint vers l'endroit où il avait trouvé le corps du pauvre Jean Bruneau, plus de dix ans auparavant. Les rayons lunaires éclairaient le chemin presque comme en plein jour. Évidemment, il ne trouva rien, sinon de la neige tassée par le passage des voitures. Il songea au sermon que le curé Normandeau avait prononcé, la semaine précédente, dans lequel il fustigeait les pécheurs, décrivant avec force détails les feux de l'enfer qui les attendraient après leur mort. Il sentit une sueur froide lui couvrir le front. Il avait laissé le pauvre Jean Bruneau se faire assassiner, sans lui porter assistance. Pire, il avait permis qu'Amanda O'Brennan fût condamnée pour un crime qu'elle n'avait pas commis. Car il avait été témoin du meurtre, il avait vu, de ses yeux vu, Jacques Cloutier assassiner l'infortuné voyageur à coups de couteau. La voix forte du curé résonnait encore à ses oreilles : « Et le diable fut jeté dans l'étang de feu et de soufre, où sont et la bête et le faux prophète ; et ils seront tourmentés, jour et nuit, aux siècles des siècles. »

Les hurlements de la meute de loups reprirent de plus belle, comme pour annoncer sa condamnation éternelle. Il s'éloigna de ce lieu maudit, se jurant qu'il n'y remettrait plus jamais les pieds. Ce ne fut que lorsqu'il parvint au presbytère qu'il respira plus librement. Il gagna sa petite chambre et s'étendit tout habillé dans son lit. Il resta longtemps ainsi, incapable de chasser de son esprit l'atroce scène, le manteau lacéré, les plaies couvertes de sang. Il finit par s'endormir, abruti de fatigue et d'émotion.

XXVIII

Québec
Le lendemain de Noël

Rosalie avait invité Fanette à prendre le thé chez sa mère. Les deux amies s'étaient vues avant leur départ pour Québec, et Rosalie était au courant que Fanette avait l'intention de passer les fêtes chez sa mère.

Madame Régine déposa une théière et des tasses sur la table à café. Rosalie attendit qu'elle sorte du salon pour confier ses inquiétudes à sa meilleure amie.

— Ma mère ne va pas bien, avoua-t-elle. Quelque chose la tourmente, mais j'ai beau tenter de la faire parler, elle refuse de me dire quoi que ce soit.

— Crois-tu qu'elle a recommencé à prendre du laudanum ? s'enquit Fanette avec anxiété.

Rosalie secoua la tête.

— Madame Régine la surveille comme une louve qui protège ses petits, et elle n'a rien remarqué d'anormal. Non, c'est autre chose.

La jeune femme se tut, cachant mal son embarras, puis elle reprit à mi-voix, les joues en feu :

— J'ai l'impression qu'elle est encore amoureuse de Lucien. Lorsque je suis entrée dans sa chambre, il y a quelques jours, il m'a semblé qu'elle cachait une lettre dans un tiroir. C'est sûrement la raison pour laquelle elle n'ose se confier à moi. Je t'en prie, va la voir. Elle a une si grande confiance en toi. Peut-être qu'elle acceptera de te parler.

Marguerite, un livre ouvert sur les genoux, regardait devant elle, les yeux perdus dans un songe douloureux, lorsque l'on frappa à sa porte. Elle soupira.

— Je n'ai pas faim, madame Régine. Revenez plus tard.

La porte s'entrouvrit. La silhouette de Fanette se profila sur le seuil.

— Fanette ? Que fais-tu à Québec ? murmura Marguerite.

— Je séjourne chez ma mère pour le temps des fêtes. Je tenais à vous rendre visite.

Marguerite lui jeta un regard rempli de lassitude.

— C'est ma fille qui t'a demandé de venir me voir, n'est-ce pas ?

Fanette l'admit sans faux-fuyant.

— Elle s'inquiète à votre sujet.

Fanette hésita à poursuivre, car le sujet était on ne peut plus délicat, mais la pensée de son amie lui donna un élan. Elle décida de jouer la carte de la franchise.

— Rosalie croit que vous aimez encore Lucien. Et cela la chagrine beaucoup.

Un long silence s'ensuivit. Puis Marguerite considéra avec gravité sa belle-fille.

— Es-tu capable de garder un secret ?

— Je vous ai déjà prouvé que vous pouviez me faire confiance, répliqua Fanette un peu trop vivement.

Comprenant qu'elle avait blessé la jeune femme, Marguerite reprit en baissant la voix :

— Avant que je te dise quoi que ce soit, tu dois me promettre de ne jamais révéler à Rosalie un mot de ce que je m'apprête à te confier.

Fanette eut alors la certitude que Rosalie ne s'était pas trompée sur les sentiments de sa mère. Cette dernière aimait encore Lucien. Sinon, comment expliquer sa gravité, et son insistance à ce qu'elle ne dévoile rien à sa fille ?

— Je vous le promets, répondit-elle à contrecœur.

Marguerite fit signe à la jeune femme de s'asseoir dans le fauteuil en face d'elle. Cette dernière obtempéra, de plus en plus intriguée par le comportement étrange de sa belle-mère. Se pouvait-il que la pauvre femme ait recommencé à prendre du laudanum à l'insu de sa fille et de sa servante ? Marguerite jeta un regard anxieux vers la porte, puis dit à mi-voix :

— Quelqu'un me fait chanter.

Ces mots clouèrent Fanette dans son fauteuil. Elle s'attendait si peu à une telle révélation qu'elle eut d'abord du mal à y croire.

— De qui s'agit-il ?

Après un silence embarrassé, Marguerite se résigna à parler :

— Auguste Lenoir, un agent de renseignement de Montréal. Je l'avais chargé de rechercher Rosalie lorsqu'elle s'était enfuie de Québec avec Lucien. Il a réussi à la retrouver, seulement…

Elle s'interrompit. Ses yeux se voilèrent. Une souffrance indicible creusa ses traits.

— Il a découvert que j'avais eu une liaison avec Lucien.

— Comment ?

— Des lettres d'amour.

— De quelle façon les a-t-il obtenues ?

Marguerite détourna son regard.

— Je l'ignore.

Fanette devina que sa belle-mère soupçonnait son ancien amant d'avoir remis les lettres à l'agent de renseignement, mais qu'elle refusait de parler ouvertement de cette conjecture trop humiliante pour elle.

— Quoi qu'il en soit, continua Marguerite, Lenoir est venu ici, il y a quelques mois, et a menacé de rendre ces lettres publiques si je ne lui remettais pas la somme de vingt mille dollars.

— Vous devez dénoncer cet homme à la police ! s'écria Fanette, indignée.

Marguerite lui fit signe de baisser le ton.

— Quand bien même je le voudrais, je ne le pourrais pas. Mon premier devoir est de protéger Rosalie.

— Avez-vous accepté de lui donner la somme qu'il exigeait ?

— Que pouvais-je faire d'autre ? C'était la seule façon de récupérer ma correspondance.

Une moue amère plissa ses lèvres.

— Le pire, c'est que Lenoir ne s'est pas arrêté en si bon chemin. Madame Régine m'avait pourtant mise en garde : « Plus veut le diable, plus veut avoir. »

Fanette la regarda sans comprendre. Marguerite se leva et fit quelques pas vers un secrétaire, dont elle ouvrit un tiroir à l'aide d'une petite clé. Elle en sortit une enveloppe, qu'elle tendit à sa belle-fille. Celle-ci la prit et en extirpa une feuille de papier de mauvaise qualité. L'auteur de la lettre s'était servi de caractères découpés dans un journal.

> Si vous voulez que je garde le silence sur le secret qui nous lie, remettez-moi la somme de 5 000 $, que vous déposerez dans un coffret de sûreté de la Quebec Bank au nom d'Étienne Paré. Je vous donne 15 jours.

Le mot ne comportait évidemment aucune signature. Fanette fronça les sourcils.

— Quand l'avez-vous reçue ?

— Il y a une semaine, environ.

— Êtes-vous certaine que c'est Auguste Lenoir qui vous l'a envoyée ?

— Je ne vois personne d'autre.

— Pourtant, il vous a bel et bien remis les lettres. Sur quoi s'appuie-t-il pour poursuivre son chantage ?

Les traits de Marguerite s'altérèrent au point où Fanette crut que la pauvre femme se trouverait mal. Il y avait un tel désespoir dans son expression que Fanette en fut bouleversée.

— Il a fait semblant de me les remettre, en les remplaçant par des feuilles blanches.

Fanette comprit toute l'étendue du malheur de sa belle-mère.

— Il doit bien y avoir un moyen de mettre fin à cet odieux chantage, finit-elle par dire avec une impression d'impuissance.

— Je n'en vois aucun.

Le tic-tac de l'horloge remplit la pièce, tandis que les deux femmes gardaient le silence, perdues dans leurs pensées.

— Je vous aiderai, déclara soudain Fanette.

— Je t'en prie, ne te mêle pas de cette histoire ! s'écria Marguerite. Auguste Lenoir est un être vil et sans scrupules. Il est capable du pire. Crois-moi, je suis bien placée pour le savoir.

Elle fut sur le point de lui confier le viol dont elle avait été victime, mais s'en abstint. L'affreux souvenir de cette agression était encore trop frais à sa mémoire, son sentiment de dégradation, trop profond, pour qu'elle ait le courage d'en témoigner. Elle se contenta de répéter, la voix étouffée par l'émotion :

— Ne te mêle surtout pas de cette histoire.

Fanette n'avait aucun mal à croire que ce maître-chanteur était en effet capable du pire, mais elle refusait d'accepter que sa belle-mère continue à être sa proie.

— Cet homme ne me fait pas peur.

— Je te suis reconnaissante de vouloir m'aider, mais tu ne sais pas à qui tu as affaire. Il ne fera qu'une bouchée d'une femme jeune et innocente comme toi.

— Je suis peut-être jeune, la coupa Fanette, mais je ne suis pas aussi innocente que vous le croyez.

Son regard s'assombrit.

— J'ai participé à un complot pour permettre à ma sœur de s'échapper de prison.

Marguerite leva des yeux stupéfaits vers sa belle-fille.

— La vie m'a appris qu'il faut parfois mentir dans certaines circonstances, ajouta Fanette d'une voix calme, et poser des gestes dont on ne se serait pas cru capable pour venir en aide aux personnes que l'on aime.

Jamais Marguerite n'avait entendu la jeune femme se livrer avec autant de franchise, démontrant une maturité et une détermination qu'elle ne lui connaissait pas.

— Que comptes-tu faire ?

— Je vais tenter de récupérer vos lettres. Mais pour cela, il me faut d'abord le nom et l'adresse de l'agence de ce monsieur Lenoir.

Marguerite secoua la tête.

— Je refuse de te laisser courir un tel danger.

— Je serai prudente. Tout d'abord, je me présenterai sous une fausse identité. Il ne pourra pas établir de lien entre vous et moi.

Voyant que sa bru ne lâcherait pas prise, Marguerite soupira.

— L'agence s'appelle Œil de Lynx. Elle est située au 313, rue Saint-Laurent, au deuxième étage, première porte à droite.

Fanette nota ces renseignements sur une feuille de papier qu'elle trouva sur le secrétaire de sa belle-mère.

— Comment avez-vous trouvé cette agence ? s'enquit-elle.

— Une simple annonce dans un journal.

— Vous souvenez-vous du nom de cette gazette ?

Marguerite secoua la tête. Fanette se promit de consulter quelques journaux dès son retour à Montréal, espérant que l'agent de renseignement y aurait placé des annonces, ce qui lui donnerait un prétexte pour lui rendre visite.

— À quoi ressemble-t-il ?

Marguerite réprima un frisson de dégoût.

— Mince, de taille moyenne. Des cheveux et des yeux noirs, un visage en lame de couteau. Il porte des vêtements usés et mal tenus.

Le portrait que brossait Marguerite de l'agent de renseignement n'était guère reluisant. Fanette plia la feuille, qu'elle enfouit dans sa bourse. Une question essentielle subsistait toutefois.

— Avant d'affronter cet homme, dit-elle en mettant des gants blancs, je dois savoir comment il s'est procuré vos lettres. Avez-vous une idée de la personne qui aurait pu…

Devinant la pensée de sa belle-fille, Marguerite la coupa vivement :

— Tu ne soupçonnes tout de même pas Lucien !

Elle baissa aussitôt la voix, de peur que Rosalie l'entende.

— Je suis la première à reconnaître ses fautes, mais je sais qu'il ne pourrait s'abaisser à commettre un geste aussi ignoble.

— Je n'accuse personne, répondit Fanette. Tout ce que je souhaite, c'est de découvrir la vérité. Pour cela, il est nécessaire que je rencontre Lucien, ne serait-ce que pour en avoir le cœur net.

— Comment aborderas-tu la question avec lui ?

— Ne vous inquiétez pas. Je ne ferai rien qui puisse vous compromettre.

La pauvre Marguerite laissa échapper un soupir.

— Je remets mon sort entre tes mains, ma chère fille.

C'était la première fois qu'elle appelait Fanette ainsi. Les deux femmes s'étreignirent brièvement.

— Prends garde à toi, murmura Marguerite.

Son regard était hanté par l'angoisse.

❦

Après avoir quitté la chambre de sa belle-mère, Fanette rejoignit Rosalie, qui arpentait nerveusement le salon.

— Vous êtes restées longtemps ensemble. T'a-t-elle parlé de Lucien ?

— Je puis t'assurer d'une chose : ta mère n'est plus amoureuse de ton mari. Elle s'inquiète beaucoup à cause d'une mauvaise créance.

Rosalie éprouva un vif soulagement.

— Moi qui me faisais un sang d'encre à son sujet ! Tu ne peux imaginer à quel point tu me rassures.

Fanette s'en voulait d'avoir à nouveau un secret pour sa meilleure amie. Pourquoi fallait-il qu'il existe des zones d'ombre, même dans l'amitié la plus pure, la plus sincère ? Mais elle comprenait en même temps le désir de Marguerite de vouloir garder sa fille en dehors de cette sordide affaire. Elle embrassa Rosalie et la tint serrée contre elle.

— Ne doute plus jamais de mon affection pour toi.

— Pourquoi en douterais-je ! s'exclama Rosalie en souriant.

Fanette s'efforça de lui rendre son sourire.

— Nous partons à Montréal demain. Et toi, quand reviendras-tu ?

— Dans une semaine environ. Je veux m'assurer que ma mère se porte mieux avant de la quitter.

Une semaine… Cela laissait amplement le temps à Fanette de mettre son plan à exécution.

XXIX

Le retour à Montréal fut retardé par une bordée de neige, pour le plus grand plaisir de Marie-Rosalie, qui profita d'une halte prolongée dans un relais aux Trois-Rivières pour construire un bonhomme de neige dans la cour.

Les adieux avec Emma avaient été difficiles. Les deux sœurs s'étaient promis de s'écrire plus souvent. Même Madeleine avait eu la larme à l'œil en embrassant sa sœur aînée une dernière fois avant de monter dans la carriole. Le séjour à Québec, qu'elle avait tant appréhendé, lui avait en fin de compte fait le plus grand bien. Si sa visite à Marie dans sa « prison » l'avait bouleversée, elle avait tout de même été rassurée de savoir sa petite sœur heureuse, et touchée par l'affection sincère que celle-ci lui portait. Lorsque Emma avait pris sa défense contre leur frère aîné avec tant d'impétuosité, elle avait compris le rôle important que celle-ci avait joué dans son enfance pour la protéger contre l'autorité aveugle et l'étroitesse d'esprit d'Édouard, et éprouvé du réconfort à la pensée que sa sœur avait fait de son mieux pour la défendre.

Fanette était restée muette durant le trajet, réfléchissant au terrible secret que sa belle-mère lui avait confié et à ce qu'elle pourrait mettre en œuvre pour tenter de la sortir de ce guêpier. Une question n'avait cessé de la tarabuster depuis sa rencontre avec Marguerite. *Comment Auguste Lenoir s'est-il procuré ces lettres ?* Sans une réponse claire à cette interrogation, il lui serait impossible d'aller plus loin dans ses démarches. Dès leur arrivée à Montréal, elle profiterait du fait que Rosalie restait encore quelques jours à Québec pour rendre visite à Lucien Latourelle.

◦⌒◦

La matinée était déjà bien entamée lorsque la carriole fit son entrée dans la cour, située derrière la maison de Madeleine. Alcidor avait tracé un chemin dans la neige et dégagé les abords de l'écurie. Le muret de pierre qui séparait la cour de celle du voisin disparaissait sous une montagne blanche, et les arbres étaient couverts de boules qui ressemblaient à de l'ouate. Pour la plus grande joie de Fanette, une lettre de sa sœur Amanda l'attendait, qu'elle s'empressa de décacheter.

> Le 26 décembre 1862
> Ma Fanette adorée,
> J'ai une merveilleuse nouvelle à t'apprendre. J'ai accouché d'une belle petite fille, en parfaite santé. Le labeur a duré à peine deux heures. On aurait dit qu'elle était pressée de venir au monde…
> Si tu la voyais ! Elle est rose et dodue à souhait. Elle pesait un bon dix livres à sa naissance, et sa tête était déjà couverte d'épais cheveux, noirs comme le jais. Noël prétend qu'elle me ressemble comme deux gouttes d'eau, mais à mon avis, elle est le portrait tout craché de son père. Noël souhaiterait l'appeler Marie-Awen, ce qui signifie « eau » en langue huronne. Marie-Awen… N'est-ce pas le plus joli prénom du monde ?

La suite de la lettre avait encore davantage ému Fanette, si cela était possible.

> Noël et moi avons décidé de faire baptiser notre fille au cours de l'été, lorsque l'église sera reconstruite. J'ai une faveur à te demander, ma Fanette chérie. C'est peut-être une folie,

mais je suis disposée à prendre le risque. Bien que le coroner Duchesne soit sans doute encore à ma recherche, je dois t'avouer que, plus le temps passe, plus je me sens en sécurité. Il s'agit peut-être d'une dangereuse illusion, mais je ne puis supporter encore de continuer à vivre dans la peur, et surtout, de me priver encore longtemps de ta présence et de la joie de te présenter ma fille et mon mari, sans oublier Ian, qui souhaite ardemment te revoir, après toutes ces années. Accepterais-tu d'être la marraine de ma fille ? Rien ne me rendrait plus heureuse que de te voir tenir ta filleule dans tes bras sur les fonts baptismaux. Si tu acceptes, je t'écrirai à nouveau pour te dire où j'habite, et comment t'y rendre.

Ma Fanette, mon rêve le plus cher se réalisera-t-il enfin ?

Ta sœur qui t'aime,

Amanda

Fanette replia lentement la lettre, en proie à des sentiments contradictoires. La perspective de devenir la marraine de la petite Marie-Awen la comblait de joie, mais la crainte que cela pût mettre sa sœur en danger agissait comme un éteignoir. Jamais elle ne se pardonnerait si, par sa faute, le coroner retrouvait la trace de sa sœur et l'arrêtait de nouveau.

Tandis que sa tante ordonnait à Alcidor de sortir les bagages de la carriole et que la maison bourdonnait des activités qui suivent toujours un retour de voyage, Fanette se rendit à sa chambre et rangea soigneusement la lettre d'Amanda dans un tiroir de son secrétaire, avec toutes les autres. La pensée qu'il lui faudrait encore une fois renoncer au bonheur des retrouvailles avec sa sœur et sa famille, renoncer à tenir Marie-Awen dans ses bras, à vivre ces rituels simples auxquels la plupart des familles avaient droit, sauf la sienne, provoqua chez la jeune femme un mélange de révolte et de chagrin qui lui parut insurmontable. Les deux sœurs seraient-elles condamnées éternellement à ne se connaître que par des lettres ? N'auraient-elles pour seuls souvenirs que ceux, si lointains, de leur enfance, et les quelques parenthèses que la vie leur avait chichement octroyées ? Elle saisit une plume, la trempa dans l'encrier et se mit à écrire. Les mots se formaient facilement, comme s'ils étaient commandés par une force extérieure à la sienne.

> Mon Amanda chérie,
> J'accepte ! Oh, j'accepte de tout mon cœur, de toute mon âme. Je serai la marraine de Marie-Awen. Je suis incapable de refuser ce bonheur, malgré l'épée de Damoclès toujours suspendue au-dessus de ta tête. Il faut croire à la chance, au bonheur.

Fanette continua sa lettre, décrivant à sa sœur par le menu détail le séjour qu'elle avait fait à Québec avec sa tante et Marie-Rosalie.

> … mais je te raconterai tout de vive voix lorsque nous nous reverrons enfin. Comme ce jour me semble encore lointain !

Après avoir cacheté la lettre, Fanette décida d'aller la poster sans perdre de temps. Elle se rendrait ensuite chez les Latourelle en prenant l'omnibus, qui s'arrêtait à quelques coins de rue de la maison où habitait le couple. Cela lui éviterait de conduire dans les rues encombrées de bancs de neige. Elle confia Marie-Rosalie à Berthe et s'habilla chaudement pour affronter le froid hivernal. Lorsqu'elle fut sur le pas de la porte, Madeleine apparut dans le hall.

— Où vas-tu ainsi ? lui demanda-t-elle avec étonnement. On vient à peine d'arriver !

— Je vais poster une lettre. Je serai de retour dans une heure environ.

Fanette n'avait jamais parlé à sa tante du passé d'Amanda, ni de sa condamnation et de son évasion de la prison de Québec, se contentant de dire que sa sœur avait quitté le Québec à cette époque pour des raisons personnelles.

La jeune femme se hâta de sortir pour échapper à la curiosité de Madeleine et descendit avec précaution l'escalier couvert de frimas. Elle se félicita de s'être habillée chaudement, car un vent aigre soulevait de la poudrerie qui lui glaçait les joues, et ses bottines bordées de fourrure s'enfonçaient dans la neige encore fraîche. Après quelques minutes d'attente à l'arrêt d'omnibus qui se trouvait au coin des rues Saint-Denis et Sherbrooke, elle aperçut la silhouette trapue de la voiture hippomobile de la City Passenger Railway Company, tirée par quatre chevaux, qui avançaient lentement sur la voie à cause de la neige et de la glace accumulées sur les rails. Fanette y grimpa et réussit à se frayer un chemin dans l'allée étroite jusqu'à une place libre. L'air froid était imprégné d'une odeur de laine humide et de naphtaline. Un nourrisson emmailloté comme une momie s'époumonait tandis que sa mère tentait de le consoler en le berçant, en vain.

L'omnibus s'arrêta au coin de la rue où habitait Rosalie. Après avoir activé une clochette pour signaler qu'elle voulait descendre, Fanette s'agrippa à la rambarde et franchit les marches de la voiture en soulevant ses jupes. Le véhicule s'éloigna dans un grincement de roues.

La maison était à quelques pâtés de l'arrêt de l'omnibus. Une lumière brillait à une fenêtre, signe que Lucien était sans doute chez lui. Fanette fut accueillie par la bonne, une jeune femme timide et réservée, qui prit son manteau et son chapeau et la conduisit au salon.

— Je vais voir si monsieur peut vous recevoir, dit la bonne. Il est rentré au petit matin, ajouta-t-elle à mi-voix avant de s'éloigner dans le couloir.

Fanette la suivit des yeux, pensive. Le fait que Lucien fût rentré si tard n'augurait rien de bon. Peut-être avait-il profité de l'absence de sa femme pour reprendre ses mauvaises habitudes. Elle prit place dans un fauteuil près de l'âtre, dont les braises s'étaient presque éteintes et qui ne dégageait plus de chaleur. Elle se frotta les mains pour les réchauffer.

Près d'une demi-heure s'écoula. Excédée par la longue attente, Fanette était sur le point de partir lorsque Lucien fit son entrée. Il avait le teint brouillé, et des ombres sous les yeux trahissaient une nuit courte. Sa redingote, boutonnée « en jaloux », était plus longue d'un côté que de l'autre, et un pan de chemise dépassait de son pantalon.

— Je suis désolé de vous avoir fait attendre, dit-il, avec la voix râpeuse de quelqu'un qui vient de se lever. J'ai écrit jusque tard dans la nuit.

Le mensonge était si flagrant qu'il confirma les craintes de Fanette. De toute évidence, le jeune homme avait repris sa vie dissipée. Elle eut un pincement au cœur en songeant à son amie.

— Je suis désolée de vous avoir réveillé, s'excusa-t-elle avec une pointe d'ironie.

Lucien lui jeta un regard inquiet.

— S'agit-il de Rosalie ? Elle se porte bien, j'espère ?

— À merveille. Ce n'est pas ce qui m'amène ici.

— Il fait froid, marmonna Lucien, qui se dirigea vers le foyer et tenta de raviver ce qui restait de braises à l'aide d'un tisonnier.

— Madame Grandmont m'a chargée d'une commission délicate.

À ces mots, Lucien, tenant toujours le tisonnier, se tourna vers Fanette, la mine étonnée et soucieuse.

— Elle souhaiterait ravoir les lettres qu'elle vous a écrites.

Fanette s'attendait à ce que le jeune homme perde contenance, mais son visage n'exprima qu'un léger embarras.

— C'est tout naturel. Il y a longtemps que j'aurais dû le faire, mais les circonstances ne s'y sont pas prêtées.

Il ajouta, les joues légèrement colorées :

— J'aurais dû les détruire, par égard pour Rosalie, mais je n'en ai jamais eu le cœur. Je sais que je ne devrais pas vous dire cela, mais malgré les apparences, j'ai éprouvé un véritable attachement pour Marguerite.

Il remit le tisonnier à sa place.

— Je n'arrive plus à raviver ce feu. Mon fournisseur de bois de chauffage a refusé de livrer sa corde de bois sous prétexte que je ne l'ai pas payé, la dernière fois. Je suis à court d'argent. Voudriez-vous du thé ? Cela nous réchauffera un peu.

Lucien sortit, appelant la servante. Fanette se leva et fit quelques pas dans le salon, autant pour dégourdir ses membres que pour réfléchir plus à son aise. Ou bien le jeune poète était un acteur consommé, ou bien il ignorait que les lettres étaient entre les mains d'Auguste Lenoir, et que ce dernier les avait utilisées pour faire chanter son ancienne maîtresse. Si la seconde hypothèse était la bonne, cela ne pouvait signifier qu'une chose : quelqu'un d'autre avait subtilisé les lettres et les avait remises à l'agent de renseignement. Une idée affreuse lui vint à l'esprit. Se pouvait-il que Rosalie ait trouvé la correspondance et l'ait donnée à Lenoir pour se venger de sa mère ? Ce genre de comportement était si peu dans le caractère de son amie que Fanette se refusa d'envisager une telle hypothèse. Mais la question restait entière. *Si Lucien et Rosalie ne sont pas en cause, alors qui a remis les lettres à l'agent de renseignement ?*

Lucien revint dans le salon, le visage défait.

— Les lettres ont disparu.

XXX

Lucien s'affala dans un fauteuil.

— Je n'y comprends rien. Je les avais rangées dans un tiroir de mon secrétaire, que je garde toujours fermé à clé. Elles n'y sont plus.

Encore une fois, Lucien semblait parfaitement sincère. Il était difficile de concevoir qu'il fût en train de mentir impunément, mais Fanette voulut en avoir le cœur net.

— La serrure a-t-elle été forcée ? demanda-t-elle.

Le jeune homme secoua la tête.

— Elle était intacte.

— Quelqu'un d'autre que vous a-t-il une clé de ce tiroir ?

— Je n'en ai qu'une, que je conserve toujours dans un coffret, sur ma table de chevet.

Ces mots troublèrent Fanette au plus profond d'elle-même. Seule une personne qui vivait dans l'intimité de Lucien et qui connaissait ses habitudes pouvait savoir cela. La possibilité que Rosalie ait pu s'emparer des lettres s'imposa de nouveau. Cette dernière adorait Lucien, malgré ses manquements. Elle avait eu l'audace de s'enfuir avec le jeune poète, bravant sa mère et tous les interdits. Elle aurait pu facilement découvrir les lettres et, sous l'impulsion de la jalousie, les remettre à Auguste Lenoir. Pourtant, c'était Rosalie qui lui avait confié ses inquiétudes concernant l'état de sa mère et qui avait insisté pour que Fanette aille la voir. *Non, cette hypothèse ne tient pas debout.* Et même en admettant que Rosalie ait découvert les lettres, elle n'aurait jamais été capable d'une telle duplicité. Sans compter qu'elle ignorait sans doute l'existence de l'agent de renseignement et le fait que Marguerite l'avait engagé pour la retrouver.

La jeune servante revint, apportant du thé et des biscuits sur un plateau, qu'elle déposa sur une table à café. Lucien remarqua à peine sa présence, tant il était préoccupé par la disparition de la correspondance.

— Je n'y comprends rien, répéta-t-il.

— Quand avez-vous vu ces lettres pour la dernière fois ? s'enquit Fanette, pendant que la bonne servait le thé.

Il haussa les épaules.

— Je ne sais pas. Je me souviens de les avoir rangées dans ce tiroir lorsque nous avons emménagé dans la maison, après notre mariage. Je ne l'ai ouvert qu'à quelques reprises par la suite. Les lettres étaient toujours là.

La servante poussa un petit cri et laissa tomber une tasse, qui s'écrasa sur le sol en se brisant. Le thé se répandit sur le tapis.

— Vous êtes bien maladroite, ma pauvre Agathe, soupira Lucien.

Rouge de confusion, la bonne se confondit en excuses. Fanette remarqua que ses mains tremblaient tandis qu'elle ramassait les morceaux de porcelaine. En l'observant, Fanette eut une intuition. Elle attendit que la jeune fille reparte avec son plateau, dans lequel elle avait placé les débris de la tasse, pour s'adresser à Lucien.

— Depuis combien de temps cette bonne est-elle à votre service ?

— On l'a engagée peu après notre installation ici.

Il comprit soudain où Fanette voulait en venir.

— Vous ne soupçonnez tout de même pas cette pauvre fille…

— Je n'accuse personne, le coupa Fanette. Je souhaite simplement faire la lumière sur cette affaire.

— Agathe avait d'excellentes recommandations, l'assura Lucien à mi-voix. Je suis convaincu qu'elle n'a rien à voir avec la disparition des lettres.

Il s'interrompit lorsque la jeune domestique réapparut sur le seuil des portes coulissantes qui séparaient le salon du hall d'entrée, un seau et un linge à la main. Ses yeux étaient rouges et ses lèvres remuaient nerveusement, comme si elle cherchait à dire quelque chose. Elle fit quelques pas dans la pièce, puis éclata subitement en sanglots.

— Y faut pas m'en vouloir, monsieur Lucien, articula-t-elle entre deux hoquets. C'est le monsieur qui m'a obligée à le faire. Au début, il était si aimable, il me donnait des petites gâteries, il me disait que, si j'étais gentille, il m'achèterait un joli fichu que j'avais vu dans une mercerie.

Lucien se tourna vers la servante.

— De qui parlez-vous, pour l'amour du ciel ?

La jeune fille sanglota de plus belle.

— Un homme, répondit la domestique d'une voix presque inaudible. Pourtant, il était si gentil, au début.

— Comment s'appelle-t-il ? lui demanda Fanette, aux aguets.

— Guertin. M'sieur Fernand Guertin. Il m'a dit qu'il était un cousin éloigné de madame Marguerite.

Jamais Marguerite ne m'a parlé d'un cousin portant ce nom, songea Fanette.

— Pouvez-vous me le décrire ? poursuivit-elle en tâchant de garder un ton calme.

La servante essuya ses larmes avec le bord de son tablier.

— Pas très grand, mince, avec des cheveux blonds et les yeux noirs comme du charbon.

Les cheveux blonds ne collaient pas avec la description que Marguerite lui avait faite d'Auguste Lenoir, mais Fanette aurait mis sa main au feu qu'il s'agissait bien de l'agent de renseignement. Il avait pu aisément porter une perruque pour changer son apparence.

— Comment l'avez-vous rencontré ?

— Je sortais de la maison pour apporter des vêtements chez la blanchisseuse quand il m'a accostée. Il m'a tendu mon porte-monnaie en me disant que je l'avais laissé tomber par terre. Je l'ai remercié cent fois plutôt qu'une. Il m'a dit de faire plus attention la prochaine fois, qu'il y avait plein de voleurs à Montréal.

— Que s'est-il passé ensuite ?

Le visage de la jeune fille devint cramoisi.

— M'sieur Guertin m'a emmenée au kiosque d'Allen's Toffee, puis m'a acheté une boîte de bonbons. Il était poli, prévenant. On s'est revus plusieurs fois par la suite. Il me donnait toujours rendez-vous dans un endroit public. Chaque fois, il m'achetait une gâterie.

Elle s'interrompit, tordant nerveusement les pans de son tablier.

— La dernière fois que je l'ai vu, il m'a dit qu'il avait un petit service à me demander. Il me faisait confiance, qu'il me disait. Si je l'aidais, il m'engagerait à son service, dans son manoir, et me paierait des gages trois fois plus élevés que ceux que je gagne chez vous.

Elle se tourna vers Lucien, la mine contrite.

— C'est pas que je sois pas bien traitée ici, m'sieur Lucien, mais je suis sans famille, vous comprenez. Je voudrais mettre des sous de côté, me marier un jour, avoir des enfants.

— Quel était ce service que ce monsieur vous a demandé ? l'interrompit Fanette, raffermissant le ton.

La jeune servante rougit et fut de nouveau au bord des larmes. Elle expliqua, dans des phrases hachées et confuses, que monsieur Guertin l'avait chargée de récupérer des lettres qui appartenaient à sa cousine, madame Marguerite. Celle-ci désirait les ravoir afin de protéger sa réputation et celle de sa fille, Rosalie, réputations qui risquaient d'être détruites si les lettres tombaient entre de mauvaises mains. La pauvre Agathe avait été si impressionnée par le ton grave de monsieur Guertin, qui lui avait répété à maintes reprises que le sort de sa chère cousine reposait sur elle, qu'elle avait fini par accepter de faire ce qu'il lui demandait.

— J'ai remarqué que vous gardiez une clé dans votre coffret, bredouilla la bonne d'une petite voix, osant à peine regarder Lucien. Un matin, je vous ai vu prendre la clé, ouvrir un tiroir de votre secrétaire et en sortir un paquet de lettres entouré d'un ruban rouge. Vous l'avez respiré, puis replacé dans le tiroir. J'ai attendu dans le boudoir de madame Rosalie que vous sortiez de la chambre pour y entrer à mon tour. J'ai pris la clé dans le coffret et j'ai ouvert le tiroir. Les lettres étaient toujours là. Je les ai cachées dans mon tablier.

La mine de Lucien s'était assombrie au fur et à mesure du récit de sa bonne.

— Comment avez-vous pu trahir notre confiance ainsi ? articula-t-il, la voix blanche.

La servante éclata de nouveau en pleurs.

— J'ai jamais pensé mal faire, je vous le jure, monsieur Lucien.

Fanette en voulait à la jeune fille d'avoir fait une telle sottise, mais en même temps sa naïveté la touchait malgré elle.

— C'est déjà beaucoup d'être capable d'avouer une faute, dit-elle doucement en lui tendant un mouchoir.

La servante s'en empara et se tamponna les yeux.

— Qu'avez-vous fait ensuite ? reprit Fanette.

— M'sieur Guertin m'a donné rendez-vous au square Chaboillez. Je lui ai remis les lettres. Il m'a remerciée, puis m'a proposé de l'accompagner chez lui. Il m'a dit qu'il avait un cadeau pour me remercier de mon aide.

En prononçant ces mots, ses joues déjà pâles se plombèrent.

— On s'est rendus chez lui en fiacre. Je m'étais attendue à voir une grande maison, avec des toits en pente, puis des fenêtres en vitraux d'église, comme y en a dans les beaux quartiers. C'était une maison de chambres décatie, au bout d'une ruelle. M'sieur Guertin m'a expliqué qu'il faisait des travaux dans sa maison, et qu'il habitait là en attendant.

La servante ferma les yeux. Sa respiration était devenue plus laborieuse, comme si elle cherchait son souffle. Fanette appréhendait la suite du récit.

— En montant l'escalier, continua la jeune fille d'une voix faible, j'ai commencé à avoir peur. Y faisait noir, j'entendais un couple se chicaner quelque part, je regrettais d'avoir accepté de suivre m'sieur Guertin chez lui. J'ai failli rebrousser chemin, mais il était derrière moi. Il m'a dit de pas avoir peur, qu'il avait une belle surprise pour moi. Une fois dans sa chambre, il m'a offert un fichu en lin brodé.

Sa voix devint ténue comme un fil.

— Après, il a…

Incapable de finir sa phrase, elle prit son visage dans ses mains. Ses épaules frêles étaient secouées par la honte et le déses-poir. Lucien se leva et vint vers elle, pâle de fureur.

— A-t-il osé s'en prendre à vous ?

La servante ne répondit pas, mais ses sanglots étaient éloquents.

— Pauvre enfant, murmura Lucien après un long silence. Je vous donne congé pour le reste de la journée. Nous reparlerons de tout cela quand vous serez un peu remise de vos émotions.

La servante fit une courte révérence et s'esquiva. Bouillant d'indignation, Lucien se tourna vers Fanette.

— Je vais dénoncer ce chenapan à la police !

— Je vous en prie, n'en faites rien, l'exhorta la jeune femme.

Lucien lui jeta un regard décontenancé.

— Vous avez entendu comme moi le récit de cette pauvre Agathe, déclara-t-il. Il est évident qu'elle a été outragée par cet homme.

— Avant d'entreprendre quoi que ce soit, vous devez connaître la vérité.

Fanette lui raconta le chantage dont Marguerite était vic-time de la part d'Auguste Lenoir, qui lui avait déjà extorqué une somme importante en échange des lettres. Il avait gardé la correspondance en trompant sa victime et continuait à la faire chanter en menaçant de rendre les lettres publiques.

— C'est sans doute Lenoir qui s'est présenté à votre servante sous le nom de monsieur Guertin, conclut Fanette.

La première pensée de Lucien ne fut pas pour sa femme, mais pour lui-même. Il mesura sans peine les conséquences néfastes que pourrait avoir pour lui la révélation de sa liaison avec Marguerite. Il deviendrait la risée des salons mondains ; la faveur dont il jouissait auprès de quelques dames de la haute société se transformerait en disgrâce.

Contre toute attente, au lieu de l'anéantir, cette sombre perspective lui donna un regain de courage. Comme tous les gens faibles, Lucien pouvait faire preuve d'une détermination étonnante lorsque ses propres intérêts étaient en jeu. Il redressa l'échine et sonna sa bonne. Celle-ci arriva après un moment, les yeux battus et les cheveux en désordre sous son bonnet blanc.

— Je vous en prie, Agathe, donnez-moi l'adresse de ce monsieur Guertin.

La servante leva des yeux apeurés vers son maître, puis lui révéla l'adresse à contrecœur, craignant sans doute des représailles. Fanette constata avec surprise qu'il s'agissait d'une adresse différente de celle que Marguerite lui avait donnée.

— Très bien. Allez vous reposer, je ne vous dérangerai plus.

Lucien attendit que la bonne soit repartie pour se diriger vers une patère où des manteaux étaient suspendus.

— Où allez-vous ? lui demanda Fanette, alarmée.

— Donner une bonne leçon à cette fripouille.

— Cet homme est dangereux. Il est sûrement armé.

— Qu'à cela ne tienne ! J'ai en ma possession un pistolet de chasse qui appartenait à mon père. Cela fera l'affaire.

Fanette tenta de ramener le jeune homme à la raison, mais il ne voulut rien entendre. Toute trace de fatigue avait disparu, laissant la place à une énergie décuplée par le plaisir que donne aux jeunes gens l'imminence de l'action.

— Je vous accompagne, décida Fanette.

Lucien refusa, affirmant qu'il ne voulait l'exposer à aucun danger, mais elle insista. Elle tenait à être présente, espérant ainsi empêcher le poète de commettre une folie. Lucien alla chercher l'arme de son père, qu'il avait rangée dans une armoire, fit une provision de cartouches, puis donna ordre à son palefrenier d'atteler sa voiture d'hiver, une *sleigh* élégante aux patins hauts et à la boîte de bois verni joliment ouvragée. Fanette prit place dans la voiture, craignant le pire, tandis que Lucien fouettait le cheval, ses yeux bleus lançant des éclairs.

XXXI

Tout au long du trajet qui les menait vers le logement de l'agent de renseignement, Fanette tenta de convaincre Lucien de renoncer à son projet, mais il était bien décidé à aller de l'avant, grisé par sa propre bravoure. Il se réjouissait à l'avance de la tête que ferait ce scélérat de Lenoir lorsqu'il lui pointerait son pistolet sous le nez, et s'imaginait déjà en train de faire le récit de son aventure, entouré de jeunes admiratrices, qui se pâmeraient devant tant de courage.

La *sleigh* s'arrêta devant la maison de chambres où habitait l'agent. Agathe n'avait pas exagéré en employant l'adjectif «décati» pour la décrire. La façade de brique était noircie par le charbon. La peinture s'écaillait et les fenêtres étroites, dont certains carreaux manquaient, ressemblaient à une bouche édentée. La belle assurance de Lucien fondit quelque peu devant l'apparence sinistre de l'immeuble, entouré de vieux hangars décrépis et d'immondices, mais il releva la tête, bien décidé à affronter le danger.

Les deux jeunes gens descendirent de la voiture et entrèrent dans la maison. L'entrée était plongée dans l'obscurité. Une odeur de moisissure et de poussière les prit à la gorge. Une voix rêche les fit sursauter.

— Qu'est-ce que vous voulez?

Un homme au crâne dégarni, vêtu d'une veste sale et élimée, se tenait sur le seuil d'une loge, brandissant un quinquet fumant devant lui. Lucien se racla la gorge.

— Nous cherchons quelqu'un du nom de Guertin, dit-il, plus mort que vif.

— Connais pas, maugréa l'homme.

Fanette parla à son tour.

— Il porte aussi le nom d'Auguste Lenoir.

À ce nom, le logeur éclata en invectives plus colorées les unes que les autres. Après avoir épuisé son répertoire d'injures, l'homme cracha par terre.

— M'en parlez pas, de ce maudit escogriffe ! Y a sacré le camp sans me payer les trois mois de loyer qu'y me devait ! Si je tenais l'enfant de chienne entre mes mains, j'vous dis qu'y passerait un mauvais quart d'heure !

Lucien lança un regard soucieux à Fanette, mais celle-ci n'avait pas bronché.

— Savez-vous où il est parti ? demanda-t-elle.

— Si je le savais, ma p'tite dame, j'serais pas en train de gaspiller ma salive à vous parler, lança le logeur, sarcastique.

Le bel élan de Lucien se dégonfla, tel un ballon de baudruche. Un profond abattement succéda à sa véhémence. Il s'était préparé à une confrontation héroïque, et il se retrouvait devant un personnage vulgaire, au physique répugnant. Fanette, au contraire, éprouvait un immense soulagement à la nouvelle de la disparition d'Auguste Lenoir, qui faisait grandement son affaire. Ainsi, Lucien devrait renoncer à lui « donner une leçon », comme il l'avait dit lui-même, et elle pourrait poursuivre son plan sans que le jeune homme s'en mêle et risque de tout compromettre.

Fanette déclina l'offre que lui fit Lucien de la reconduire chez sa tante, ne voulant pas que cette dernière les voie ensemble. Elle lui demanda plutôt de la laisser à l'arrêt d'un omnibus qui la mènerait à quelques coins de rue de la maison de Madeleine.

✑

Lorsque Fanette fut rentrée, sa tante l'assaillit de questions.

— Tu en as mis, du temps ! J'avais besoin de toi pour rédiger quelques lettres urgentes.

Fanette se hâta de se mettre au travail afin d'échapper à la curiosité de sa tante. Tout en rédigeant de la correspondance, elle s'interrogea sur la façon dont elle s'y prendrait pour entrer en communication avec Auguste Lenoir. Le plus simple serait de se faire passer pour une cliente, à la condition toutefois que Lenoir possède toujours une agence à Montréal. Car le fait qu'il ait fui son logement sans payer trois mois de loyer signifiait peut-être qu'il avait quitté la ville et s'était établi ailleurs. La seule façon de le savoir avec certitude était de se rendre à l'adresse que Marguerite lui avait donnée. Mais avant tout, il lui fallait concocter une histoire plausible, qui n'éveillerait pas la suspicion du maître-chanteur, s'il exerçait toujours ses activités à son agence Œil de Lynx. L'autre obstacle de taille serait de s'absenter de nouveau de la maison sans mettre la puce à l'oreille de sa tante. Elle avait promis une entière discrétion à sa belle-mère et ne souhaitait pas que Madeleine mette son grain de sel dans une affaire aussi délicate. Il lui faudrait attendre qu'une occasion propice se présente.

Après avoir terminé son travail, Fanette alla retrouver sa fille, qui jouait dans la cuisine avec la maison de poupée que sa grand-mère lui avait offerte comme étrenne pour Noël. Berthe s'extasiait sur les figurines et les meubles miniatures importés d'Allemagne, dont faisait partie un élégant landau. Il y avait même de la vaisselle miniature rangée dans un buffet.

— Si c'est pas d'la belle ouvrage ! soupirait la servante. J'pourrais pas même glisser mon p'tit doigt dans une fenêtre de la maison de poupée, tellement elle est menue.

Après le souper, Fanette regagna sa chambre. Elle donna un bain à sa fille, la mit au lit et lui lut *Peau d'âne*, un conte de Perrault dont la fillette s'était entichée depuis quelque temps.

— « Or, comme les vicissitudes de la vie s'étendent aussi bien sur les rois que sur les sujets », lut-elle.

Marie-Rosalie l'interrompit.

— Qu'est-ce que ça veut dire, *vissitudes* ? demanda-t-elle, intriguée.

— Vi-ci-ssi-tu-des. Ça signifie les malheurs, ou les problèmes de la vie.

— Comme quand je me fais mal aux genoux en tombant ?

Fanette sourit.

— Exactement.

La fillette, le front plissé, réfléchit à ce que sa mère venait de lui expliquer.

— Même les rois et les reines ont des *vissitudes* ?

— Oui, même les rois et les reines.

Fanette termina la lecture du conte, puis, voyant que sa fille bâillait à s'en décrocher la mâchoire, remonta l'édredon et embrassa Marie-Rosalie tendrement.

— Fais de beaux rêves, ma belle chouette.

Elle baissa la mèche de la lampe et fit sa toilette tout en continuant à échafauder son plan. Quelques hypothèses commençaient à prendre forme. Elle éteignit la lampe et s'endormit aussitôt sa tête posée sur l'oreiller, épuisée par sa longue journée.

XXXII

Fanette fut réveillée par la cloche de la Montreal Milk Company, qui transportait des pintes de lait dans une carriole et les livrait dans les maisons du quartier. Sa tante avait dû changer de laiterie l'année précédente, car la compagnie avait été prise en flagrant délit d'ajouter de la craie à son lait pour le rendre plus blanc, ce qui avait fait scandale. On disait même que des fermiers peu scrupuleux mettaient de l'acide borique dans leur lait pour masquer les odeurs. Un règlement avait été adopté par la Ville pour interdire ces pratiques, ce qui n'empêchait pas certaines laiteries de le contourner allègrement.

Il faisait encore sombre. Fanette, qui avait eu une nuit agitée, aurait volontiers dormi encore un peu, mais elle n'avait plus sommeil. Elle enfila une robe de chambre et, laissant Marie-Rosalie dormir, se rendit à la salle à manger. Madeleine, qui était déjà habillée, avait presque terminé son déjeuner. Fanette constata avec surprise que sa tante portait son habit masculin, alors qu'elle avait juré, après sa terrible confrontation avec son patron, l'année précédente, qu'elle renoncerait désormais à s'habiller en homme. Elle n'osa toutefois pas émettre un commentaire.

— Vous êtes matinale, ma tante.

— Je dois aller porter un chapitre de mon nouveau feuilleton à Point final. J'en profiterai pour faire ensuite un saut à l'Institut canadien.

Elle expliqua à sa nièce que Louis-Antoine Dessaulles, le neveu du célèbre Louis-Joseph Papineau et le président de l'Institut, y prononcerait une conférence afin de souligner le dix-huitième anniversaire de l'organisme, qui était à la fois une bibliothèque destinée à ses membres et un lieu de débats, et dont la devise était : « Justice pour nous, justice pour tous. »

— Seuls les hommes sont admis dans ce cénacle, aussi suis-je devenue membre de l'Institut sous le nom de Jacques Gallant. D'où mon habit d'homme, ajouta-t-elle avec un clin d'œil. Personne n'est dupe, bien entendu, mais les apparences sont sauves.

Elle s'adressa ensuite à la servante, qui venait d'entrer dans la pièce, une cafetière fumante à la main.

— Berthe, ne m'attends pas pour le dîner. Je ne serai de retour que vers les cinq heures.

Fanette accueillit cette nouvelle avec soulagement. L'absence providentielle de sa tante pendant l'après-midi lui permettrait de mettre une partie de son plan à exécution. Après avoir bu une deuxième tasse de café d'un trait, Madeleine sortit en coup de vent, laissant un journal ouvert sur la table. C'était un exemplaire de *L'Époque*, que Fanette feuilleta tout en mangeant. Une annonce attira son attention.

> Agence de renseignement Œil de Lynx.
> Effectue toute espèce de recherches, surveillance, renseignements, recouvrement de rentes, disparitions. Discrétion assurée. Prière de vous adresser à A. Lenoir, 313 rue Saint-Laurent, 2ᵉ étage, première porte à droite.

Cette annonce la rassura. Si Auguste Lenoir se donnait la peine de payer une réclame faisant la promotion de son agence, cela signifiait sans doute qu'il n'avait pas abandonné ses activités à Montréal. En poursuivant la lecture du journal, Fanette fut frappée par un article portant sur l'exode de nombreux Canadiens français, qui quittaient la Belle Province vers les États-Unis, en particulier les états du Massachusetts, du Connecticut et du Michigan, afin de trouver de l'emploi, surtout dans le domaine du textile. Une idée germa dans sa tête, qui ajouterait de la crédibilité à l'histoire qu'elle avait commencé à échafauder la veille.

Après avoir terminé son déjeuner, Fanette retourna à sa chambre. Marie-Rosalie était réveillée. Installée sur une chaise devant le secrétaire de sa mère, elle s'était emparée d'une plume et avait tracé des lettres maladroites sur une feuille de papier. Ses petits doigts et la feuille étaient tachés d'encre.

— Regarde, maman, je fais comme tante Madeleine !

Fanette n'eut pas le cœur de la gronder. Elle humecta un mouchoir dans l'eau d'une bassine et nettoya les mains de la fillette, tout en lui expliquant qu'elle devait s'absenter durant quelques heures et que Berthe s'occuperait d'elle. Marie-Rosalie, qui adorait la bonne, ne rechigna pas et courut la rejoindre à la cuisine. L'horloge sonna. *Déjà neuf heures*, se dit Fanette, qui s'habilla en vitesse. Ne voulant surtout pas attirer l'attention de Lenoir, elle choisit une robe discrète de taffetas gris finement rayé de noir.

Sans dire un mot à Berthe sur la visite qu'elle s'apprêtait à rendre à l'agent de renseignement, Fanette mit un chapeau assorti d'une voilette qui dissimulait en partie son visage, car elle n'avait pas oublié les avertissements de Marguerite et ne tenait pas à ce que Lenoir puisse l'observer de trop près. *Prends garde à toi.* Ces derniers mots surtout lui avaient donné la chair de poule : la voix de Marguerite avait tremblé lorsqu'elle les avait prononcés, comme s'ils évoquaient un terrifiant souvenir.

❧

La circulation était dense dans la rue Saint-Laurent. Des congères compactes s'étaient formées des deux côtés de la chaussée, et une couche de glace vive ralentissait les voitures. Des passants marchaient avec prudence sur les trottoirs glacés, craignant de tomber. Des commerçants pelletaient la neige qui s'était amoncelée devant leur échoppe et la jetaient sur la chaussée, au grand dam des cochers, qui les invectivaient au passage.

Vêtue d'un manteau doublé de fourrure, Fanette conduisait le Phaéton de sa tante qu'Alcidor avait muni de patins afin que la voiture puisse circuler dans les rues enneigées de Montréal. Elle observait attentivement les façades des immeubles, tentant de repérer les numéros de portes, dont certains étaient masqués par la neige. Après avoir parcouru encore quelques coins de rue, elle aperçut la devanture d'une boucherie. Le numéro de porte était affiché sur un gros panneau de bois au-dessus du commerce : 315. En toute logique, l'agence devait se trouver juste à côté.

Fanette put dénicher une place à proximité et y gara le Phaéton. Elle marcha jusqu'à un édifice vétuste qui semblait bâti de guingois. Le numéro de la porte était partiellement effacé, mais l'on pouvait encore distinguer les deux derniers chiffres : 13. Elle était au bon endroit. Elle répéta une dernière fois dans sa tête l'histoire qu'elle avait mise au point pour s'introduire chez Lenoir, et poussa la porte vermoulue de l'immeuble. *Un vrai trou à rats*, jugea-t-elle en pénétrant dans le hall, chichement éclairé par un plafonnier. Elle s'avança vers l'escalier qui se distinguait à peine dans la pénombre. Lorsqu'elle parvint au deuxième étage, elle vit à sa droite une porte givrée sur laquelle les mots « Œil de Lynx » avaient été peints en noir. Elle frappa, mais personne ne répondit. Une voix métallique la fit soudain tressaillir.

— Vous cherchez quelqu'un ?

Fanette se tourna vivement pour découvrir un homme mince, de taille moyenne, dont le visage était à moitié dissimulé par un haut-de-forme. *Est-ce lui ?* Prise de court, elle eut néanmoins la présence d'esprit de répliquer :

— Je cherche un monsieur Auguste Lenoir.

— En personne, pour vous servir.

Lenoir enleva son chapeau et fit une légère révérence. Fanette l'examina. Il avait des yeux noirs, un nez étroit, des cheveux noirs et gominés, les traits en lame de couteau : en tout point la description que sa belle-mère lui avait faite du personnage. Elle lui donnait une quarantaine d'années.

Après avoir remis son chapeau, Lenoir sortit une clé de sa poche, que Fanette observa discrètement. La clé avait à son extrémité deux petites tiges de même longueur, légèrement encochées. La porte s'ouvrit. L'agent de renseignement s'effaça poliment pour faire entrer la jeune femme et referma la porte en laissant la clé dans la serrure, ce que Fanette ne fut pas sans remarquer.

— Veuillez excuser la modestie des lieux, dit-il en désignant une chaise dont le crin saillait ici et là. Je vous conseille de garder votre manteau, car le propriétaire de l'immeuble est chiche, et ne nous fournit pas assez de bois pour chauffer convenablement.

Fanette prit place sur la chaise tout en promenant un regard autour d'elle. L'endroit ne payait pas de mine. Une lampe au kérosène jetait des lueurs jaunâtres sur des murs sales et tachés d'humidité. Des dossiers s'empilaient sur un pupitre abîmé. Une boîte chauffante en fonte, placée au fond de la pièce, ne dégageait que peu de chaleur.

— À qui ai-je l'honneur, mademoiselle ?

— Madame Amélie Lambert.

— En quoi puis-je vous être utile, madame Lambert ?

— Eh bien, mon mari a disparu.

Les yeux sombres de Lenoir luisirent d'intérêt. Les cas de disparitions étaient toujours les plus compliqués, et par conséquent les plus lucratifs. À en juger par sa tenue sobre, mais élégante, cette femme n'était pas sans moyens. Sans doute une bourgeoise dont le mari était commerçant ou exerçait une profession libérale : médecin ou avocat. Il déplorait toutefois la voilette qui lui couvrait en partie le visage, bien qu'il devinât des traits charmants sous la fine résille.

— Disparu, répéta-t-il. Depuis combien de temps ?

— Une semaine. Mon mari est parti en voyage et n'est jamais revenu.

L'agent saisit une plume, qu'il trempa dans un encrier, et prit des notes dans un calepin écorné. Il était déjà fasciné par cette affaire, et surtout par la mystérieuse jeune femme.

— Vous dites que votre mari est parti en voyage. À quel endroit ?

— Boston.

— Qu'allait-il faire dans cette ville ?

— Antoine possède une manufacture de vêtements et se déplace régulièrement à Boston ou New York pour y acheter des étoffes.

Lenoir nota le renseignement avec satisfaction. Son intuition ne l'avait pas trompé lorsqu'il avait supposé que la jeune femme était peut-être mariée à un commerçant.

— Où votre mari logeait-il ?

— Antoine descendait toujours à la même auberge. N'ayant reçu aucune nouvelle de lui depuis son départ, ce qui est très inhabituel, je lui ai envoyé un télégramme, il y a quelques jours. Le patron de l'auberge, un monsieur Higgins, m'a écrit en retour pour me dire que mon mari avait quitté son établissement la veille. Je l'attendais donc d'une journée à l'autre. Il n'a donné aucun signe de vie. Je suis très inquiète.

— Quel est le nom de l'auberge en question ?

— Le Bostonian Inn, dans la rue Byron, à proximité du port.

Fanette avait inventé le nom de l'auberge de toutes pièces, mais avait trouvé le nom de la rue en examinant une carte dans l'une des nombreuses encyclopédies que possédait sa tante. La plume de l'agent grinça tandis qu'il écrivait. Puis il leva la tête.

— Est-ce la première fois que votre mari disparaît ainsi, sans donner de ses nouvelles ?

Fanette acquiesça.

— Il m'écrit toujours lorsqu'il s'absente, même pour un court voyage. Je crains que quelque chose de grave lui soit arrivé.

L'agent examina la jeune femme, tâchant de distinguer l'expression de son visage.

— Dans ce cas, pourquoi n'êtes-vous pas allée trouver la police ?

Fanette s'était préparée à cette question, mais elle sentit néanmoins son pouls s'accélérer.

— Mon mari a mis des années à bâtir sa réputation. La dernière chose qu'il aurait souhaitée, c'est que son nom soit exposé sur la place publique. C'est la raison pour laquelle j'ai décidé de consulter d'abord votre agence.

— Pardonnez d'avance mon indélicatesse, madame Lambert, mais aviez-vous des sujets de contentieux avec votre mari ? Par exemple, entretenait-il une maîtresse ?

Lenoir ne l'avait pas quittée des yeux en prononçant sa dernière phrase, espérant y détecter une émotion ou un geste révélateur. La jeune femme demeura calme.

— Nous étions un couple très uni.

— Avait-il des ennemis ? Des dettes ? Des ennuis de santé ?

— Pas à ma connaissance.

— Aucune demande de rançon, pas de lettres anonymes ?

Fanette secoua la tête.

— Rien de la sorte.

L'agent referma son calepin, puis contempla longuement Fanette, tel un prédateur s'apprêtant à sauter sur sa proie. Il aurait tout donné pour lui arracher sa satanée voilette.

— Je vois quatre hypothèses pour expliquer la disparition de votre mari.

Il se leva et arpenta la pièce.

— La première : il a été victime d'un accident et repose quelque part dans un hôpital. La deuxième, il a été enlevé, auquel cas vous devriez recevoir une demande de rançon sous peu. La troisième, il a décidé de s'enfuir pour une raison que j'ignore. Enfin, la quatrième...

Il s'interrompit pour ménager un effet dramatique :

— ... votre mari s'est donné la mort, ou bien il a été assassiné.

Fanette ne broncha pas. L'agent admira son sang-froid.

— D'une façon ou d'une autre, ce ne sera pas une mince affaire à résoudre, poursuivit-il en s'arrêtant à la hauteur de la jeune femme. Je devrai bien sûr me rendre à Boston afin d'y faire enquête. Il me faudra interroger discrètement le patron et le personnel de l'auberge, faire la tournée des hôpitaux au cas où votre mari aurait eu un accident, visiter la morgue. Je serai honnête avec vous, cela vous coûtera cher. Très cher.

— Je suis prête à payer ce qu'il faudra pour que vous retrouviez mon mari, répondit Fanette sans hésiter.

L'agent réprima un sourire. Son stratagème fonctionnait à tout coup.

— Votre mari a de la chance d'avoir une femme telle que vous, dit-il en se penchant vers elle.

Fanette sentit une odeur de tabac et d'eau de Cologne bon marché et recula instinctivement sa chaise. Cette rebuffade ne déplut pas à Lenoir : la résistance d'une femme rendait sa conquête encore plus satisfaisante. Il ajouta d'une voix suave :

— Il me faudrait obtenir votre adresse, chère madame Lambert. Ainsi pourrai-je vous communiquer plus facilement les résultats de mon enquête.

Fanette se leva.

— Ce ne sera pas nécessaire, monsieur Lenoir. Je préfère me rendre en personne à votre bureau.

Il masqua sa déception, mais durcit légèrement le ton :

— Comme vous voudrez. Revenez demain avec une avance de cent dollars. Nous discuterons des détails de notre entente à ce moment.

— Très bien. À demain, monsieur Lenoir.

Au moment où Fanette se dirigeait vers la porte, il s'adressa de nouveau à elle :

— Ah, madame Lambert, j'oubliais un petit détail. Comment avez-vous découvert mon agence ?

— Une annonce dans le journal.

Fanette se dirigea vers l'entrée et s'arrêta devant la porte. Elle glissa furtivement la main vers la clé, qu'elle retira de la serrure et scruta avec attention, tâchant de se remémorer le moindre détail. Elle sentait le regard de Lenoir dans son dos et avait le sentiment désagréable qu'il devinait chacun de ses gestes. Elle remit subrepticement la clé à sa place et se hâta de sortir, soulagée d'échapper aux remugles de tabac et de poussière qui régnaient dans le bureau, mais surtout de ne plus être en présence d'Auguste Lenoir. Celui-ci lui avait laissé une impression pénible. Elle avait perçu chez lui un instinct de carnassier. Un besoin de possession émanait de toute sa personne. Qui sait s'il n'avait pas cherché à profiter de la vulnérabilité de la pauvre Marguerite ? Un frisson lui parcourut l'échine tandis qu'elle regagnait sa voiture. Se sentant observée, elle leva la tête et aperçut une silhouette dans une fenêtre du deuxième étage. C'était Lenoir. Elle se hissa sur le siège du Phaéton et secoua les rênes afin de s'éloigner le plus rapidement possible de l'immeuble.

XXXIII

Lorsqu'elle fut à bonne distance, Fanette gara sa voiture et sortit de sa bourse un carnet et un crayon. Son habileté pour le dessin lui fut fort utile, car elle exécuta de mémoire une esquisse de la clé dont l'agent s'était servi pour ouvrir la porte de son bureau, tâchant d'en copier avec exactitude chaque détail. Elle se rendit ensuite chez un serrurier qui tenait boutique, rue Saint-Urbain. Des modèles de clés de toutes sortes étaient suspendus à des crochets. Une odeur âcre de fer fondu, provenant d'une fonderie située au fond du magasin, prenait à la gorge. Un gros homme au visage rubicond, portant un tablier, trônait derrière un comptoir de bois. Fanette lui expliqua qu'elle avait égaré sa clé, mais qu'elle avait tâché d'en reproduire de mémoire le modèle sur papier. L'artisan examina le dessin en fronçant les sourcils.

— C'est un modèle plutôt courant, en fer, du genre qu'on fabrique en série. Je ne crois pas avoir de problème à le reproduire. Laissez-moi le dessin et revenez demain.

— J'en ai besoin le plus rapidement possible. Vous comprenez, je n'ai plus de clé pour entrer chez moi. Me voyez-vous passer la nuit dehors, par un froid pareil ?

Le serrurier accepta de faire le travail.

— Vous avez de la chance que je ne sois pas débordé aujourd'hui, mademoiselle, maugréa-t-il. Revenez dans une heure.

Fanette le remercia et retourna à sa voiture. En attendant que la clé soit prête, elle décida de se rendre chez Morgan & Co. pour acheter des vêtements à sa fille, qui avait grandi d'un bon pouce depuis quelques mois, et dont les manches de robes commençaient à être trop courtes. Cela lui ferait également un bon prétexte au cas où sa tante lui poserait des questions sur ses allées et venues. Après avoir effectué ses achats, la jeune femme retourna chez le serrurier. Celui-ci lui tendit une clé neuve :

— Voici un double de votre clé, mademoiselle. Ne la perdez pas, cette fois-ci.

— Merci beaucoup, monsieur, vous êtes bien aimable.

Fanette paya l'artisan et prit la clé, ainsi que le dessin, qu'elle rangea soigneusement dans sa bourse.

⁊

Il était passé cinq heures lorsque Fanette rentra chez sa tante, dont la voiture était dans l'écurie. Munie de ses emplettes, la jeune femme ne fut pas aussitôt dans la cuisine que Madeleine, qui prenait le thé en compagnie de sa servante, l'interpella :

— Où étais-tu passée ?

— Je suis allée chez Morgan. Marie-Rosalie grandit à vue d'œil et avait besoin de nouvelles robes.

— C'est vrai qu'elle grandit, notre pitchounette ! s'exclama la servante, un sourire attendri aux lèvres.

Heureuse de s'en tirer à si bon compte, Fanette monta à sa chambre et montra les robes à sa fille, qui fut ravie de ses nouvelles toilettes.

Après le souper, Fanette donna un bain à la fillette et la mit au lit après lui avoir lu un autre conte de Perrault, *Le Petit Poucet*. Marie-Rosalie s'indigna que les méchants bûcherons manquent de cœur au point d'abandonner leurs sept enfants dans la forêt, au risque qu'ils soient dévorés par les loups.

— C'est parce qu'ils sont très pauvres et qu'ils n'ont pas de quoi nourrir leurs enfants, expliqua Fanette.

La fillette réfléchit à la réponse de sa mère.

— Et papa, pourquoi il m'a abandonnée ?

— Ton père ne t'a pas abandonnée, ma chouette. Il t'aimait de tout son cœur. Il aurait tellement voulu être là pour te voir grandir ! Tu étais ce qu'il avait de plus précieux au monde.

Fanette attendit que sa fille s'endorme pour fouiller dans sa garde-robe. Elle trouva une housse dans laquelle elle avait précieusement conservé une redingote et un pantalon qui avaient appartenu à Philippe. Elle respira le veston, qui sentait la laine et la naphtaline. *C'est tout ce qu'il me reste de mon mari*, songea-t-elle en endossant l'habit. *Cet habit, et mon adorable fille.* Elle revêtit le costume, qui lui permettrait de ne pas attirer l'attention, surtout le soir, dans un quartier qui avait la réputation d'être malfamé. Elle cacha ensuite ses longs cheveux sous une casquette que Philippe portait lorsqu'il se rendait à l'université, puis prit la clé qu'elle avait rangée dans sa bourse et la glissa dans une poche de la redingote. Elle jeta un coup d'œil à sa montre de gousset : il était passé neuf heures. Un frémissement d'anxiété et d'excitation la traversa. Elle était fin prête pour son aventure.

Tenant une petite lanterne dans une main, Fanette sortit sur le palier. La maison baignait dans un profond silence. Elle descendit l'escalier à pas de loup. Une fois au rez-de-chaussée, elle constata avec soulagement qu'il n'y avait pas de lumière dans le bureau de sa tante. Cette dernière avait sans doute regagné sa chambre pour y lire. Elle se rendit jusqu'à l'écurie, qui était déserte. La petite cabane dans laquelle Alcidor dormait était plongée dans la pénombre. La jeune femme prit une cape de voyage suspendue à un crochet et la mit sur ses épaules. Le vêtement, que sa tante portait lorsqu'elle sortait par grand froid, la tiendrait au chaud et compléterait son déguisement à merveille. Elle attela le Phaéton et se mit en route.

❧

Le trajet fut rapide, car il n'y avait presque plus de circulation à cette heure tardive. Fanette gara sa voiture à quelques rues de l'immeuble de Lenoir afin d'éviter d'être repérée. Des lampadaires au gaz projetaient des lueurs orangées sur les trottoirs de bois encore enneigés. La rue Saint-Laurent était vide. La plupart des commerces étaient fermés. Quelques retardataires descendaient leur rideau de fer, dont le grincement s'élevait dans l'air froid. Seule une gargote à la devanture peu accueillante était restée ouverte.

Fanette marcha jusqu'à l'édifice situé au 313. Elle leva la tête et ne vit aucune lumière aux fenêtres du deuxième étage, ce qui la rassura. Auguste Lenoir n'était sans doute pas à son bureau. Elle entra dans le hall sombre et s'engagea dans l'escalier, tenant sa lanterne devant elle. L'endroit, qui était sordide dans la lumière du jour, semblait encore plus lugubre la nuit.

Lorsqu'elle parvint au premier palier, un aboiement de chien derrière une porte close la fit sursauter. Elle resta immobile, à l'affût. Une voix masculine gronda l'animal, qui geignit et se tut.

Fanette continua de monter prudemment les marches. Une fois arrivée au deuxième étage, elle s'arrêta devant la porte vitrée de l'agence Œil de Lynx et tendit l'oreille. Elle n'entendit que de vagues craquements dans les murs et le son étouffé de voix qui se disputaient, quelque part dans l'immeuble. Elle déposa la lanterne à ses pieds, puis glissa une main dans sa poche et en sortit la clé, qu'elle introduisit dans la serrure. Celle-ci résista. Fanette fit une nouvelle tentative, en vain. Une sueur froide lui mouilla le front. L'esquisse qu'elle avait effectuée n'était peut-être pas assez précise. Il suffisait d'une infime différence pour que le mécanisme d'une serrure résiste. Elle tourna de nouveau la clé avec plus de force. Cette fois, la serrure céda.

Fanette reprit la lanterne et ouvrit avec précaution la porte, qu'elle referma ensuite doucement derrière elle. Elle s'avança dans la pièce. Les rideaux avaient été tirés. Un ordre surprenant régnait dans le bureau. Sans perdre de temps, elle se dirigea vers un classeur de bois qui avait été placé contre un mur. Elle constata sans surprise que l'agent y avait méticuleusement rangé les dossiers de ses clients, par ordre alphabétique. Il ne lui fallut que quelques minutes pour dénicher le dossier de Marguerite, qu'elle consulta avec curiosité à la lumière de sa lampe. Elle dut reconnaître qu'Auguste Lenoir avait mis un soin presque maniaque à la rédaction de son rapport, truffé de détails précis sur les recherches effectuées, les endroits visités, les heures consacrées à la surveillance de Rosalie. Il avait fait une description minutieuse de l'immeuble où habitaient Rosalie et Lucien, et avait indiqué le nom de la logeuse et celui des voisins de palier. Un feuillet attaché au rapport attira son attention : Lenoir y décrivait sa cliente, Marguerite Grandmont, en ces termes :

> Femme dans la mi-quarantaine, encore belle, habillée avec élégance, veuve d'un notaire de Québec. Fille d'un juge décédé l'année dernière. Riche héritière. Habite désormais avec sa mère, rue Saint-Louis, à Québec. Cherche sa fille, Rosalie Grandmont, et l'amant de celle-ci, Lucien Latourelle, qui l'aurait séduite et emmenée à Montréal. Je soupçonne Marguerite Grandmont d'avoir été la maîtresse de l'amant en question.

Une autre note avait été ajoutée plus bas :

> Avril 1862. La mère de Marguerite Grandmont est décédée il y a quelques mois. Madame Grandmont a hérité d'une importante fortune.

Fanette fut frappée par la précision des renseignements de l'agent. Comment avait-il pu apprendre que Marguerite était une « riche héritière » et qu'elle habitait chez sa mère ? Et d'où lui venaient les soupçons quant à une liaison de Marguerite avec Lucien, à une époque où il n'avait pas encore la correspondance entre les deux amants en sa possession ?

Constatant que du temps précieux s'était écoulé, Fanette remit le dossier dans le classeur, puis revint vers le pupitre et y déposa sa lanterne. Elle ouvrit un premier tiroir, où étaient rangés des bouteilles d'encre, des plumes et du papier vierge. Les autres tiroirs contenaient un fatras de paperasse : des comptes en souffrance, quelques certificats d'actions d'une compagnie de chemins de fer, des quittances, des reconnaissances de dettes. Fanette les examina de plus près et nota les noms des débiteurs. Un homme comme Lenoir avait sûrement des ennemis. Peut-être que ces noms la mèneraient à des pistes intéressantes. Elle remarqua un nom en particulier, celui d'un certain Lionel Durand, qui devait à l'agent la somme de cent cinquante dollars pour services professionnels. Une note de la main de Lenoir précisait qu'un montant de soixante dollars avait été payé, et qu'il restait un solde de quatre-vingt-dix dollars à acquitter. *Ce n'est pas une petite somme*, se dit Fanette. Elle poursuivit sa fouille et trouva un passeport au nom d'Auguste Lenoir. En le scrutant, elle s'aperçut qu'un visa y avait été estampillé le 14 mai 1849. Lenoir aurait donc été admis au Canada à cette date. Elle remit le passeport à sa place et continua sa recherche : quelques plans détaillés de Montréal, des notes de frais, diverses factures, ainsi qu'un vieil almanach dont les pages étaient écornées, rien d'intéressant. Elle consulta sa montre de gousset : il était déjà près de dix heures, et, mis à part le passeport, elle n'avait toujours rien découvert sur Auguste Lenoir qui put lui être vraiment utile.

Lorsqu'elle rangea l'almanach, une feuille de papier pliée en trois glissa par terre. Elle se pencha pour la ramasser, la déplia et y jeta un coup d'œil. Il s'agissait d'un document abîmé et jauni par le temps :

Congé de forçat
Bagne de Brest
Le forçat du nom de Faustin Lescault, né à Angers en 1820 et jugé coupable de vol en juin 1838, a été remis en liberté le 14 juin 1844 après avoir purgé sa peine. Ledit Faustin Lescault s'engage à garder la paix et à ne provoquer aucun désordre public, sous peine que ce certificat de libération soit

jugé nul et non avenu. De plus, l'ex-forçat sera envoyé dans la ville de Rennes afin d'y poursuivre son existence, loin du lieu de son crime. Il doit se rapporter chaque semaine au commissariat de son quartier, et s'engage à ne jamais quitter la ville sans permission écrite dudit commissaire.

Le document avait été paraphé par un certain Hervé Caumont, le commissaire des chiourmes du bagne de Brest, et accompagné d'une quittance stipulant qu'une somme de mille deux cents francs, correspondant au salaire gagné par le forçat durant son incarcération, avait été remise à Faustin Lescault à sa sortie du bagne.

Fanette eut la certitude que ce certificat était une piste essentielle. D'après le document, Faustin Lescault était né en 1820. Il aurait donc quarante-deux ou quarante-trois ans à l'heure actuelle, ce qui correspondait à l'âge qu'elle aurait donné à Auguste Lenoir. *Lescault et Lenoir sont la même personne.*

L'aboiement d'un chien la fit tressaillir. C'était peut-être le même animal qu'elle avait entendu japper derrière la porte d'un logement, au premier étage. Elle en déduisit que quelqu'un était en train de monter les marches. Craignant que ce fût Lenoir, elle glissa le document dans sa redingote, puis replaça l'almanach dans le tiroir. Saisissant sa lanterne, elle courut vers la porte et l'ouvrit. Elle entendit distinctement un bruit de pas qui se rapprochait. Prise de panique, elle referma la porte et se glissa dans la cage de l'escalier qui menait au troisième étage. Son intention était de se réfugier sur le palier, en espérant que la personne qui montait n'était pas Lenoir, mais un locataire rentrant simplement chez lui.

Lorsqu'elle parvint au troisième, elle éteignit sa lanterne, qu'elle cacha dans un coin, puis se plaqua contre un mur et attendit, son cœur battant à tout rompre. Le son des pas s'arrêta soudain. Le ventre noué par la peur, elle jeta un coup d'œil furtif par-dessus la rampe. Elle distingua la silhouette d'un homme debout devant la porte de l'agence, tenant un fanal dans une main. Une lumière diffuse éclairait son visage en lame de couteau. Elle reconnut Lenoir avec effroi.

XXXIV

Auguste Lenoir s'apprêtait à ouvrir la porte de son bureau lorsqu'il crut entendre un bruissement dans la cage d'escalier. Il pivota vivement, mais ne vit personne. C'était devenu une seconde nature chez lui d'être à l'affût du moindre son. En tournant la clé, il constata avec étonnement que, ce faisant, il venait de verrouiller la porte. *Quelqu'un est entré dans mon bureau*, comprit-il. Il tourna de nouveau la clé et se précipita à l'intérieur, levant son fanal pour chasser les ombres. La pièce était vide. Il s'élança vers les rideaux et les tira brusquement. *Personne.*

Lenoir jeta un coup d'œil à la ronde. À première vue, rien ne semblait avoir été déplacé, mais en examinant méticuleusement chaque recoin de la pièce, il remarqua que l'un des tiroirs de son pupitre était légèrement entrouvert. Il en inspecta le contenu. Tous ses papiers y étaient. Méfiant, il s'empara du vieil almanach et l'ouvrit. Le certificat de libération n'y était plus. Il blêmit de rage et de peur. Quelqu'un cherchait à déterrer son passé. Pour quelle raison, il l'ignorait, mais ce n'étaient pas les ennemis qui manquaient. Quelques jours auparavant, il avait cru reconnaître dans la rue l'un des conspirateurs qui avaient participé à l'attentat contre le roi Louis-Philippe. Il soupçonnait cet homme d'avoir été un espion pour le compte de la police. La veille de l'attentat manqué, le chef de la Sûreté de Paris lui avait confié avoir eu vent d'une conspiration contre le monarque français, mais avait refusé d'en dévoiler la source. Et lui, comme un imbécile, avait choisi d'ignorer la voix de la prudence et s'était entêté à aller de l'avant. *Il faut à tout prix que je sache qui s'est introduit dans mon bureau.*

L'agent glissa une main dans sa redingote. Son pistolet y était bien rangé. Son fanal à la main, il ressortit sur le palier, qui était désert. Comme il n'avait croisé personne en montant, il en conclut que l'intrus, s'il était encore dans l'immeuble, ne pouvait être qu'à un étage supérieur. Il s'élança dans l'escalier et grimpa les marches quatre à quatre. Lorsqu'il parvint au troisième étage, il regarda autour de lui, mais il n'y avait personne. Il hocha la tête. *Ce type ne s'est tout de même pas volatilisé !*

Il continua son ascension à pas feutrés. À chaque palier, il s'arrêtait et scrutait les recoins. Une fois parvenu au cinquième et dernier étage, il inspecta les lieux. Pas un chat. Un silence de plomb régnait. Il n'y avait aucune lumière sous les deux portes qui se faisaient face. Il tenta de tourner la poignée de la première porte, qui était verrouillée ; il n'eut pas plus de chance avec la deuxième. Levant les yeux vers le plafond, il ne vit aucune trappe qui aurait pu mener jusqu'à un grenier. Seul un œil-de-bœuf avait été aménagé entre les deux portes, et il était trop étroit pour permettre à un homme de s'y faufiler. De toute manière, le risque était trop grand de glisser et de tomber cinq étages plus bas.

Jurant entre ses dents, Lenoir redescendit les marches jusqu'à son bureau et s'y enferma. Il ouvrit à nouveau l'almanach et le secoua, espérant qu'il avait mal regardé et que le certificat s'y trouvait toujours, mais il n'y avait rien. Ses poings se serrèrent.

Il n'avait que dix-sept ans lorsqu'il avait été arrêté à la suite de la dénonciation de son propre père, qui l'avait surpris en train de voler les recettes de la journée dans la caisse de la boulangerie familiale. Chaque détail de son arrestation s'était incrusté dans sa mémoire, telle une marque au fer rouge : le fourgon où une douzaine de prisonniers, enfermés dans une sorte de cage, avaient été enchaînés à un siège percé muni d'un coussin ; le voyage interminable jusqu'à Brest, interrompu par quelques arrêts pendant lesquels les geôliers distribuaient du pain bis et de l'eau et permettaient aux prisonniers de se soulager dans leur siège percé ; l'odeur nauséabonde d'urine et de fèces qui prenait à la gorge.

Après une demi-journée de voyage, le fourgon était enfin arrivé au bagne. Et c'était là, dans cette gigantesque prison pouvant accueillir plusieurs milliers de condamnés, que le véritable enfer avait commencé. Une fois qu'il avait été inscrit au registre des chiourmes, un gardien lui avait arraché ses vêtements, qui avaient été brûlés pour éliminer tout danger de contamination. On l'avait rasé et on lui avait remis son uniforme : un bonnet vert pour les condamnés à perpétuité, avec une veste et un pantalon de coutil grossier, ainsi que son numéro de matricule. Deux argousins l'avaient ensuite conduit dans un préau, où l'on avait posé à son pied une lourde chaîne, puis on l'avait enchaîné à un autre détenu, plus âgé que lui d'une dizaine d'années. Son compagnon d'infortune l'avait violé à répétition durant les longues nuits passées dans le dortoir des galériens, où plus de six cents prisonniers dormaient entassés les uns sur les autres sur de longs bancs de bois qui faisaient office de lits. L'uniforme de coutil, la chaîne, les ordres criés à tue-tête, les bastonnades, les travaux forcés, tout cela n'était rien à comparer avec l'humiliation presque quotidienne qu'il avait subie à la faveur de la nuit, dans l'indifférence des gardes-chiourmes qui faisaient leur ronde et celle des autres forçats, qui avaient déjà assez de leur lot de misère pour s'émouvoir du sort d'un jeune bagnard. À peine venait-il d'arriver au bagne qu'il avait l'impression d'y être depuis toujours. Avec toutes ces années passées dans cet enfer, ce n'était pas tant son corps qui avait prématurément vieilli, mais son âme.

Une rage folle s'empara de lui. D'un geste empreint de colère, il balaya la surface de son pupitre. Une lampe au kérosène et un encrier s'écrasèrent sur le sol avec fracas. Une plume voleta dans l'air et se déposa délicatement sur une chaise. Loin de l'avoir apaisé, son geste ne fit qu'amplifier son sentiment de haine. Plus il y songeait, plus il était convaincu que celui qui était entré dans son bureau était un espion au service de la Sûreté de Paris. Il lui fallait à tout prix le trouver, et l'abattre.

＊

Juchée sur un escabeau, dans un petit cagibi obscur, Fanette entendit une porte claquer. Un peu plus tôt, des pas s'étaient approchés de la porte derrière laquelle elle s'était réfugiée. Elle avait retenu son souffle, paralysée de terreur. Quelqu'un avait tenté de tourner la poignée. Par chance, la jeune femme avait verrouillé la porte de l'intérieur avant que Lenoir survienne. Son cœur avait battu tellement fort qu'elle avait eu l'impression de l'entendre cogner dans sa poitrine comme un tambour. Les pas s'étaient finalement éloignés.

Fanette était restée immobile, craignant que ce ne soit qu'une ruse et que l'agent revienne sur ses pas. Elle avait perdu la notion du temps. S'était-il écoulé une heure, deux heures, six heures ? Elle n'en avait pas la moindre idée. N'entendant que le silence, elle se décida enfin à sortir et ouvrit doucement la porte. Elle attendit encore un moment, à l'affût du moindre bruit, puis prit son courage à deux mains et redescendit les marches à tâtons, car il faisait un noir d'encre et elle avait laissé sa lanterne dans le cagibi pour ne pas s'encombrer inutilement. En passant devant le bureau de Lenoir, elle sentit son pouls s'accélérer. La pièce semblait plongée dans l'obscurité. Elle ne s'attarda pas et poursuivit sa descente dans l'escalier sombre, se tenant à la rampe.

Son soulagement fut indescriptible lorsqu'elle parvint enfin à l'air libre. Elle regarda autour d'elle pour s'assurer qu'il n'y avait personne, puis voulut courir vers sa voiture, mais quelqu'un lui agrippa brusquement un bras. Elle tourna la tête et reconnut Lenoir. Électrisée par la peur, elle réussit à se dégager et prit ses jambes à son cou. L'agent s'élança à ses trousses. Dans sa course folle, Fanette perdit sa casquette. Ses longs cheveux sombres se répandirent en cascade sur ses épaules. Elle parvint à son Phaéton, y grimpa d'un mouvement leste et secoua violemment les guides. La voiture partit comme une flèche.

Lenoir tenta de rejoindre la voiture en courant, mais celle-ci était déjà trop loin. Il s'arrêta, hors d'haleine, et tapa le sol du pied, enragé d'avoir laissé le jeune homme s'enfuir. Mais était-ce bien un homme ? Il avait vu avec stupeur une longue chevelure foncée s'échapper de la casquette lorsque celle-ci était tombée. Il vit un objet par terre et le ramassa. *La casquette*. Il l'enfouit dans sa redingote. *Homme ou femme, je te retrouverai, et je te tuerai*, dit-il entre ses dents.

XXXV

Il était passé minuit lorsque Fanette arriva enfin à la maison de sa tante. Jamais la jeune femme n'avait eu une telle frousse de toute son existence. Elle était encore étonnée d'avoir pu s'en sortir sans une égratignure. Elle avait perdu la casquette de Philippe, mais c'était un moindre mal à côté du danger auquel elle avait échappé. Après avoir enlevé la cape de voyage, elle la remit sur le crochet, détela la voiture et entra dans la cuisine à pas feutrés. Une voix lui arracha un cri.

— Qui va là ?

Le halo d'une lampe éclaira son visage.

— Fanette ? Que fais-tu dans la cuisine au beau milieu de la nuit ? J'ai entendu du bruit, je croyais que c'était un voleur.

Sa tante était debout au milieu de la pièce, en robe de chambre, son bonnet de nuit de travers sur la tête et une lanterne à la main.

— D'où viens-tu, pour l'amour du ciel ? reprit Madeleine, qui s'approcha de sa nièce en l'examinant des pieds à la tête. Et en habit d'homme, par-dessus le marché ?

Fanette fit un effort pour se calmer et réfléchir. Elle n'avait pas le temps d'inventer une excuse plausible pour expliquer son accoutrement, et surtout, son retour à la maison à une heure aussi tardive.

— Ma tante, êtes-vous capable de garder un secret ?

Les yeux de Madeleine brillèrent. La vie quotidienne pouvait être si monotone, il n'y avait rien qu'elle aimait autant que les énigmes et les mystères. Qui sait si cette aventure ne pourrait pas faire l'objet d'un nouveau feuilleton ? Elle déposa sa lanterne sur la table de la cuisine et prit place sur une chaise.

— Bien sûr que oui, ma chère nièce. Tu peux te confier à moi en toute confiance.

Fanette côtoyait sa tante depuis assez longtemps pour savoir que la discrétion n'était pas sa plus grande qualité, mais elle n'avait pas d'autre choix que d'aller de l'avant. Elle s'assit à son tour.

— Un homme dangereux fait chanter quelqu'un de ma connaissance, dit-elle. Cet homme s'appelle Auguste Lenoir. C'est un agent de renseignement.

— On se croirait dans un roman d'Alexandre Dumas ! s'exclama Madeleine, au comble de l'excitation.

— J'ai découvert quelque chose sur son compte. Quelque chose qui pourrait l'empêcher de poursuivre son chantage.

Fanette fouilla dans sa redingote et en sortit le document qu'elle avait subtilisé à l'agent. Elle le tendit à sa tante, qui le parcourut avec un regard intrigué.

— « Congé de forçat, Bagne de Brest », lut-elle à mi-voix.

Madeleine leva les yeux vers sa nièce.

— Mais où as-tu dégoté cela ?

— J'ai fouillé dans le bureau de Lenoir, avoua Fanette, qui ne révéla rien toutefois sur le danger qu'elle avait couru.

— Comment as-tu fait pour t'introduire chez lui ?

— J'ai fait faire un double de sa clé par un serrurier.

Madeleine s'appuya sur le dos de sa chaise, médusée par l'audace de la jeune femme.

— Ma foi, je ne te connaissais pas un tempérament aussi aventureux.

Elle jeta un nouveau coup d'œil au document.

— « Le forçat du nom de Faustin Lescault, né à Angers en 1820 et jugé coupable de vol en juin 1838, a été remis en liberté le 14 juin 1844 après avoir purgé sa peine. »

Ses sourcils se froncèrent.

— Crois-tu que ce Lenoir et ce Faustin Lescault soient une seule et même personne ?

Fanette acquiesça.

— Mais j'ai besoin d'obtenir davantage de renseignements sur Lescault pour en être absolument certaine.

La jeune femme eut une idée.

— Depuis combien de temps le journal *L'Époque* existe-t-il ?

— Une vingtaine d'années. Je crois que son ancien nom était *L'Éclaireur*. Point final l'a rebaptisé *L'Époque* lorsqu'il en est devenu le propriétaire. Mais pourquoi veux-tu savoir cela ?

— J'ai besoin de votre aide.

— Mais bien sûr ! Dis-moi ce que je peux faire.

— Comme Point final m'a interdit l'accès à la rédaction du journal, il faudrait que vous vous y rendiez vous-même afin de faire des recherches dans les archives. Il y aurait peut-être des articles sur ce Faustin Lescault. J'aimerais découvrir ce qu'il est devenu après sa libération du bagne, à partir de 1844.

— Je vais voir ce que je peux faire, déclara Madeleine, enchantée d'entreprendre ce genre d'enquête.

Le lendemain, Madeleine partit tôt pour la rédaction, arborant la mine d'une conspiratrice. Pendant son absence, Fanette tâcha de s'occuper. Elle donna des cours de français et de géographie à sa fille et écrivit quelques lettres pour sa tante. Cette dernière revint quelques heures plus tard, le visage long.

— Je n'ai rien trouvé. Pas un traître mot sur ce Faustin Lescault. Remarque, ce n'est pas étonnant. Nos journaux n'avaient pas de raison particulière de s'intéresser à un bagnard d'origine française. À moins qu'il ait commis un crime vraiment crapuleux, et encore…

Fanette ne se laissa pas abattre.

— Il y a sûrement d'autres archives que l'on pourrait consulter.

Madeleine réfléchit.

— Je connais Émile de Girardin, le fondateur du journal parisien *La Presse*. Enfin, connaître, c'est un grand mot. Je me suis abonnée au journal en 1854 lorsque l'*Histoire de ma vie*, de George Sand, y a été publiée. J'ai envoyé une longue lettre à monsieur de Girardin pour le féliciter d'avoir eu la merveilleuse idée de faire paraître les mémoires de mon idole. Nous avons continué à nous écrire depuis. Je pourrais lui envoyer un mot. Il ne dirige plus le journal, mais je suis convaincue qu'il y possède encore ses entrées.

Fanette saisit les mains de sa tante.

— C'est une excellente idée.

Sans perdre un instant, Madeleine se rendit au bureau du télégraphe et envoya un message.

> Cher monsieur de Girardin, je sollicite votre aide pour une affaire urgente. Avez-vous entendu parler de Faustin Lescault, un ancien forçat de Brest libéré en 1844 ? Tout renseignement à son sujet me serait précieux. Avec ma plus entière reconnaissance, Madeleine Portelance.

Quelques jours plus tard, Madeleine reçut une réponse. Elle monta immédiatement à la chambre de Fanette et cogna à la porte. La jeune femme, qui était en train de recopier le certificat de libération du bagne de Brest en tâchant d'en reproduire avec minutie chaque détail, s'empressa de cacher les deux documents sous une pile de papiers. La porte s'ouvrit. Madeleine entra en coup de vent dans la pièce, les joues roses d'excitation.

— Où est Marie-Rosalie ? demanda-t-elle en regardant autour d'elle.

— Dans la cuisine, en train de prendre un goûter avec Berthe.

Madeleine prit soin de refermer la porte et brandit ensuite le télégramme, la mine triomphante.

— C'est Émile de Girardin ! Il m'a répondu rapidement. Quel gentleman !

Elle tendit le message à Fanette, qui le lut attentivement.

Chère madame Portelance, quel plaisir d'avoir de vos nouvelles ! Faustin Lescault est un personnage célèbre à Paris. Après avoir été libéré du bagne de Brest, il est devenu informateur pour la police. En 1845, il a été nommé inspecteur. Dès sa première année de service, il a mis au jour un important réseau de fraudeurs, ce qui le fit remarquer par le ministre de l'Intérieur. Par la suite, Lescault est devenu chef adjoint de la Sûreté de Paris. Est soupçonné d'avoir participé à un complot pour faire assassiner le roi Louis-Philippe pendant la révolution de 1848. A disparu sans laisser de traces en 1849. La police soupçonne qu'il a quitté la France sous une fausse identité. J'espère que ces renseignements vous seront utiles. Votre tout dévoué, Émile de Girardin.

— Un ancien bagnard, devenu ensuite adjoint du chef de la Sûreté, puis conspirateur, ce n'est pas un cheminement banal, commenta Madeleine. Quel personnage ! Il me fait penser au fameux Vidocq, qui est devenu chef de la Sûreté de Paris malgré son passé de forçat.

Tout concorde, se dit Fanette, pensive. Lors de son expédition, elle avait trouvé un passeport indiquant que Lenoir avait émigré au Canada le 14 mai 1849. Il ne pouvait s'agir d'une simple coïncidence.

— Je vous remercie de votre aide, ma tante. Ces informations me seront essentielles.

— Qu'as-tu l'intention de faire ?

Fanette hésita. L'affaire était des plus délicates, et elle ne voulait pas en dire trop long à sa tante.

— Je vais y réfléchir.

Fine mouche, Madeleine comprit que sa nièce lui cachait ses véritables desseins. L'excitation de l'aventure fit place à l'inquiétude.

— Tu ferais mieux de dénoncer cet homme à la police. Ce Lenoir est loin d'être un enfant de chœur, affirma-t-elle avec gravité.

— Si je le dénonce, la personne qui est victime de son chantage en fera les frais.

Madeleine hocha la tête.

— Tout cela ne me dit rien qui vaille.

— Ne vous inquiétez pas. Je ne cours aucun danger.

La jeune femme avait dit cela pour rassurer sa tante, mais elle-même n'en menait pas large.

« Auguste Lenoir est un être vil et sans scrupules, l'avait prévenue Marguerite. Il est capable du pire. » À en juger par le lourd passé de l'agent, la jeune femme n'avait aucune peine à le croire.

❧

Profitant de l'absence de sa tante, qui était allée porter un nouveau chapitre de son feuilleton au journal *L'Époque*, Fanette revêtit la même robe que lors de sa première visite à Auguste Lenoir, prenant soin de couvrir son visage avec une voilette. Puis elle écrivit une courte lettre adressée à sa tante qu'elle glissa dans une enveloppe et déposa bien en vue sur sa table de travail. Elle se rendit ensuite en voiture à une banque située dans la rue Saint-Jacques, au cœur du quartier des affaires de Montréal. Elle loua un coffret de sûreté et y déposa l'original du certificat de libération, puis fit le trajet jusqu'au bureau de l'agent de renseignement. Son cœur battait à tout rompre lorsqu'elle s'engagea dans l'escalier vermoulu. Elle s'efforça de se concentrer sur les gestes qu'elle devait accomplir pour maîtriser la peur qui s'insinuait dans tout son être.

Lorsqu'elle parvint au deuxième palier, elle s'arrêta quelques instants pour reprendre son souffle, puis frappa à la porte du bureau. Les coups résonnaient dans l'immeuble silencieux. Pas de réponse. Elle tendit l'oreille, tentant de déceler une présence derrière la vitre givrée. La porte s'ouvrit brusquement. Fanette retint un cri. Auguste Lenoir était sur le seuil. Un mince sourire étira ses lèvres lorsqu'il aperçut la jeune femme.

— Chère madame Lambert ! Je n'espérais plus votre visite. Je vous en prie, entrez.

Il recula d'un pas. Fanette s'avança dans la pièce, sentant un étrange engourdissement envahir ses membres.

— Assoyez-vous, dit l'agent en refermant la porte.

Fanette prit place dans la chaise branlante. Elle crut entendre le son métallique d'une clé qu'on tournait dans la serrure. *Il m'a enfermée dans son bureau*, déduisit la jeune femme, transie de crainte. *Reste calme*, s'admonesta-t-elle. Elle entendit les pas de l'agent de renseignement qui revenait vers son pupitre.

— Alors, madame Lambert, commença-t-il, toujours pas de nouvelles de votre mari ?

— Figurez-vous qu'Antoine est revenu à la maison.

Le visage de Lenoir n'exprima aucune émotion.

— Vous m'en direz tant.

— Il était tombé très malade, une mauvaise grippe, et a dû rester alité pendant près de deux semaines.

— Pourquoi n'a-t-il pas pris la peine de vous en aviser ?

— Il m'a fait envoyer un télégramme, mais de toute évidence, je ne l'ai pas reçu.

— L'aubergiste du Bostonian Inn dans lequel votre mari était descendu vous a pourtant affirmé que celui-ci avait quitté son établissement.

— C'est exact. Antoine est tombé malade en route.

Auguste Lenoir s'empara d'un coupe-papier au manche d'ivoire et le fit tourner entre ses doigts effilés.

— Je ne sais pas pourquoi, chère madame, j'ai du mal à avaler votre histoire.

L'agent avait gardé un ton neutre, mais il y avait dans son attitude une menace implicite qui glaça le sang de Fanette. Il fit un pas dans sa direction et la fixa de ses yeux noirs.

— Étant donné que vous m'avez fait perdre du temps avec cette affaire, je vous demande de me payer la somme de cinquante dollars. Comme le dit l'adage, les bons comptes font les bons amis.

Au lieu de répondre, Fanette ouvrit sa bourse et en sortit la copie du certificat de libération qu'elle avait exécutée, puis la déposa sur le pupitre. Lenoir regarda la jeune femme sans comprendre, puis prit le papier en silence et y jeta un coup d'œil. Il ne dit rien, mais une pâleur cadavérique couvrit son visage. Il finit par parler d'une voix métallique.

— Ainsi, le jeune homme qui s'est introduit dans mon bureau et a pris la fuite, c'était vous.

— Cela n'a pas d'importance, répliqua Fanette, plus morte que vive.

Lenoir déchira le document dont les morceaux s'éparpillèrent sur le pupitre.

— J'ai mis l'original du certificat de libération dans un coffret bancaire, reprit la jeune femme.

Lenoir fit un bond vers elle et lui saisit brutalement les poignets.

— Qu'est-ce que vous me voulez ?

Une terreur sans nom paralysa Fanette, mais elle puisa du courage en pensant à sa fille.

— Lâchez-moi, ou je vous dénonce à la police.

L'agent ricana.

— Pour cela, ma belle, il faudrait que vous puissiez vous y rendre. La porte de mon bureau est verrouillée.

Il resserra son étau. La jeune femme gémit de douleur. Elle ferma les yeux. *Il faut aller jusqu'au bout.*

— Si je ne reviens pas chez moi saine et sauve, dit-elle dans un souffle, quelqu'un a pour instruction d'aller porter le certificat à la police.

Il lâcha finalement prise. Les poignets de Fanette étaient rouges et lui faisaient mal.

— Qu'est-ce que vous voulez ? répéta-t-il, le visage altéré par la colère.

— Je veux que vous me remettiez la correspondance entre Lucien Latourelle et Marguerite Grandmont, et que vous laissiez cette dernière tranquille.

Lenoir eut du mal à contrôler sa rage. *C'était donc cela.* Il avait imaginé plusieurs hypothèses sur l'identité du voleur – un espion à la solde du gouvernement, un sbire envoyé par la Sûreté de Paris –, mais jamais il ne lui serait venu à l'esprit qu'il s'agissait d'une jeune femme qui avait un lien avec Marguerite Grandmont.

— Qui êtes-vous ? siffla-t-il.

— Peu importe. Faites ce que je vous demande, déclara Fanette. Si je ne suis pas de retour chez moi d'ici à trois heures, la police sera alertée. Je suis certaine que vous ne souhaitez pas retourner au bagne pour la tentative d'assassinat du roi Louis-Philippe à laquelle vous avez participé, n'est-ce pas ?

Lenoir fit un mouvement vers la jeune femme, tenant le coupe-papier dans son poing. Il y avait une telle fureur dans ses yeux qu'elle crut sa dernière heure venue. D'un mouvement violent, l'agent lança le coupe-papier, qui se planta dans le mur. Sans prononcer une parole, il revint vers son pupitre, déverrouilla un tiroir à l'aide d'une petite clé et en extirpa un paquet de lettres ficelées par un ruban rouge. Il les jeta sur le bureau. Les mains tremblantes, Fanette s'en empara, les ouvrit pour s'assurer qu'elles étaient bien là et les rangea dans sa bourse.

— Et maintenant, laissez-moi sortir, dit-elle d'une voix étranglée.

La mâchoire serrée, Lenoir se dirigea vers la porte et l'ouvrit. Fanette s'avança dans cette direction, sentant ses jambes faiblir sous elle. Lorsqu'elle voulut franchir le seuil, l'agent lui barra le passage d'un bras.

— Nous nous retrouverons, mademoiselle. Un jour, nous nous retrouverons.

Fanette ne put réprimer un frisson devant le visage de Lenoir, pétri d'une haine sauvage. Elle se hâta de sortir et se précipita vers la cage d'escalier. Elle ne songeait qu'à une chose : sortir de cet endroit avant que l'agent de renseignement se ravise et s'élance à sa poursuite. Une fois dehors, elle ne s'accorda pas même le temps de reprendre son souffle et courut jusqu'à sa voiture, qu'elle avait garée à quelques coins de rue. Elle se retourna, craignant de découvrir l'agent sur ses talons, mais il n'y avait que des passants qui allaient et venaient sur le trottoir.

Il était près de trois heures lorsque Fanette parvint chez sa tante. Heureusement, la calèche de Madeleine n'était pas dans l'écurie. Voyant qu'Alcidor coupait du bois dans le fond de la cour, elle ne prit pas la peine de dételer et s'élança vers la cuisine. Elle était hors d'haleine lorsqu'elle y entra. Berthe, qui s'affairait aux préparatifs du souper tandis que Marie-Rosalie dessinait, jeta un regard intrigué à la jeune femme en nage.

— On dirait que vous avez le diable aux trousses, madame Fanette, commenta-t-elle.

— Vous n'êtes pas loin de la vérité.

Fanette se dirigea aussitôt vers le bureau de sa tante, saisit sur le pupitre la lettre contenant les instructions qu'elle avait laissées et la jeta dans le foyer. Nul besoin d'alarmer Madeleine, maintenant qu'elle avait obtenu ce qu'elle voulait de Lenoir. Puis elle sortit la correspondance qu'elle avait rangée dans sa bourse et la jeta à son tour dans l'âtre. Des flammes léchèrent le papier en grésillant.

Fanette, sentant ses jambes se dérober sous elle, s'affala dans un fauteuil tandis que les lettres qui avaient été la cause de tant d'angoisse et de souffrance brûlaient. Une fois remise de ses émotions, la jeune femme se rendrait au bureau du télégraphe et expédierait un message à sa belle-mère pour lui apprendre que ses ennuis étaient terminés. En contemplant les flammes qui crépitaient, elle ne put s'empêcher de songer à Lenoir. *Nous nous retrouverons, mademoiselle. Un jour, nous nous retrouverons.* Elle pria pour que ce jour n'arrive jamais.

Quatrième partie

La quête de Sean

XXXVI

New York
Le 13 juillet 1863

Une chaleur pesante et humide régnait, accentuée par les nombreux immeubles, serrés les uns contre les autres. Des omnibus et des voitures circulaient dans Great George Street, faisant un tintamarre assourdissant. Des marchands ambulants haranguaient les nombreux piétons afin de vendre leur marchandise. Debout devant Trinity Church, dont le clocher néogothique dominait la rue, Sean O'Brennan distribuait des tracts à des passants, élevant la voix pour couvrir le bruit ambiant :

— *Join the Fenian Brotherhood. Fight against the British Empire. Meet with our great leaders ! John O'Mahony and James Stephens will speak tonight, at eight o'clock, at Trinity Church. Join the Fenian Brotherhood !*

La plupart des gens passaient leur chemin, l'air indifférent, mais un jeune homme s'arrêta et prit un feuillet. Sean lui adressa la parole, lui parlant avec ferveur de la cause des Irlandais, de leur lutte pour la liberté, de l'importance de se joindre à la confrérie des Fenians pour combattre l'ennemi britannique. Peu à peu, d'autres passants s'attardèrent pour l'écouter, gagnés par sa fougue. Un petit attroupement se forma. Sean redoubla d'éloquence. Un frémissement familier lui parcourut l'échine. C'était toujours ainsi lorsqu'il réussissait à attirer l'attention des badauds. Il oubliait la fatigue, les heures consacrées à distribuer des pamphlets sous une chaleur accablante l'été ou dans un froid qui vous gelait jusqu'aux os l'hiver. Sa vie prenait alors tout son sens.

Depuis sa rencontre providentielle avec Andrew Beggs, l'année précédente, alors qu'il en était réduit à mendier dans les rues de New York, pas une journée ne passait sans qu'il remercie intérieurement son « sauveur », comme il l'appelait. C'était Andrew qui l'avait sorti de la misère et l'avait convaincu de s'engager dans la confrérie. C'était encore lui qui lui avait sauvé la vie quand il avait affronté sa première bataille en Virginie, au début de la guerre de Sécession. *Sans Andrew, je serais sans doute mort à l'heure qu'il est*, se disait-il.

Lorsqu'il eut écoulé tous ses tracts, Sean se rendit à un pub irlandais situé dans le Lower East Side, où Andrew Beggs lui avait donné rendez-vous. En chemin, il croisa des centaines d'inconnus qui marchaient rapidement sur le trottoir et il songea à ses sœurs. Malgré sa foi en la cause des Fenians, il ne les avait jamais oubliées. Il avait tenté à plusieurs reprises de parler d'elles à Andrew, espérant en apprendre un peu plus sur leur sort, mais celui-ci s'était assombri chaque fois, et avait déclaré qu'il n'en savait pas plus que ce qu'il lui avait déjà dit lors de leurs retrouvailles à New York.

— Aux dernières nouvelles, ta sœur Amanda habitait à Portland avec son fils. Quant à celle que tu appelles Fionnualá, je te répète que je ne l'ai pas connue.

— Comment avez-vous fait la connaissance d'Amanda ?

— Elle était serveuse dans une auberge à Québec. Je voyageais beaucoup à cette époque.

— De quelle auberge s'agit-il ?

— Comment veux-tu que je m'en souvienne ? C'était il y a plus de dix ans.

— Pourquoi ma sœur a-t-elle décidé d'aller vivre à Portland avec son fils ?

— Je l'ignore.

Sean sentait confusément qu'Andrew ne lui disait pas toute la vérité, mais n'arrivait pas à en comprendre la raison. Bien souvent, il avait projeté de se rendre à Portland afin d'essayer de retrouver Amanda, mais Andrew l'en avait toujours dissuadé, prétendant avoir besoin de lui pour l'épauler dans l'organisation d'une réunion, ou pour le recrutement de nouveaux adeptes. Sean respectait trop son mentor pour ne pas lui obéir en tout, mais il était incapable de renoncer à son rêve.

Bien que la confrérie fût loin de rouler sur l'or, elle versait tout de même un petit salaire au jeune homme en signe de reconnaissance pour son dévouement à la cause. Sans en parler à Andrew, Sean avait réussi à économiser assez d'argent pour entreprendre un voyage à Portland en bateau. Jusqu'à présent, il n'avait pas trouvé le courage de lui annoncer la nouvelle de son départ, mais il était bien déterminé à le faire aujourd'hui. *C'est maintenant ou jamais*, se dit-il en marchant d'un pas décidé. Il était si absorbé par ses pensées qu'il passa devant la devanture du pub sans la voir et dut revenir sur ses pas.

En poussant la lourde porte, il fut assailli par la fumée et le son discordant des voix. Le pub était rempli à craquer. La plupart des gens parlaient anglais, mais il perçut la langue gaélique ici et là. En scrutant la grande salle au plafond haut noirci par la fumée et aux poutres apparentes, il finit par apercevoir Andrew, attablé au fond de la pièce, derrière une colonne. Ce dernier s'entretenait avec un homme d'environ quarante-cinq ans, dont les lèvres minces étaient surmontées d'une moustache sombre. Sean reconnut avec effarement John O'Mahony, le président de la section américaine des Fenians. Il s'arrêta à quelques pieds des deux hommes, intimidé. Il entendit les mots *fire arms* et *delivery* à travers le bourdonnement des conversations. Puis Andrew Beggs leva la tête et le remarqua. Son visage anguleux s'éclaira.

— Sean ! Viens que je te présente notre leader, John O'Mahony.

Le chef des Fenians adressa un sourire bienveillant au jeune homme tout en lui serrant la main avec vigueur.

— *Pleased to meet you, young man.*

Après avoir salué Andrew d'un mouvement de la tête, O'Mahony partit. Sean prit place en face d'Andrew, encore ému d'avoir serré la main du grand dirigeant de la confrérie.

— Alors, ces tracts ? demanda Beggs.

— J'ai tout distribué.

— Bien. As-tu faim ?

Sean sourit.

— J'ai l'estomac dans les talons.

Andrew commanda à manger. Pendant ce temps, Sean prépara une phrase dans sa tête : « Il y a une chose importante dont j'aimerais vous parler. » Mais son mentor le devança.

— Quelque chose d'important se prépare.

— Vous voulez parler de la réunion de ce soir ?

Andrew secoua la tête.

— Il s'agit d'une mission.

Se penchant vers le jeune homme, il poursuivit à mi-voix :

— John m'a chargé d'acheter des armes à Boston d'un ancien colonel de l'armée de l'Union, qui est un membre de notre confrérie. Il faudra ramener ensuite les armes par bateau, en les faisant passer pour une cargaison de blé. Le chef de l'union des dockers est irlandais, il est de mèche avec nous. J'ai parlé de toi à John O'Mahony. Il est d'accord pour que tu m'accompagnes.

La poitrine de Sean se gonfla de fierté. La confiance que lui témoignaient son mentor ainsi que le chef des Fenians le comblait de joie.

— Je ne te cacherai pas que ce sera risqué, reprit Beggs, mais je sais que je peux compter sur toi.

— Quand devons-nous partir ?

— Dans une dizaine de jours.

Sean se rembrunit. Il était déchiré entre sa loyauté à la cause et son projet de retrouver ses sœurs. Andrew s'aperçut de son hésitation.

— Il y a un problème ? Te connaissant, je sais que ce n'est pas le danger qui te fait peur.

— Rien n'est plus important pour moi que notre combat, dit Sean après un silence, mais il y a une démarche que je dois entreprendre.

Andrew le regarda, pensif. Il se doutait de la nature de cette démarche dont souhaitait lui parler le jeune homme.

— J'ai décidé de partir pour Portland demain. Je veux aller à la recherche de ma sœur Amanda. Si je réussis à la retrouver, elle saura peut-être ce qu'il est advenu de Fionnualá.

Les traits de Beggs se durcirent.

— Si rien n'est plus important pour toi que notre combat, comme tu le prétends, tu renonceras à ce voyage.

— J'ai besoin de savoir ce que mes sœurs sont devenues. Elles sont la seule famille qu'il me reste.

Constatant qu'Andrew ne disait toujours rien, il continua, la voix pressante :

— Je reviendrai, je vous en donne ma parole.

Andrew affichait une mine calme, mais il bouillait intérieurement. Il en était venu à considérer Sean non seulement comme un ami, mais presque comme un fils, et son plus fidèle partisan dans la cause des Fenians. Il craignait que le jeune homme, qui souhaitait désespérément renouer avec les survivantes de sa famille décimée, n'abandonne la confrérie si son rêve se réalisait. Bien que l'idée de le faire souffrir lui répugnât, il s'y résolut. La cause des Irlandais passait avant les liens affectifs.

— J'aurais voulu t'épargner la vérité, mais ton obstination m'oblige à te la révéler.

Sean fut saisi par la gravité de son mentor. Il imagina le pire.

— Amanda est morte ? souffla-t-il.

— Ta sœur a été accusée du meurtre d'un commerçant, il y a deux ans de cela.

Le choc de la nouvelle était si profond que Sean fut incapable de parler. Il n'avait gardé qu'un vague souvenir de sa sœur aînée, mais il se rappelait sa chevelure rousse, qui semblait capter les rayons de soleil, et ses yeux gris, comme ceux de leur père. Une fois, alors qu'il avait cinq ou six ans et qu'il s'était râpé les genoux en tombant, elle l'avait aidé à se relever et avait lavé ses plaies en lui chantant doucement une chanson en gaélique. Dans ses rêveries, il l'imaginait grande, forte, une sorte de déesse qui avait régné sur son univers d'enfant. Il ne pouvait concevoir qu'elle soit devenue une meurtrière.

— Elle était innocente, renchérit Andrew. Je l'ai aidée à s'évader de prison, mais elle est toujours recherchée par la police. Si tu tentes de la retrouver, tu mettras sa vie en danger.

Andrew se tut, espérant que le jeune homme renoncerait à en savoir davantage. Mais c'était mal le connaître.

— Pourquoi l'avez-vous aidée à fuir? Quel était votre lien avec elle? demanda Sean, sur le qui-vive.

Andrew décida de jouer la carte de la franchise, du moins en partie.

— J'étais amoureux d'elle.

Sean leva les yeux vers son mentor. Le visage de ce dernier était impassible.

— N'avez-vous jamais cherché à la revoir?

— Il valait mieux couper les ponts, pour sa propre sécurité. Et toi, tu dois renoncer à la retrouver si tu tiens à elle.

Il y avait une telle intensité dans son regard que Sean en fut troublé. Mais un doute persistait.

— Vous m'avez déjà dit qu'Amanda avait un fils.

— Puisque tu veux tout savoir, Ian n'est pas mon enfant. J'ai pris soin de son éducation, et j'ai laissé une somme importante à Amanda pour subvenir à ses besoins et à ceux de son fils.

— Qui est le père?

Andrew songea à la terrible vérité et prit le parti de la cacher à son protégé pour le ménager, mais surtout par respect pour Amanda. Si un jour son frère la revoyait, ce serait à elle de choisir de lui dévoiler ou non son secret.

— Amanda m'a appris un jour qu'il s'agissait d'un marin du nom de John Kilkenny. Il serait mort en mer, peu après la naissance d'Ian. Je n'en sais pas davantage.

Il se leva.

— Et maintenant, trêve de questions! Nous avons le meeting de ce soir à préparer, et notre départ pour Boston à planifier.

Andrew paya le repas, quitta le pub et se dirigea vers un *road cart* garé dans la rue non loin du pub. Sean le suivit.

— Il y a autre chose que je voudrais savoir ! cria-t-il pour couvrir le bruit des voitures.

Andrew commençait à montrer des signes d'impatience.

— Je t'ai dit tout ce que je savais, répéta-t-il sèchement en grimpant dans sa voiture d'un mouvement leste. On se revoit ce soir, à la réunion. Surtout, ne sois pas en retard.

Sean saisit le cheval par la bride.

— Ma sœur cadette, Fionnualá. Vous avez prétendu ne pas la connaître.

— C'est la vérité.

— Amanda vous a sûrement parlé d'elle. Je me souviens, quand on était enfants, ma mère lui confiait souvent Fionnualá lorsqu'elle était trop occupée. Amanda était comme une mère pour la petite, elle y était très attachée.

Andrew ne s'était pas attendu à autant d'entêtement de la part de Sean. Il sentit qu'il ne pourrait indéfiniment lui mentir sans éveiller sa méfiance. Désignant le siège à côté du sien, il fit signe au jeune homme de l'y rejoindre. Celui-ci s'empressa d'obéir, curieux d'entendre ce qu'Andrew avait à lui apprendre.

— C'est vrai, Amanda m'a parlé de ta sœur, admit Beggs.

— Que vous a-t-elle dit ? Où est Fionnualá ? Qu'est-elle devenue ? demanda Sean, vibrant d'espoir.

Beggs ne répondit pas tout de suite, réfléchissant à l'information qu'il devait donner tout en évitant de se compromettre davantage.

— Je vous en supplie, dites-moi la vérité, insista le jeune homme.

Devant le silence persistant de son mentor, une crainte soudaine l'envahit.

— Mon Dieu, elle est morte.

La discussion prenait une tournure inattendue. Andrew ne souhaitait pas laisser croire à son protégé que sa sœur cadette était décédée. Cela aurait été d'une cruauté sans nom. Mais comment lui parler de sa sœur sans lui avouer la vérité ? Non seulement il avait connu Fanette, mais il l'avait éperdument aimée, et l'avait perdue parce qu'elle refusait d'épouser un assassin. Sean l'admirait, le vénérait, même. Il n'osait imaginer comment celui-ci réagirait s'il apprenait que son « sauveur » lui avait menti impunément et avait du sang sur les mains. Se rappelant les confidences qu'Amanda lui avait faites dans le passé au sujet de Fanette, Andrew sut alors ce qu'il devait dire.

— Tu n'as rien à craindre. Je suis convaincu que ta sœur Fionnualá est vivante et en bonne santé.

— Mais vous avez affirmé ne pas l'avoir connue, comment pouvez-vous en être sûr ?

— Amanda m'a raconté qu'un jour, il y a une dizaine d'années, elle avait aperçu Fionnualá dans un marché public en compagnie d'une femme plus âgée, qui la tenait par la main. Elle semblait heureuse et bien portante.

— Où était ce marché ?

Andrew hésita.

— À Québec.

— Et le nom de la dame qui l'accompagnait ?

Andrew secoua la tête.

— Je l'ignore. Tout ce qu'Amanda m'a dit, c'était que cette dame portait un grand chapeau et qu'elle était vêtue comme une bourgeoise.

Sean soupira, insatisfait.

— Dix ans, c'est une éternité. Beaucoup d'eau a coulé sous les ponts depuis. Dieu sait ce qui a pu advenir de Fionnualá.

Les yeux verts d'Andrew prirent une teinte presque métallique.

— J'avais une sœur aînée, Cecilia, que j'aimais plus que tout au monde. Elle était tout pour moi. Elle est morte. Jamais plus je ne la reverrai. Et il me faut vivre tous les jours avec ce deuil, tandis que toi, tu peux encore espérer. Tu ne connais pas ta chance.

Il saisit les rênes.

— Maintenant, laisse-moi.

Sean descendit de la voiture, qui s'éloigna rapidement. Tout en marchant lentement sur le trottoir de bois, il réfléchit à ce qu'Andrew venait de lui apprendre. C'était la première fois que son mentor faisait allusion à une sœur appelée Cecilia. Son ancien lieutenant pouvait discourir pendant des heures sur le sort des Irlandais et la révolution qui se préparait, mais il ne parlait jamais de sa vie personnelle. Quelle douleur dans son regard lorsqu'il avait fait allusion à la mort de sa sœur ! *Et il me faut vivre tous les jours avec ce deuil, tandis que toi, tu peux encore espérer.* Sean songea à sa propre famille, à son père et à sa mère, disparus, au pauvre Arthur, qui avait succombé au typhus, et il eut envie de crier : « Et moi, vous croyez que je n'ai pas tout perdu ! » Il ne lui restait que deux sœurs, et il n'était pas même certain qu'elles soient encore de ce monde.

Le cri enroué d'un goéland s'éleva. Sean leva les yeux et s'aperçut qu'il avait marché jusqu'à la Hudson River qui longeait le port, à l'ouest de Manhattan. La sirène d'un bateau à vapeur déchira l'air chargé d'une odeur de vase et de charbon. Sean contempla le navire, dont la proue fendait l'eau limoneuse. Il se revit, à l'âge de neuf ans, courant avec son petit frère Arthur sur le pont du *Rodena* qui devait les mener, avec toute leur famille, à la Terre promise, comme les exilés appelaient l'Amérique du Nord. Il avait gardé peu de souvenirs de la longue traversée vers Québec, sinon ceux de la noirceur qui régnait dans la cale et de la faim qui le taraudait sans arrêt. Et aussi, celui de la voix douce d'Amanda, qui racontait des histoires à Arthur et Fionnualá pour les endormir.

Lorsque le bateau avait accosté à la Grosse Isle, la famille avait été séparée. Sean avait été placé dans une tente blanche avec son frère Arthur et d'autres Irlandais qu'il ne connaissait pas. Puis, par un jour gris et venteux, un prêtre vêtu d'une soutane noire les avait pris à part et leur avait appris la mort de leur mère. Il leur avait montré le ciel et leur avait dit gentiment, en gaélique :

— *Tá do mháthair fillte ar dheis Dé sna Flaithis in airde.* Votre mère est allée rejoindre Dieu, parmi les étoiles, là-haut.

Sa petite sœur Helena, âgée de deux ans, avait également succombé au typhus. Quelques jours plus tard, le même prêtre était revenu pour leur annoncer qu'il avait trouvé pour son frère Arthur et lui une famille d'accueil, dans un village situé au Nouveau-Brunswick. Il les avait accompagnés dans un bateau qui faisait la navette entre la Grosse Isle et Québec, et leur avait ensuite procuré deux places dans une diligence, les confiant aux bons soins du conducteur. Sean n'avait plus jamais revu ses deux sœurs.

❧

Le bateau à vapeur accosta dans le port de New York. Des marins s'affairaient sur le pont tandis que des employés installaient une passerelle. La pensée de Sean s'attarda au récit d'Andrew Beggs, et à cette dame plus âgée qu'Amanda aurait aperçue en compagnie de leur petite sœur, dans un marché public de Québec. Il aurait tout donné pour connaître l'identité de cette femme au grand chapeau. Elle avait probablement accueilli Fionnualá lorsque celle-ci avait quitté la Grosse Isle. Le fait qu'elle habitait à Québec et qu'elle tenait la fillette par la main renforçait cette hypothèse. Un détail le frappa soudain. La rencontre d'Amanda avec Fionnualá semblait avoir été le fruit du hasard. Cela ne pouvait signifier qu'une chose : les deux sœurs ne vivaient pas ensemble à cette époque. Elles avaient dû êtres séparées pour une raison qu'il ignorait.

Sean s'éloigna du port, la tête en ébullition. L'image du prêtre qu'il avait rencontré à la Grosse Isle s'imposa de nouveau : sa soutane noire, la grande croix qui lui pendait autour du cou, son regard compatissant derrière ses lunettes de métal lorsqu'il leur avait annoncé la mort de leur mère. Sean sentait intuitivement que cet homme était la clé de ses retrouvailles avec ses sœurs. Peut-être leur avait-il trouvé une famille d'accueil, comme il l'avait fait pour lui et son petit frère. Il tenta de se rappeler son nom. Rien ne lui vint à l'esprit. *Souviens-toi. Souviens-toi…* Puis un détail émergea. *Le gaélique.* Le prêtre s'était adressé à eux dans cette langue. Il était donc d'origine irlandaise. La première fois qu'il s'était présenté à eux, il leur avait tendu une grande main, aux doigts longs et fins, et avait dit :

— *Is mise an t-athair*… Je suis le père…

Son nom commençait sûrement par « Mc », comme beaucoup de patronymes irlandais. Puis Sean se rappela.

— *Is mise an t-athair MacGauráin.* Je suis le père McGauran.

Le père McGauran. C'était bien cela. Sean sut alors où son chemin était tracé. Après toutes ces années, il retournerait à la Grosse Isle afin de revoir cet homme et de tenter d'en apprendre davantage sur le sort de ses sœurs.

XXXVII

Andrew Beggs consulta sa montre de gousset. L'assemblée allait commencer dans une vingtaine de minutes, et Sean n'était pas encore arrivé. Il lui avait pourtant demandé de ne pas être en retard. Deux militants, grimpés sur des escabeaux, achevaient d'installer une banderole au-dessus d'une estrade. Des gens entraient dans la grande salle et s'assoyaient sur les chaises en les faisant grincer. L'air était déjà chargé d'une odeur de tabac et d'eau de Cologne bon marché.

Inquiet, Andrew se dirigea vers l'entrée de l'immeuble dans lequel avait lieu la réunion. Peut-être que Sean avait rencontré une connaissance qui l'avait retardé. Il dut se frayer un chemin dans la foule déjà compacte qui s'était massée devant la porte, mais il ne vit pas le jeune homme. Un doute s'insinua en lui. Se pouvait-il que Sean ait décidé de partir pour Portland, malgré ses mises en garde ? Bien qu'Andrew refusât d'envisager une telle hypothèse, il lui fallait voir la réalité en face. Sean l'avait assailli de questions au sujet de ses sœurs. Il semblait obsédé par l'idée de les retrouver. Et comment Andrew aurait-il pu l'en blâmer ? Lui-même aurait donné sa vie pour que sa sœur Cecilia soit encore de ce monde.

Il sortit dans la rue. La file de militants irlandais s'allongeait jusque sur le trottoir. Les gens se hélaient, riaient, s'apostrophaient dans une bonne humeur communicative, mais Andrew n'avait pas le cœur à la fête. Il arpenta le trottoir de bois dans une direction, puis dans l'autre, cherchant Sean du regard, mais ce dernier n'était pas dans les parages.

Andrew sentit soudain une main sur son bras et se retourna d'un geste vif. Un garçon d'environ onze ans se tenait devant lui. Il était sale et portait des habits rapiécés, mais ses cheveux blonds et ses joues parsemées de taches de rousseur lui donnaient une sorte de candeur.

— *Sir, I'm looking for a Mr. Andrew Beggs, a tall man with red hair.*

Andrew regarda le jeune adolescent, intrigué.

— *I'm Andrew Beggs.*

— *Someone gave me this for you.*

Le garçon sortit de sa poche un morceau de papier froissé et le tendit à Beggs, qui y jeta un coup d'œil. Quelques lignes avaient été tracées à la hâte. Il reconnut aussitôt l'écriture de Sean.

> Cher Andrew, ne m'attendez pas pour la réunion. Je suis parti à la recherche de mes sœurs. Je suis convaincu que vous comprendrez la nécessité pour moi de tenter de retrouver la seule famille qu'il me reste. Je vous promets de revenir à temps pour notre mission.
>
> Sean

Andrew roula le papier en boule dans son poing et le jeta par terre d'un geste rageur. Le garçon restait debout, se balançant d'un pied à l'autre, inquiet devant la mine sévère du grand homme roux. Comme s'il s'était rendu compte de la présence de l'adolescent, l'ancien lieutenant lui frotta la tête, puis lui remit vingt-cinq cents. Le garçon contempla la pièce, ébloui, puis se hâta de l'enfouir dans sa poche, comme s'il craignait de se la faire voler. Il détala comme un lapin et se perdit dans la foule. Andrew se pencha et ramassa la boule de papier. Tout en se dirigeant à pas lents vers la salle de réunion, il déplia le billet et le relut à plusieurs reprises, pestant contre Sean. Tout le temps qu'il avait consacré à la formation de Sean, pour en faire un bon soldat pour la cause de l'Irlande, avait été déployé en pure perte. Si seulement il avait exercé davantage de persuasion, usé de ruse, même – et Dieu sait qu'il en était capable ! –, Sean ne l'aurait pas abandonné, n'aurait pas laissé tomber la cause qui lui tenait tant à cœur.

À la colère succéda un sentiment de doute et de regret. Il éprouvait des remords de lui avoir caché la vérité. Il se demanda si ses motivations étaient aussi nobles qu'il voulait bien le croire. Ce n'était peut-être pas tant pour garder le jeune homme dans le groupe révolutionnaire qu'il lui avait menti, mais parce qu'il voulait enfouir à jamais le souvenir de Fanette dans les oubliettes de sa conscience.

Des clameurs retentirent tout à coup, suivies de coups de feu qui semblaient provenir d'un square, au bout de la rue. Andrew tourna la tête dans cette direction et aperçut un rassemblement d'hommes qui brandissaient des armes. Il décida d'aller voir ce qui se passait. Les derniers rayons du soleil se réfléchissaient sur les vitres des immeubles, qui semblaient en feu. Il s'approcha de l'attroupement et s'arrêta à une distance raisonnable. Une odeur âcre de poudre de fusil le prit à la gorge. D'autres coups de feu crépitèrent. Les vitres d'un édifice volèrent en éclats, et des flammes en jaillirent. Une fumée épaisse s'éleva en tourbillons sombres. À travers la lueur spectrale d'un lampadaire, Andrew remarqua un homme qui courait, se tenant une épaule d'une main. Sa peau noire luisait de sueur, et ses yeux injectés de sang étaient agrandis par la peur. Lorsqu'il fut plus près, Andrew put distinguer une tache foncée sur sa chemise.

— *What's happening ?* lui demanda Andrew.

— *There's a riot,* répondit l'homme en haletant et en grimaçant de douleur. *They are killing us. The city is on fire.*

— *Do you need help ?*

Mais l'homme s'était déjà éloigné en clopinant. *There's a riot. They are killing us.*

Quelques jours auparavant, Andrew avait vu des avis d'enrôlement placardés sur tous les murs de la ville. Il devina que les émeutes dont l'homme avait parlé étaient liées à la conscription décrétée par le président Lincoln afin de lever des troupes contre les Confédérés. Les temps étaient difficiles, le taux de chômage atteignait des records. Bon nombre de citoyens américains, dont des Irlandais, refusaient d'être enrôlés dans une guerre qui défendait des « nègres », car ils étaient convaincus que ceux-ci, une fois affranchis de l'esclavage, envahiraient les villes pour leur voler leur travail.

Un hurlement s'éleva soudain, ressemblant à la plainte d'un animal blessé. Le cri provenait du rassemblement dans le square. Andrew courut vers celui-ci, longeant les édifices en flammes. Lorsqu'il fut à une vingtaine de pieds des émeutiers, il entendit distinctement les vociférations de la foule.

— *You bloody nigger !*

— *Job stealer !*

— *Die, you scumbag !*

À leur accent, Andrew comprit tout de suite qu'il s'agissait d'Irlandais. Il reconnut même l'un des hommes, qui était membre des Fenians et assistait parfois à leurs réunions. Éclairés par des torches et les lueurs orange des incendies, les émeutiers formaient un cercle compact autour d'un arbre. Andrew s'avança vers le groupe. Une forte odeur d'alcool et de tabac empestait l'air. Il repoussa sans ménagement ceux qui étaient sur son chemin, indifférent aux protestations. La scène qui l'attendait le pétrifia. Un grand gaillard, portant un bleu de travail, avait agrippé un homme noir par les bras tandis qu'un complice lui glissait un nœud coulant autour du cou, sous les cris rauques et les rires gras de la populace. Le pauvre homme gesticulait, essayant désespérément de se défaire de l'étau. Plus il se débattait, plus ses agresseurs resserraient leur étreinte. L'homme en bleu de travail lança la corde sur une grosse branche. Quelques émeutiers se précipitèrent vers l'arbre et s'emparèrent de la corde, sur laquelle ils se mirent à tirer de toutes leurs forces, tandis que le grand gaillard et son complice empoignaient le Noir à bras-le-corps et le hissaient dans les airs. La victime ne se débattait plus, paralysée par la terreur. Un filet d'urine mouillait son pantalon. Andrew sut qu'il lui fallait agir vite, avant qu'il soit trop tard. Il s'élança vers les agresseurs.

— *Stop this, you bloody fools !*

Andrew saisit le grand gaillard et tenta de lui faire lâcher prise, mais celui-ci lui asséna son poing au visage. Il fut aussitôt entouré par des émeutiers en colère qui commencèrent à le rouer de coups de pied. Mû par un instinct de survie, Andrew mordit sauvagement la cheville de l'un d'eux et profita du mouvement de panique qui s'ensuivit pour se relever. Du sang perlait sur ses lèvres, ses yeux verts lançaient des éclairs, et ses cheveux qui flamboyaient dans la lumière des torches lui donnaient un air féroce. Quelques hommes reculèrent, impressionnés malgré eux. L'un d'eux le reconnut :

— *It's Andrew Beggs.*

Une sorte de flottement s'installa. Andrew se mit aussitôt à haranguer la foule :

— *You should be ashamed of yourselves ! Is killing an innocent man consistent with our ideals ? Where is your sense of honour, where is your pride ? We should be killing the bloody English, not a poor fellow like this !*

— *They are stealing our jobs !* hurla l'homme au bleu de travail. *They are taking the bread from our mouths, from the mouths of our children !*

Des cris d'approbation accueillirent sa répartie. Les émeutiers se précipitèrent alors vers les hommes qui tenaient la corde et les aidèrent à tirer. Le corps du Noir fut soulevé d'un coup. Ses jambes commencèrent à se tortiller. Andrew sentit de la bile lui monter dans la gorge et il s'éloigna pour ne plus voir l'horrible spectacle. Un immense dégoût le submergea devant la folie de ces hommes. Dire que c'était pour eux qu'il se battait, pour eux qu'il voulait libérer l'Irlande ! Tandis qu'il marchait, il entendit à peine le claquement de bottes et le cliquetis d'armes qui se rapprochaient du groupe d'émeutiers. Une troupe de soldats se dirigeait vers eux.

Andrew s'affala sur un banc et mit sa tête dans ses mains. *Sean, oh Sean, pourquoi m'as-tu abandonné ?*

⁓

Muni d'un sac à dos, Sean se plaça dans la file de voyageurs qui attendaient le signal de l'embarquement. Il fouilla dans une poche de sa veste pour vérifier s'il avait toujours son billet de passage pour l'*Excelsior*. Le contact du papier le rassura. Le navire à vapeur devait quitter le port de New York dans une dizaine de minutes. Un arrêt était prévu à Boston, puis le bateau reprendrait la route jusqu'à Portland. Avant son départ, Sean s'était soigneusement renseigné sur la façon la plus rapide de se rendre à Québec. En consultant un almanach à la Lenox Library, située sur la cinquième avenue, il avait découvert qu'une ligne de chemin de fer, le Grand Trunk Railway, partait de la gare de Portland et se rendait jusqu'à Pointe-Lévy, sur la rive sud du fleuve Saint-Laurent, juste en face de Québec, en passant par la ville de Richmond, dans les *Eastern Townships*. Une fois à destination, il trouverait bien un moyen de se rendre à la Grosse Isle, où il espérait revoir le père McGauran.

Une pluie fine commença à tomber. Quelques voyageurs prévoyants avaient apporté un parapluie, mais Sean n'avait que sa casquette pour se protéger. Heureusement, la chaîne qui fermait la passerelle fut enlevée et les voyageurs s'avancèrent, impatients de monter à bord. Sean se rendit à l'entrepont, réservé aux passagers de troisième classe. Des bancs de bois étaient alignés les uns derrière les autres. Un gros poêle de fonte avait été placé au fond de la salle. Un parfum agréable de soupe et de pain provenait d'une cantine, où des femmes portant un bonnet et un tablier blancs servaient à manger aux voyageurs.

Sean acheta un bol de soupe et mangea avec appétit. Les derniers rayons du soleil s'éteignirent à l'horizon. Un employé alluma des quinquets. Le jeune homme s'installa sur un banc et plaça sa tête sur son sac à dos pour tâcher de dormir. Il pensa à son mentor, et un vif sentiment de culpabilité le submergea. Il pouvait l'imaginer en train de l'attendre, dans la salle où les Fenians s'étaient réunis; son désarroi, et sans doute sa colère, lorsqu'il s'était rendu compte que Sean ne viendrait pas. Le jeune homme balaya les remords de son esprit. Pour l'instant, l'important était de retrouver Amanda et Fionnualá. Rien ne comptait plus que cette quête. Malgré l'inconfort et la chaleur, il finit par s'endormir, bercé par les mouvements du bateau.

༄

Le jour venait à peine de se lever lorsque l'*Excelsior* parvint à destination, annonçant son arrivée par une sirène. Sean, les yeux gonflés par le sommeil, étouffa un bâillement. Il avait davantage somnolé que véritablement dormi à bord du bateau, et il se sentait fourbu. Il sortit en même temps que les autres voyageurs qui se pressaient vers le débarcadère.

Le port grouillait de monde. De nombreux dockers s'affairaient à charger des marchandises dans des brouettes. Des marins en goguette, qui avaient fêté une partie de la nuit dans des gargotes ou des maisons closes, revenaient vers leur navire en chantant à tue-tête, tandis que d'autres débarquaient, le nez au vent, heureux d'échapper durant quelques heures à leur routine.

Sean fit quelques pas dans le port, désorienté. Il ne s'attendait pas à ce que l'endroit soit aussi achalandé. De là où il était, il pouvait voir de nombreux toits de tuiles orangées qui tachetaient l'horizon. Dire qu'Amanda et son fils habitaient peut-être tout près d'ici, dans l'une de ces maisons !

Sean demanda à un passant où se trouvait la gare la plus proche et s'y rendit à pied. C'était un édifice de pierres grises à colonnes dominées par une tour à horloge. Un panneau de bois au-dessus des portes de bois indiquait « Portland Train Station ». Les toits d'argile rouge, garnis de lucarnes, donnaient à la gare une allure pimpante.

La salle des pas perdus était presque déserte. Un employé lavait le plancher carrelé de marbre noir et blanc. Des guichets ornés de grilles en fer forgé bordaient un mur de brique. Sean se dirigea vers ceux-ci. Tous les guichets étaient fermés. Un commis s'affairait toutefois à épousseter le marbre à l'aide d'un plumeau. Sean s'adressa à lui :

— *Sir, do you know if there is a train going to Pointe-Levy today ?*

Le guichetier consulta un horaire de trains.

— *There is only one departure every day. The next train will depart at ten o'clock this morning.*

Sean leva les yeux vers l'horloge de la gare, qui indiquait six heures trente du matin. Il lui faudrait attendre de longues heures avant de pouvoir prendre son train, aussi s'étendit-il tant bien que mal sur un banc pour y dormir, la tête peuplée de rêves de retrouvailles.

XXXVIII

— *Pointe-Levy Station, last stop, Pointe-Levy Station, last stop, please prepare to disembark the train.*

Le train entra en gare et s'immobilisa dans un tourbillon de vapeur. Reprenant son sac à dos, Sean se hâta de sortir. Une cohue se bousculait sur le quai. Des porteurs chargés de bagages allaient et venaient. Un bambin pleurait en cherchant sa mère, des voyageurs dormaient sur des bancs, des ballots et des valises à leurs pieds, tandis que des passagers se pressaient devant les portes du train. La lumière vive le fit cligner des yeux. Mettant sa main en visière, il regarda à la ronde afin de s'orienter. Il aperçut au loin une myriade de bateaux de toutes les tailles, dont les mâts striaient le ciel. *Le port.* Une sorte d'excitation lui parcourut l'échine. C'était là qu'il voulait aller, afin de trouver un bateau qui l'emmènerait à la Grosse Isle. Le fait qu'il se rapprochait de son but lui redonna courage. Il marcha d'un pas allègre en direction des bateaux. Sur le versant nord, les contreforts de la ville de Québec se profilaient au-dessus d'une immense falaise qui dominait le fleuve. L'eau rutilait tels des diamants.

Une fois parvenu au port, il remarqua une foule considérable assemblée devant un bâtiment de pierres grises entouré d'une clôture de barbelés. La plupart des gens étaient habillés pauvrement et parlaient dans des langues qu'il ne comprenait pas. Leur mine hâve trahissait le manque de nourriture et de sommeil. Il y avait beaucoup d'enfants en bas âge, qui s'accrochaient aux jupes de leur mère, et d'autres, plus âgés, pâles et muets, au regard vide et triste.

Des gardiens en uniforme apparurent soudain, tenant un gourdin à la main. Des ordres furent aboyés. Sean fut happé par un mouvement de la foule, qui était poussée sans ménagement par les hommes au gourdin vers le bâtiment de pierre, dont les grilles avaient été ouvertes. Un homme protesta dans une langue inconnue, mais il fut vite rappelé à l'ordre par un des gardiens, qui lui asséna un coup de bâton sur les épaules. Sean ignorait ce qui passait, mais savait qu'il lui fallait à tout prix s'échapper. À force de jouer du coude, il réussit à se frayer un chemin dans la multitude et se faufila derrière un hangar qui se trouvait à gauche de la bâtisse aux barbelés. De là, il pouvait voir le port et les nombreux mâts et cheminées de bateaux qui oscillaient dans le ciel zébré de nuages magenta. Là était sa planche de salut. Constatant que les gardiens étaient occupés à maîtriser un homme qui avait tenté de s'enfuir, Sean se mit à courir vers le débarcadère. Il ne se retourna pas, tout à sa fuite. Il ne reprit son souffle qu'au moment où il parvint au premier quai.

Plusieurs gros navires à vapeur étaient amarrés, mais les quais étaient presque déserts. Quelques marins briquaient un pont. Une goélette revenait du large, tel un cormoran, avec ses voiles affalées. Des pêcheurs, vêtus de vareuses, déchargeaient une barge de caisses contenant les prises de la journée. Sean s'approcha de l'un d'eux.

— Je voudrais me rendre à la Grosse Isle. Seriez-vous prêt à m'y conduire?

— À la Grosse Isle? dit le pêcheur, perplexe.

L'île avait mauvaise réputation. Le bruit courait que des immigrants y étaient enfermés dans d'étroites baraques et y mouraient comme des mouches. Ceux qui s'en échappaient ramenaient avec eux des maladies dangereuses. Le pêcheur ne pouvait imaginer que quelqu'un puisse vouloir aller dans un lieu pareil. Voyant l'homme hésiter, Sean insista.

— Je vous dédommagerai.

Le pêcheur fit non de la tête.

— Trouvez-vous quelqu'un d'autre. Ma journée est terminée, j'rentre chez moi après la criée.

L'homme se dirigea vers sa barge. Sean se demandait quoi faire lorsqu'une voix retentit derrière lui.

— J'ai déjà visité la Grosse Isle.

Sean se retourna et aperçut un jeune homme qui venait vers lui. Ce dernier portait un habit noir, qui le faisait ressembler à un séminariste, et tenait un petit chevalet et une boîte de peintre sous le bras. Son visage rond respirait la bonhomie.

— Je n'oublierai jamais cet endroit, renchérit-il. On y sent presque l'âme des morts s'élever dans le ciel gris.

Les yeux marron du jeune homme s'étaient remplis de tristesse. Sean ressentit une sympathie immédiate pour l'inconnu.

— J'ai demandé à un pêcheur de m'y conduire, mais il a refusé.

Le jeune homme hocha la tête.

— Les gens de la région ont peur. Lorsque j'étais enfant, je me rappelle les discussions autour de la table familiale sur les pauvres immigrants irlandais que l'on avait mis en quarantaine sur l'île. J'ai appris plus tard que des milliers d'entre eux étaient morts et avaient été enterrés là, loin de leur terre natale. Malheureusement, les choses n'ont guère changé. Vous voyez, le gros immeuble gris, là-bas ?

Il désigna l'édifice entouré de barbelés que Sean avait réussi à fuir, quelques minutes plus tôt.

— On y enferme tous les jours des centaines de gens venus d'Europe jusqu'ici par bateau. Des familles entières, qui ont quitté leur pays dans l'espoir de jours meilleurs. Et comment les accueille-t-on ? En les traitant comme des malfaiteurs. Certains de mes compatriotes profitent même de leur misère pour leur vendre du pain à un prix d'or. Rien pour donner une bonne réputation à notre beau pays.

Le visage de Sean s'était assombri au fur et à mesure du récit du jeune homme. Celui-ci s'en rendit compte.

— Pardonnez-moi, je vous importune avec mes babillages.

— Au contraire. Je sais de quoi vous voulez parler.

Une sorte de complicité les lia soudain, de celles qui se créent parfois entre de parfaits inconnus qui se croisent de façon fortuite. Le jeune homme en noir tendit spontanément la main.

— Je m'appelle Louis Fréchette.

— Sean O'Brennan.

Ils se serrèrent chaleureusement la main. Louis Fréchette observa Sean avec curiosité. Il n'avait publié que quelques poèmes et un conte, et consacrait parfois ses loisirs à la peinture, mais son rêve était de devenir un écrivain reconnu. Il était toujours à l'affût d'une bonne histoire.

— O'Brennan, c'est un nom irlandais, n'est-ce pas ?

Sean acquiesça.

— Pardonnez mon indiscrétion, mais avez-vous séjourné à la Grosse Isle ?

— En 1847. Mes parents sont morts, notre famille a été dispersée. Je recherche deux de mes sœurs, que je n'ai pas revues depuis cette époque. J'espère qu'elles sont toujours vivantes.

Sean fut étonné lui-même de la facilité avec laquelle il se confiait à un parfait inconnu sur un sujet qui lui tenait tant à cœur. Louis Fréchette le regarda avec compassion.

— C'est pour cette raison que vous voulez retourner sur la Grosse Isle.

Sean hocha la tête en silence.

— Il y a un bateau à vapeur, le *Clermont*, qui effectue la navette deux fois par jour entre Québec et la Grosse Isle pour y apporter des vivres et diverses marchandises. On y prend parfois des passagers. C'est à bord de ce navire que j'ai moi-même fait le trajet.

Fréchette sortit une montre de gousset de son veston et la consulta.

— Un départ est prévu dans une quinzaine de minutes, au bout du quai. Vous devriez arriver à temps.

Éperdu de reconnaissance, Sean le remercia et lui tendit de nouveau la main.

— Bonne chance, monsieur O'Brennan, dit Louis Fréchette, ému.

Il faillit ajouter « bon courage », mais s'en abstint.

— Faites vite, si vous voulez attraper le bateau à temps, ajouta-t-il.

Sean le salua et partit au pas de course, son sac sur l'épaule. Fréchette le suivit du regard, songeant à quel point la quête du jeune homme ferait une bonne histoire.

Le *Clermont* était bel et bien en rade, au bout du quai, comme le lui avait indiqué Louis Fréchette. Constatant que des marins s'apprêtaient à enlever la passerelle, Sean s'écria :

— Attendez !

Les hommes interrompirent leur manœuvre, tandis que Sean s'approchait d'eux, haletant.

— Je vais à la Grosse Isle. J'ai de quoi payer mon passage.

L'un des marins lui fit signe de monter à bord. Sean franchit la passerelle et fouilla dans ses poches pour y chercher de l'argent, mais l'homme qui lui avait permis d'embarquer s'était déjà éloigné pour se rendre à la salle des machines. La sirène du bateau mugit au même moment. Les moteurs tournèrent à plein régime, couvrant les voix des membres de l'équipage qui s'affairaient aux dernières manœuvres. Le *Clermont* se mit en marche en faisant une légère embardée. Sean n'eut que le temps de s'agripper au bastingage. L'eau sombre bouillonnait autour de la coque. Une forte odeur de charbon, mêlée à celle des embruns, envahit le pont. Une sorte d'ivresse, accompagnée d'appréhension, s'empara du jeune homme. Bientôt, il en saurait davantage sur le sort de ses sœurs. Un élan d'optimisme le fit vibrer.

XXXIX

Les quelques passagers à bord du *Clermont* s'étaient réfugiés dans une petite salle d'attente située dans l'entrepont du bateau, mais Sean avait préféré rester sur le pont à surveiller l'horizon. L'île d'Orléans se profilait au nord. Même d'où il se trouvait, il put distinguer de coquettes maisons aux couleurs vives, entourées de champs vert et ocre. Un vol gracieux de cormorans zébra le ciel. Le vent du large avait fraîchi, mais Sean le respira avec délices.

Après avoir passé le cap de l'île d'Orléans, le navire poursuivit sa route vers le nord-est. Le ciel, si bleu au départ de Pointe-Lévy, s'était couvert de nuages qui se reflétaient dans l'eau. Bientôt, Sean vit à distance un chapelet de petites îles. Il se demanda si l'une d'elles était la Grosse Isle, mais elles semblaient inhabitées. Plusieurs formes oblongues se dessinèrent à l'horizon.

— Laquelle est la Grosse Isle ? lança Sean à un marin.

Ce dernier pointa le doigt vers le nord-est.

— La Grosse Isle est à l'ouest de l'Isle-aux-Grues, qui est attachée à l'Île-aux-Oies par des battures.

Accoudé au bastingage, Sean regarda dans la direction indiquée par le marin. Il aperçut une ligne sombre entourée de rochers. Une sorte de bruine commença à tomber, déposant un voile gris tout autour d'eux. Seul un phare orangé faisait une tache de couleur dans le ciel strié de pluie. Sean, qui commençait à avoir froid, remonta le col de sa veste.

Le bateau s'approchait de l'île. Des marins s'activèrent pour les préparatifs d'amarrage. Le bruit du moteur s'accentua.

Maintenant, Sean pouvait distinguer la rade, où plusieurs bateaux avaient déjà accosté, ainsi que des baraques qui semblaient avoir été dessinées au fusain tellement leurs contours étaient estompés.

Une émotion indéfinissable lui serra la gorge. Qu'allait-il découvrir sur cette île ? Il se rendit compte qu'il n'avait gardé que des souvenirs confus de son passage dans la station de quarantaine. Même la mort de sa mère et celle de sa petite sœur Helena se perdaient dans une sorte de brouillard. À peine se rappelait-il avoir assisté à une brève cérémonie. Sa sœur Amanda lui tenait une main, son frère Arthur l'autre. Il se souvenait aussi de la silhouette noire du père McGauran qui, debout devant la fosse, murmurait des prières.

Le *Clermont* accosta. Des hommes d'équipage sautèrent sur le quai pour amarrer le navire et installer la passerelle. Sans perdre un instant, Sean quitta le bateau et s'engagea dans un chemin de terre qui menait à une bâtisse rectangulaire de briques rouges, flanquée de dépendances. Une flopée de maisons blanches étaient disséminées autour des principaux bâtiments. Sean eut beau observer attentivement l'endroit, il n'en avait gardé aucune réminiscence.

Une grosse roche se dressait à gauche de la route, tel un chien de garde. Un sentiment de déjà-vu s'insinua en lui. Un souvenir surgit dans sa mémoire, aussi vif que s'il venait de le vivre. Il se revit, à l'âge de neuf ans, courant sur ce chemin, en compagnie de son frère Arthur. Ils s'étaient rendus près de cette même roche et y avaient grimpé, les poches remplies de cailloux qu'ils s'étaient amusés à jeter dans le fleuve. Il songea que, même dans la misère la plus désespérante, les enfants continuaient de jouer.

La pluie avait cessé, mais le ciel était encore lourd. Sean reprit sa marche, sentant l'humidité pénétrer ses os. Une charrette remplie de tonneaux, conduite par un homme portant une casquette, passa à côté de lui. Sean l'interpella.

— Excusez-moi, monsieur.

L'homme tourna la tête vers lui.

— Quelle est la maison de briques rouges, là-bas ?

— L'hôpital de la Marine.

La charrette le dépassa et se dirigea vers l'hôpital. Sean s'approcha à son tour du bâtiment et entrevit deux silhouettes blanches debout non loin de l'entrée. C'était des infirmières qui bavardaient pendant que des hommes déchargeaient les barriques. Sean leur adressa la parole.

— Bonjour.

Les infirmières se tournèrent vers lui. L'une d'elles était robuste, avec les joues et les mains rougeaudes ; l'autre était plus jeune et frêle, mais ses yeux gris-vert pétillaient de vivacité. Sean la trouva jolie. La plus robuste le tança :

— *What are you doing here ? You should be in the hospital.*

— Je ne suis pas malade. *I'm not sick,* expliqua Sean.

— Vous… vouloir visiter un patient à le *hospital* ? s'enquit la plus frêle dans un français laborieux.

Sean lui jeta un coup d'œil reconnaissant.

— Je suis à la recherche de mes sœurs. Elles ont séjourné ici en 1847.

La deuxième infirmière lui indiqua l'une des maisons blanches.

— Il y a des *registers* dans le maison du *treasurer* du *hospital*, *Mr. Johnson.* Je peux conduire vous, *yes* ?

La première infirmière la fusilla du regard.

— *We have to go back to work, dear.*

Elle prit d'autorité la jeune femme par le coude et l'entraîna vers l'hôpital. Sean ne put s'empêcher de sourire devant la sévérité de l'infirmière plus âgée. Il éprouva un sentiment de bonheur à l'idée d'avoir été l'objet de l'attention d'une jolie femme. Il lui sembla que cela ne lui était pas arrivé depuis une éternité. La lutte pour la survie et ses devoirs de militant avaient pris toute la place. Ce fut d'un pas plus léger qu'il se rendit vers la maison blanche que la jeune infirmière avait désignée comme étant celle du *treasurer,* le comptable de l'hôpital.

Une femme d'une soixantaine d'années, dont le visage jovial était encadré par des cheveux blancs, ouvrit la porte.

— Pourrais-je parler à monsieur Johnson ? demanda Sean poliment.

Voyant que la femme ne comprenait pas, il ajouta :

— *The treasurer, please ?*

La femme sourit.

— *Oh, Desmond ! I'm his wife.*

Elle le fit entrer et referma la porte. En s'avançant dans la maison, Sean fut frappé par l'odeur de cire et de savon qui y régnait. L'ameublement était modeste, mais brillait de propreté.

— *What is the purpose of your visit, may I ask ?*

Sean se présenta et lui fit part de sa quête. Mrs. Johnson hocha la tête.

— *Poor dear boy... So many people come here to track down their loved ones.*

Elle lui fit signe de s'asseoir.

— *Please sit down, I will see if my husband can be of any help.*

Elle quitta la pièce. Sean remarqua un crucifix placé au-dessus de la porte ainsi qu'une image du Christ surmontant la cheminée. Ainsi, le comptable et sa femme étaient des catholiques d'origine irlandaise, s'il en jugeait par leur nom de famille. Lui-même avait été baptisé à l'église de Skibbereen, et pendant les quelques années où il avait vécu chez les Aucoin, à Shediac, il assistait à la messe tous les dimanches. Mais depuis qu'il avait été interné dans la léproserie de Tracadie, et même dans ses années d'errance après sa fuite, il n'avait plus jamais mis les pieds dans une église. Un regret poignant le saisit en songeant à sa vie d'orphelin à la dérive, sans attaches, sans vraie affection, à part celle que lui prodiguait Andrew Beggs, mais c'était une affection rude, sans tendresse. Son besoin d'avoir enfin une vraie famille devint encore plus impératif.

Une horloge sonna. Mrs. Johnson revint, indiquant à Sean que son mari voulait bien le recevoir. Elle le conduisit dans une petite pièce et s'esquiva discrètement. Un homme voûté, portant des lunettes de métal, était en train de compulser un énorme registre. Des livres et des dossiers étaient empilés un peu partout, dans un désordre indescriptible qui jurait avec l'ordre régnant dans le reste de la maison. Desmond Johnson, en entendant la porte se refermer, leva la tête.

— *Come here, my dear boy.* Approchez ! ajouta-t-il en français. Ma femme m'a dit que votre nom était O'Brennan.

— Vous parlez français ? s'étonna Sean.

Le comptable lui expliqua qu'il avait émigré au Québec dans les années 1830 avec sa famille, et qu'il avait fait ses études à l'école de Pointe-Lévy avant de s'engager comme volontaire à la Grosse Isle en 1847. Il avait failli succomber lui-même au typhus, mais avait décidé de rester sur l'île, où il avait rencontré sa femme, qui était infirmière.

— Nous nous sommes mariés ici, précisa-t-il, la voix enrouée par l'émotion, dans la petite église presbytérienne.

Il demanda à Sean s'il se rappelait la date de son arrivée avec sa famille à la Grosse Isle, ainsi que le nom du bateau dans lequel ils avaient fait la traversée.

— En juin 1847, répondit Sean. Je ne me souviens pas du jour exact. Le nom du bateau était le *Rodena*.

— *Rodena*, répéta l'homme à mi-voix.

Il feuilleta les pages de ses doigts noueux.

— *Here we are.* Le *Rodena* est arrivé à la Grosse Isle le 12 juillet 1847. Quel est le prénom de vos sœurs ?

— Amanda et Fionnualá.

Le vieil homme parcourut les inscriptions dans le registre et finit par murmurer :

— Je vois ici le nom de Maureen O'Brennan. Elle est morte des suites du typhus le 13 juillet 1847 et a été enterrée ici, à la Grosse Isle, dans le cimetière des Irlandais, comme on l'appelle, à l'ouest de l'île.

La gorge de Sean se serra.

— C'était ma mère.

— *Oh, I see.* Que son âme repose en paix.

Les deux hommes restèrent silencieux, comme s'ils rendaient hommage à la disparue. Puis le comptable replongea dans le registre.

— *There.* Je vois le nom de vos sœurs juste ici.

Il désigna une inscription d'un doigt noueux et lut à voix haute :

— « *Amanda O'Brennan, 12 years old. Healthy. Departed September 2nd of 1847.* »

— Est-ce qu'on mentionne l'endroit où elle est allée ? l'interrompit Sean, incapable de contenir son impatience.

— « *Village of* La Chevrotière, *in the Province of Quebec.* »

— Il n'y a rien sur la famille qui l'a accueillie ?

Le comptable fit non de la tête.

— *I'm afraid not.*

— Et Fionnualá ?

— « *Fionnualá O'Brennan, 7 years old. Healthy. Departed September 2nd of 1847. Village of* La Chevrotière. »

Le vieil homme regarda Sean.

— *There's nothing else.*

Le village de La Chevrotière, se répéta le jeune homme, les yeux brillants. Ses deux sœurs avaient sûrement été recueillies ensemble, par une seule famille. Cela faciliterait grandement ses recherches.

— Savez-vous où se trouve La Chevrotière ?

— *I'm afraid not.* Mais j'ai un atlas, laissez-moi regarder pour vous.

Desmond Johnson se dirigea vers une bibliothèque et en sortit un livre dont il tourna les pages jusqu'à ce qu'il tombe sur une carte de la province du Québec, qu'il examina à l'aide d'une loupe. Il finit par découvrir un point minuscule, à quelques milles au nord de Grondines, à l'ouest de la ville de Québec.

— *There it is*, regardez.

Le jeune homme jeta un coup d'œil à la carte. Puis il serra avec chaleur la main du vieux comptable.

— Je ne pourrai jamais assez vous remercier de ce que vous avez fait pour moi.

Le comptable sourit, ce qui plissa ses yeux et lui donna soudain une mine espiègle.

— Si on ne peut pas s'aider entre Irlandais…

Le vieil homme s'enquit de la façon dont Sean entendait retourner à Québec, puis l'informa qu'il n'y aurait pas d'autres départs de bateaux avant le lendemain matin. Voyant son embarras, il l'invita à passer la nuit à sa résidence, lui expliquant qu'ils avaient gardé une chambre après le départ de leur fils, qui était parti faire ses études au séminaire de Québec et avait été ordonné prêtre. Le mot « prêtre » remit Sean sur la piste du père McGauran. Il demanda au comptable s'il l'avait connu.

— *Father McGauran ?* Il n'est plus ici depuis longtemps. Je ne l'ai pas connu personnellement, mais il paraît qu'il a fait beaucoup pour nos gens. J'ignore ce qu'il est devenu.

༄

Le lendemain, après avoir remercié de nouveau les Johnson, Sean décida de se rendre au cimetière où sa mère avait été enterrée avant de reprendre le bateau pour Pointe-Lévy. En chemin, il croisa un homme bien habillé qui conduisait un Tilbury et lui demanda où se trouvait le cimetière des Irlandais. L'homme, un Canadien français qui travaillait sur l'île comme médecin, offrit de l'y conduire. Sean accepta avec reconnaissance.

La route était sinueuse et pleine d'ornières, à cause de la pluie de la veille. Des rochers et des herbes folles la bordaient. Une brume montait du fleuve, donnant au paysage un aspect fantomatique. La voiture s'arrêta devant un promontoire.

— Nous y sommes, dit le médecin.

Sean descendit du Tilbury et contempla le cimetière. D'innombrables croix blanches s'élevaient sur des tertres verdoyants.

Le jeune homme éprouva une sorte de vertige. Il s'adressa au médecin, la voix vacillante :

— Les tombes sont-elles identifiées ?

— Malheureusement, non. Il y a eu tellement de morts en 1847, plus de cinq mille, on n'avait pas le temps d'inscrire chaque nom. Par contre, chacun a eu droit à un cercueil.

Sean remarqua des dénivellations entre chaque butte et interrogea son compagnon pour savoir comment cela avait pu se produire.

— Il a fallu empiler les cercueils les uns par-dessus les autres, faute d'espace, expliqua le médecin. D'où ces creux. Vous comprenez, le poids des tombes…

Il s'interrompit, mal à l'aise. Sean sentit une immense douleur lui étreindre le cœur. C'était seulement maintenant, devant ces croix blanches qui ressemblaient à des goélands, et ces collines nimbées de brouillard, que la réalité de la tragédie qui avait frappé sa famille et des milliers d'autres Irlandais lui apparaissait dans toute son horreur.

Le médecin recula de quelques pas, sentant que le jeune homme avait besoin d'être seul afin de se recueillir. Sean contempla de nouveau le cimetière. Un vent frais fit frissonner les collines. Les paroles de Louis Fréchette lui revinrent. « On y sent presque l'âme des morts s'élever dans le ciel gris. » *L'âme des morts*… Il prononça très doucement, pour lui-même, un seul mot, à peine audible, qui se perdit dans le bruissement du vent.

— A *Mhamaí*. Maman.

XL

Le trajet du retour à Pointe-Lévy se fit comme dans un rêve éveillé. Sean était encore hanté par les images de la Grosse Isle, le brouillard qui flottait sur les dunes du cimetière, les croix blanches, le ciel de plomb. Mais il n'avait pas entrepris ce périple pour rien. Il avait enfin une piste sérieuse pour retrouver ses sœurs et vibrait d'espoir. Il répétait dans sa tête le nom du village comme pour lui donner un peu plus de réalité. *La Chevrotière.* C'était un joli nom, qui évoquait des champs à perte de vue, des maisons de fermes prospères, des habitants affables. Il ignorait le nom des cultivateurs qui avaient recueilli Amanda et Fionnualá, mais l'arrivée de deux Irlandaises n'avait pas dû passer inaperçue, et il y aurait sans doute des gens du village qui pourraient le renseigner. Il pensa tout de suite au curé de la paroisse. Lorsque son petit frère Arthur et lui avaient été emmenés au Nouveau-Brunswick, ils avaient été reçus par un prêtre dès le premier jour à Saint John. Celui-ci les avait conduits à l'asile pour les enfants démunis, en attendant de leur trouver un foyer. Par mesure de précaution, à cause du typhus qui faisait encore des ravages, les autorités de l'asile les avaient mis en quarantaine dans l'île de Partridge. Le pauvre Arthur était mort des suites du typhus, qu'il avait sans doute contracté à Partridge même, car jusque-là, son frère n'avait montré aucun signe de la terrible maladie. Et Sean avait été envoyé chez les Aucoin, des cultivateurs de Shediac. Encore là, c'est un prêtre qui l'y avait mené, recommandant à la famille acadienne de « bien prendre soin de cet enfant de Dieu ».

La sirène à vapeur annonçant l'arrivée imminente du bateau mugit. Sean attendit avec impatience que la passerelle soit installée et se hâta de la franchir dès que la chaîne de sécurité fut retirée. Enfin, il approchait du but. Cette perspective le remplissait d'une excitation teintée d'inquiétude.

∽

— Hue dia !

La charrette s'arrêta en face de l'église. Sean en descendit, clignant des yeux à cause du soleil. Après avoir pris un traversier de Pointe-Lévy jusqu'à Québec, il s'était renseigné auprès du bureau portuaire sur le chemin le plus rapide pour se rendre à La Chevrotière, et avait appris qu'une malle-poste faisait le trajet chaque jour et s'arrêtait dans plusieurs villages, dont Grondines, qui était à quelques milles de La Chevrotière. Sean avait réussi à attraper la voiture avant son départ et avait fait le voyage, installé sur une banquette inconfortable, en compagnie de quelques passagers et de nombreux colis. Une fois parvenu à Grondines, il avait convaincu un fermier qui revenait chez lui après le marché de l'emmener jusqu'à La Chevrotière, moyennant quelques dollars.

Tandis que la charrette s'éloignait, Sean jeta un coup d'œil à la ronde. L'église se dressait au centre du village. Le clocher argenté scintillait dans une lumière mordorée. Le son régulier d'une enclume sortait de l'échoppe d'un maréchal-ferrant. Une femme portant un bonnet blanc balayait l'entrée d'un magasin général, dont l'affiche aux teintes vives indiquait « Accomodation Dubreuil & Fils ». Des maisons coquettes, aux volets peints de couleurs joyeuses, donnaient un aspect accueillant au village, qui était tel que Sean l'avait imaginé : bien tenu, prospère. Il pouvait imaginer Fionnualá courant sur le trottoir de bois ou jouant à la marelle. La pensée de la dame au grand chapeau qui tenait la fillette par la main dans un marché de Québec lui revint. Cette mystérieuse femme avait-elle vécu dans ce village et décidé ensuite de déménager à Québec ? Il n'y avait qu'une façon d'en avoir le cœur net. Sean marcha résolument vers l'église.

⁓

Une clarté douce entrait par les fenêtres en forme d'ogive. Des bougies votives lançaient des éclats de lumière devant une statue de la Sainte Vierge en plâtre peint. Les pas de Sean résonnèrent dans le silence. Un homme époussetait des bancs de bois à l'aide d'un plumeau. Il semblait si absorbé par sa tâche qu'il n'entendit pas Sean s'approcher de lui.

— Monsieur !

L'homme sursauta. Il était de petite taille et avait des yeux chafouins qui ressemblaient à des boutons de bottine. Une bouche mince lui donnait une mine sournoise.

— Mon doux, vous m'avez fait peur ! s'exclama-t-il, mettant une main sur son cœur.

— Excusez-moi, fit Sean. Je voudrais parler au curé.

— Le curé Normandeau ? répondit l'homme. Il est parti faire sa tournée paroissiale. Je ne sais pas quand il sera de retour.

Sean éprouva une vive déception. L'homme s'en rendit compte. Un sourire étira ses lèvres minces.

— Je suis Ernest Petitclerc, le bedeau. Je suis dans les petits papiers de m'sieur le curé. Je peux sûrement vous aider...

Sean hésita. Le bedeau ne lui inspirait pas confiance, mais il était si impatient d'en savoir davantage sur le sort d'Amanda et de Fionnualá qu'il se décida à lui parler.

— Je suis à la recherche de mes deux sœurs. On m'a informé qu'elles auraient été recueillies par une famille de cultivateurs de La Chevrotière, à l'automne de 1847.

Les yeux du bedeau se rétrécirent. La curiosité donnait une lueur jaune à ses pupilles sombres.

— En 1847, vous dites ?

Sean acquiesça.

— Quel est le nom de vos sœurs ?

303

— Amanda et Fionnualá O'Brennan. Notre famille est d'origine irlandaise.

— Vous avez bien dit Amanda et Fionnualá O'Brennan ? émit l'homme d'Église, dont le visage avait pris une teinte cireuse.

Sean lui saisit les mains.

— Vous les connaissez ?

— Jamais entendu parler, marmonna le bedeau, qui se dégagea brusquement et reprit son plumeau.

Ses mains tremblaient légèrement. Sean agrippa le petit homme par les épaules et l'obligea à se tourner vers lui.

— Lâchez-moi ! glapit le bedeau.

Son haleine sentait la pommette sure.

— Vous savez quelque chose ! s'écria Sean. Qu'est-il arrivé à mes sœurs ? Quel est le nom de la famille qui les a recueillies ?

— Je ne sais rien, rien du tout ! éructa le petit homme en gigotant pour se défaire de l'emprise de Sean, qui le maintenait avec fermeté. Laissez-moi tranquille ou j'appelle au secours !

Une porte claqua, faisant un écho dans l'église. Un prêtre s'avança dans l'allée, un chapeau romain en feutre noir sous le bras. Le bas de sa soutane était blanc de poussière.

— Que se passe-t-il, pour l'amour du ciel ?

Ernest Petitclerc réussit à se soustraire à l'emprise de Sean et courut vers l'ecclésiastique.

— M'sieur le curé, cet homme m'a attaqué sans raison, dit-il d'un ton geignard.

Le prêtre demeura calme et s'adressa à l'étranger.

— Je suis le curé Normandeau. Qui êtes-vous ? Que voulez-vous à ce pauvre Ernest ?

Le bedeau en profita pour s'esquiver vers une porte latérale à droite du chœur, se glissant entre les bancs comme une couleuvre.

— Je m'appelle Sean O'Brennan. Je ne veux aucun mal à votre bedeau. Je souhaite simplement savoir ce que sont devenues mes sœurs, Amanda et Fionnualá.

Les traits du curé s'altérèrent. Il serra les lèvres.

— Elles sont parties d'ici depuis longtemps.

— Quand ?

Le prêtre haussa les épaules.

— Il y a une quinzaine d'années. Elles avaient été généreusement hébergées par une famille d'agriculteurs.

— Quelle famille ?

— Vous tenez vraiment à le savoir ?

Sean fut frappé par la gravité de l'ecclésiastique.

— J'ai fait un long voyage pour venir jusqu'ici. Je veux la vérité.

— Dans ce cas, suivez-moi. Il y a des choses que je préfère ne pas dire dans un lieu saint.

XLI

Une femme aux cheveux argentés remontés en un chignon sévère déposa une théière et des tasses de porcelaine sur une table ronde couverte d'une nappe à motifs fleuris. Elle souleva la théière et versa du thé dans les tasses, puis disposa une assiette remplie de biscuits secs devant le curé Normandeau et son hôte.

— Merci, Gertrude, vous pouvez disposer.

La ménagère du curé jeta un regard méfiant à l'étranger, qui ne payait pas de mine, avec ses vêtements froissés et sa barbe de quelques jours, puis elle sortit. La présence du bedeau, qui était debout derrière la porte, la fit tressaillir.

— Qu'est-ce que tu fais là, Ernest ? Tu écoutes aux portes, maintenant ?

La ménagère n'avait jamais porté le sacristain dans son cœur. Le fait qu'il fût orphelin de naissance lui aurait inspiré de la pitié s'il n'avait pas été aussi hypocrite et dissimulé. Dire que le pauvre curé Normandeau n'y voyait que du feu…

Le bedeau rougit jusqu'à la racine des cheveux.

— Je voulais être là au cas où m'sieur le curé aurait besoin de moi. L'étranger, on le connaît ni d'Ève ni d'Adam. Ça serait un voleur de grand chemin que ça me surprendrait pas.

— Tu devrais retourner à la sacristie au lieu d'écornifler.

Ernest Petitclerc serra les dents et quitta le presbytère à regret. *De quoi se mêle cette vieille chipie ?* Il aurait tout donné pour écouter la conversation entre le curé Normandeau et ce Sean O'Brennan. La simple évocation de ce nom lui donnait des sueurs froides. Un remords insidieux, mêlé à de l'effroi, se glissa dans ses veines. *Si m'sieur le curé apprenait ce que j'ai fait… Mon Dieu, pardonnez-moi, car j'ai péché.*

❧

Sean prit une gorgée de thé. La pièce était agréable, avec ses boiseries de chêne et son parfum suranné de cire d'abeille et d'encaustique, mais le jeune homme était si impatient d'entendre ce que le prêtre s'apprêtait à lui révéler qu'il remarquait à peine ces détails.

— Vos sœurs, Amanda et celle que vous nommez Fionnualá, sont arrivées au village en septembre 1847. C'est le père McGauran qui les a reconduites de la Grosse Isle jusqu'ici. Elles ont été hébergées par la famille Cloutier.

La famille Cloutier. Enfin, un renseignement concret. Le curé poursuivit avec une sorte de réserve, comme s'il marchait sur des œufs.

— Le père Cloutier est mort, il y a quelques années. Lui et sa femme, Pauline, étaient de bonnes gens, dévoués, qui allaient à la messe tous les dimanches. Seulement, ils avaient un fils, Jacques, un mécréant, qui ne croyait ni à Dieu ni à diable, et qui a fait le malheur de ses parents.

Le curé croisa les mains, puis continua son récit avec une réticence évidente.

— Jacques s'était amouraché de votre sœur Amanda. Même son mariage avec une fille du village ne semblait pas l'avoir assagi.

— Que s'est-il passé ?

— La rumeur a couru que Jacques aurait… enfin, que votre sœur attendait un enfant de lui.

Sean reçut l'information comme un coup de poing. Ce que le prêtre venait de lui apprendre était complètement différent du récit que lui avait fait Andrew Beggs.

— On m'a dit que le père de l'enfant était un marin qui avait disparu en mer, déclara Sean d'une voix blanche.

— Eh bien, tout est possible, mais le fait est que votre sœur attendait un enfant au moment où elle s'est échappée de la ferme des Cloutier. Mon bedeau l'a aperçue qui sortait de l'étable, quelques jours avant sa fuite. Selon lui, elle était visiblement en famille.

— Vous dites qu'elle a fui ?

— Avec un étranger de passage, un dénommé Jean Bruneau, un commerçant qui habitait aux Trois-Rivières.

— Quand ?

— À la fin de l'hiver 1849, si ma mémoire est bonne. Vous n'êtes vraiment pas au courant de cette affaire ? Pourtant, c'était dans tous les journaux, à l'époque.

Sean savait par Andrew Beggs que sa sœur avait été accusée de meurtre et que Beggs l'avait aidée à s'évader, mais il ignorait le nom de la victime. Les pièces de cet effrayant casse-tête se mettaient peu à peu en place.

— J'ai vécu à l'étranger pendant de nombreuses années, se contenta-t-il d'expliquer.

Le curé Normandeau hocha la tête.

— C'est une bien triste histoire. Bruneau a été sauvagement assassiné. Votre sœur, qui l'accompagnait, a disparu.

Le curé interrompit son récit, visiblement mal à l'aise.

— Continuez, dit Sean. Je veux tout savoir.

— Quelque temps après le meurtre, votre sœur a trouvé refuge chez un jeune couple de cultivateurs, les Girard. Ils se sont rendu compte qu'elle était en famille et lui ont demandé de partir.

Le regard du religieux était devenu fuyant. Sean devina la vérité.

— C'est à cause de vous que ma sœur a été chassée ?

Le curé Normandeau avala une gorgée de thé de travers.

— Je n'ai fait que mon devoir. Attendre un enfant hors mariage est un grave péché.

Sean se leva, faisant basculer sa chaise, qui tomba par terre avec fracas.

— Vous avez fait preuve de cruauté. Ma pauvre sœur n'avait que quatorze ans. Elle était encore une enfant !

La porte s'entrouvrit. La tête de la ménagère apparut dans l'interstice.

— Tout va bien, monsieur le curé ?

— Ne vous inquiétez pas, Gertrude. Laissez-nous.

La ménagère referma la porte. Le curé se tourna vers le jeune homme.

— Il se peut que j'aie fait preuve de trop de sévérité. Dieu me jugera.

Les paroles du prêtre calmèrent à peine Sean, mais il replaça la chaise et se rassit. Ce qui importait pour le moment, c'était d'en savoir le plus possible. Le prêtre hésita à poursuivre.

— Êtes-vous toujours certain de vouloir connaître la suite ?

— Continuez, je vous en prie, le coupa Sean.

Le curé soupira.

— Votre sœur Amanda a été arrêtée quelques années plus tard et accusée du meurtre du pauvre Bruneau. Elle a réussi à s'évader de la prison de Québec. Je ne sais pas ce qu'elle est devenue. Quant à Jacques Cloutier, eh bien, il a été pendu haut et court pour le meurtre d'un cultivateur de l'île d'Orléans. Je l'ai appris dans le journal.

Pendu haut et court... Sean se sentit pénétré d'un sentiment de tristesse et d'horreur. S'il fallait en croire le prêtre, ce Jacques Cloutier était peut-être le père d'Ian. Quelle vie de misère avait dû vivre sa sœur lorsqu'elle avait compris qu'elle attendait l'enfant d'un criminel ! Il n'osait imaginer les souffrances, la solitude qui avaient été son lot pendant toutes ces années. « Êtes-vous toujours certain de vouloir connaître la suite ? » lui avait demandé le curé. Une part de Sean aurait préféré ne pas savoir, tant la vérité était pénible, pourtant il lui semblait que cette douleur même le rapprochait encore plus d'Amanda, la rendait en quelque sorte plus accessible. Et il se consolait en se disant qu'une main secourable s'était tendue vers elle, celle d'Andrew Beggs.

L'intuition de Sean quant au fait que son mentor ne lui avait pas dit toute la vérité se transforma en certitude. Andrew savait qui était le vrai père d'Ian, et il avait cherché à l'épargner en lui racontant cette histoire de marin. C'était sûrement ce mensonge charitable dont Amanda s'était servie pour épargner son propre fils. La pensée de Sean s'attarda à Fionnualá, qui était restée seule chez les Cloutier après la fuite d'Amanda. Sa détresse avait dû être immense lorsqu'elle s'était aperçue de la disparition de sa grande sœur.

— Qu'est-il advenu de Fionnualá ?

— Vous voulez dire Fanette ? C'est ainsi qu'on la surnommait au village. Eh bien, elle a quitté la ferme des Cloutier quelques mois après la disparition d'Amanda. Elle n'avait que neuf ans. La mère Cloutier a prétendu que la fillette s'était enfuie. Je n'ai pas trop de peine à le croire. Lorsque je voyais Fanette à l'office du dimanche, elle me paraissait bien pâle, bien malheureuse.

— Où est-elle allée ?

Le curé secoua la tête.

— Je n'en sais rien. Plus personne n'a entendu parler de Fanette après son départ.

Le visage de Sean s'assombrit. Il avait soudain le sentiment qu'il avait entrepris ce long voyage pour rien.

— Je n'ai peut-être pas fait preuve d'assez de diligence, enchaîna le curé, la mine contrite. J'aurais peut-être dû aller voir Fanette plus souvent. Que voulez-vous, j'ai une grande paroisse.

— Il est trop tard pour avoir des regrets, rétorqua Sean avec froideur.

Le curé garda un silence embarrassé. Les mots du jeune homme étaient durs, mais il n'avait pas complètement tort. Un souvenir lui revint à la mémoire. Cela s'était produit quelque temps après l'arrivée chez les Cloutier des petites Irlandaises, comme on les appelait. Les fillettes avaient tenté de se sauver de la ferme. Une battue avait été organisée. On avait fini par les retrouver près de la rivière, grelottant de froid et en pleurs. Amanda avait supplié Pierre Girard, qui participait à la battue, de les garder avec lui, prétendant que le père Cloutier les battait et ne leur donnait pas suffisamment à manger. Le père Cloutier avait traité Amanda de menteuse et avait repris les deux filles. Et le curé Normandeau, qui avait assisté à la scène, avait choisi de fermer les yeux. La voix du jeune homme le tira de ses réflexions.

— Où se trouve la ferme des Cloutier?

— Au bout du chemin du Sablon, à quelques milles du village. Mais je ne crois pas que votre visite donnera grand-chose. Depuis la mort de son fils, la pauvre Pauline Cloutier n'a plus toute sa tête.

— Je n'ai rien à perdre en allant la voir.

Le curé proposa, comme pour se faire pardonner:

— Je peux vous y conduire, si vous voulez.

— Je préfère y aller seul.

— Dans ce cas, je vais demander à mon sacristain de vous prêter son cabrouet.

Le religieux actionna une petite cloche. Peu de temps après, la ménagère entra dans la pièce.

— Gertrude, ayez la bonté de mander Ernest.

La ménagère obéit et revint peu après avec le bedeau. Ce dernier grimaça un sourire, mais au fond de lui-même il était terrorisé. *Ce Sean O'Brennan lui a peut-être dit la vérité*, avait-il songé lorsque Gertrude était allée le chercher à la sacristie, lui disant que le curé Normandeau voulait le voir. *Si m'sieur le curé apprend ce que j'ai fait, il va me chasser comme un rat.*

Aussi fut-il soulagé lorsque le prêtre lui demanda de prêter sa voiture à l'Irlandais. Si c'était le seul prix à payer pour le terrible péché qu'il avait commis, alors il s'en tirait à bon compte.

☙

Le cabrouet s'arrêta devant une maison de ferme. Celle-ci était en si mauvais état que Sean crut un moment qu'il s'était trompé d'endroit. Pourtant, il avait suivi les indications du curé Normandeau à la lettre. La seule autre maison qu'il avait croisée en route était à un mille de là. Sean s'était adressé à une jolie femme qui travaillait dans un potager, et elle lui avait confirmé que la ferme des Cloutier se trouvait au bout du chemin du Sablon, près de la rivière la Chevrotière.

Sean descendit de la voiture et s'approcha de la galerie, qui semblait être sur le point de s'effondrer. Une poutre pendait dans le vide et la balustrade était à moitié arrachée, comme si une tornade s'était abattue sur la maison. Il franchit l'escalier avec prudence, car des planches manquaient ici et là, et faillit perdre l'équilibre lorsque l'une d'elles céda sous son poids. Des campagnols, qui vivaient sans doute sous l'escalier, déguerpirent avec de petits couinements. La moustiquaire de la porte pendait et l'un des carreaux de la fenêtre était brisé. Tout sentait l'abandon, le dénuement le plus total. *Plus personne n'habite ici*, pensa Sean. Il faillit rebrousser chemin, mais le son d'une voix l'en empêcha. Quelqu'un chantonnait. La voix avait dû être belle, mais elle était fêlée et légèrement chevrotante. De toute évidence, c'était celle d'une femme. Sean frappa à la porte et attendit, mais personne ne vint répondre. La voix résonnait toujours, faisant écho à la brise qui sifflait doucement dans les herbes hautes entourant la maison. Sean tourna la poignée. La porte s'ouvrit sans résistance. Il entra dans une pièce sombre. Les volets étaient clos. Une odeur de renfermé le saisit à la gorge.

— Il y a quelqu'un ? dit-il.

Ses paroles se perdirent dans un silence confiné. La voix s'était tue. Sean fit quelques pas, buta contre un meuble. Ses yeux s'habituant peu à peu à l'obscurité, il décela un filet de clarté provenant d'une fenêtre et en ouvrit les volets. Un flot de lumière illumina les lieux, faisant tourbillonner la poussière. Des toiles d'araignée pendaient au plafond, telle de la broderie déchirée. Des assiettes sales traînaient dans un évier de grès au pied duquel avait été déposé un quart rempli d'eau. C'était les premiers signes indiquant que la maison était habitée. La même voix étrange et frêle s'éleva de nouveau, mais elle semblait venir cette fois de l'étage. *Il y a donc quelqu'un dans la maison*, se dit

Sean avec un frisson dans le dos. Il entendait des paroles, mais n'arrivait pas à les distinguer clairement.

Avisant un escalier dans le fond de la masure, Sean y grimpa. Les marches grinçaient sous ses pas. La voix se rapprochait. Il pouvait maintenant saisir ce qu'elle chantait :

> *À la claire fontaine*
> *M'en allant promener*
> *J'ai trouvé l'eau si belle*
> *Que je m'y suis baignée*
>
> *Il y a longtemps que je t'aime,*
> *Jamais je ne t'oublierai.*

Une tristesse indicible émanait du chant. Sean continua son ascension, le cœur rempli d'appréhension. Lorsqu'il parvint à l'étage, il ne vit personne. Un grand lit trônait dans une chambre, prenant toute la place. Un ordre surprenant régnait dans la pièce, faiblement éclairée par un rayon de soleil qui entrait par un volet entrouvert. La voix reprit son chant. Cette fois, elle était toute proche. Sean se tint immobile, osant à peine respirer, tâchant d'en discerner la provenance. Puis il remarqua une cloison qui divisait la pièce en deux. Il fit quelques pas dans cette direction. De l'autre côté de la division se trouvait une sorte de réduit. Une lampe à huile, posée sur une petite commode, projetait des lueurs spectrales sur les murs sales. C'est alors qu'il aperçut une silhouette penchée au-dessus d'un berceau.

> *Sous les feuilles d'un chêne*
> *Je me suis fait sécher.*
> *Sur la plus haute branche*
> *Le rossignol chantait.*
>
> *Il y a longtemps que je t'aime,*
> *Jamais je ne t'oublierai.*

Sean s'avança, faisant craquer le plancher de bois. Une femme se retourna vivement, tenant quelque chose dans ses bras. Sean voyait maintenant clairement son visage dans le halo tremblotant de la lampe. La femme avait des cheveux blancs, épars sur les épaules. Ses traits étaient creux, comme sculptés au burin. Elle berçait machinalement ce qui, à distance, aurait pu passer pour un bambin emmailloté, mais qui n'était en réalité qu'un paquet de chiffons entourés de ficelle. La femme regarda Sean longuement. Ses yeux avaient une étrange fixité. Puis une lueur les anima. Elle avança une main, caressa doucement une joue du jeune homme.

— Jacques, mon Jacquot, tu es revenu. Je t'ai attendu si longtemps.

Sean recula instinctivement sous la caresse, même s'il était bouleversé par le sourire incertain qui adoucissait le visage ravagé de Pauline Cloutier.

— Je ne suis pas Jacques, dit-il d'une voix mal assurée. Je m'appelle Sean O'Brennan.

— Tu as maigri, le coupa la femme d'un ton de tendre reproche. Pourquoi n'es-tu jamais venu me voir ? Je t'aurais donné de quoi te nourrir. J'aurais pris soin de toi, comme une bonne mère doit prendre soin de son enfant.

Elle brandit la poupée de chiffons.

— Tu vois combien je me suis occupée de ta petite sœur ? Elle est si douce, si mignonne.

Le curé n'avait pas menti. La pauvre femme n'avait plus toute sa tête.

— Je m'appelle Sean O'Brennan, insista le jeune homme. Je cherche ma sœur, Fionnualá. J'ai appris qu'elle avait été conduite à votre ferme à l'automne de 1847. Je voudrais savoir ce qu'elle est devenue.

Le regard de la fermière devint confus. Son front se plissa, comme si elle s'efforçait de se souvenir de quelque chose.

— *Fionnualá*, répéta-t-elle.

Puis ses traits se durcirent. Sa bouche prit un pli amer.

— Fanette, siffla-t-elle. Elle est partie. Elle aussi m'a abandonnée, comme les autres. Amanda, Jacques, ils sont tous partis, tous. Ils m'ont laissée seule ici, toute seule. Après tout ce que j'ai fait pour eux. Pas une miette de reconnaissance.

Sean éprouva de la pitié pour cette femme, bien qu'il se méfiât d'elle. Elle n'avait sans doute pas traité ses sœurs avec bonté, sinon pourquoi auraient-elles toutes deux pris la décision de s'enfuir ?

— Celle que vous appelez Fanette, c'est bien Fionnualá ? demanda-t-il.

Une sorte de tendresse fruste apparut dans les yeux hagards de la fermière.

— Elle était si jolie, avec ses grands yeux bleus et ses longs cheveux noirs. Personne n'était capable de prononcer son prénom. C'est pour ça que je l'ai appelée Fanette.

Des larmes roulèrent sur ses joues blêmes.

— C'est moi qui lui ai appris à lire et à écrire. J'étais institutrice, il y a longtemps. Je menais une belle vie, dans ce temps-là. Le ciel était plus bleu, oh oui, d'un bleu presque transparent. On pouvait voir les champs de blé jusqu'au fond de l'horizon. La ferme était prospère, le blé et l'orge poussaient à profusion. Tout a changé quand les deux Irlandaises sont arrivées. Mon Jacquot est devenu comme fou. Il est tombé amoureux d'Amanda, il aurait fait n'importe quoi pour ses beaux yeux.

Une haine farouche prit possession d'elle.

— C'est à cause d'elle qu'il est mort. Elle l'a emprisonné dans ses filets. C'est elle, la meurtrière, et c'est mon Jacquot qui a été pendu ! Elle m'a pris mon garçon.

Des sanglots silencieux la secouèrent. Puis elle recommença à bercer la poupée.

— Il me reste juste Fanette. Elle est si docile. Elle ne pleure jamais.

Elle se remit à chantonner :

Il y a longtemps que je t'aime,
Jamais je ne t'oublierai.

Sean tenta de ramener la pauvre femme à la réalité.

— Vous avez dit que Fanette avait quitté la ferme. Savez-vous où elle est allée ?

Pauline Cloutier cessa son mouvement. Son regard était confus.

— Elle est partie il y a longtemps. Je ne me rappelle plus.

— Quelqu'un l'a vue à Québec, avec une femme qui portait un grand chapeau.

À cette évocation, la mère de Jacques Cloutier parut agitée.

— Elle est venue ici.

Sean était sur le qui-vive.

— De qui parlez-vous ?

— La dame au grand chapeau. Je me souviens d'elle comme si c'était hier. Elle m'a posé des questions sur ma Fanette, elle voulait me la prendre.

Pauline Cloutier serra la poupée de chiffons contre sa poitrine amaigrie. Sean, sentant qu'il tenait un bon filon, revint à la charge :

— Qui est-elle ? Vous a-t-elle dit son nom ?

— Elle m'a accusée de maltraiter la petite, de ne pas lui donner assez à manger. Comme si j'étais une sans-cœur !

— Quel est le nom de cette dame ? s'écria Sean, à bout de patience.

Le visage de la fermière se figea. Ses lèvres se mirent à trembler.

— La dame au grand chapeau. Elle m'a volé ma petite Fanette. Elle était si jolie, avec ses grands yeux bleus, ses longs cheveux noirs.

Elle recommença à bercer la poupée.

Chante, rossignol, chante
Toi qui as le cœur gai.
Tu as le cœur à rire
Moi, je l'ai à pleurer.

Il y a longtemps que je t'aime,
Jamais je ne t'oublierai.

Constatant qu'il n'arriverait pas à obtenir davantage de renseignements, Sean se résigna à partir. Il avait appris tant de choses, et en même temps, il ne savait presque rien. *Au moins, mes deux sœurs ont échappé à cet enfer*, pensa-t-il en quittant la chambre. Et la certitude qu'elles étaient vivantes lui redonnait l'espoir de les revoir un jour.

Dans l'escalier sombre et étroit, l'écho de la voix fêlée de Pauline Cloutier lui parvint. Il crut l'entendre encore lorsqu'il sortit enfin de la maison, tel l'appel lancinant d'une âme en peine.

XLII

New York
Le 21 juillet 1863

Andrew Beggs faisait les cent pas sur le quai d'embarquement, indifférent au bruit assourdissant des locomotives et à l'odeur omniprésente du charbon. Son haut-de-forme cachait à peine les ecchymoses bleuâtres qui lui couvraient une joue, résultat de son altercation avec l'Irlandais lors de l'horrible pendaison.

Le train en partance pour Boston était arrivé en gare une dizaine de minutes plus tôt. La plupart des passagers avaient déjà pris place dans leur compartiment. Andrew jeta un coup d'œil à l'horloge de l'Hudson River Railroad : plus que deux minutes avant le départ. Le mince espoir qu'il avait gardé de voir Sean apparaître sur le quai s'évanouit. Son intuition ne l'avait pas trompé. Son protégé, obsédé par sa quête, ne reviendrait plus jamais à New York. Il fut tenté de quitter la gare et de laisser tomber la mission que les Fenians lui avaient confiée. Les images du pauvre Noir se débattant aux mains de la meute en furie ne l'avaient pas quitté. Depuis, les séditions s'étaient poursuivies de plus belle. La ville de New York s'était transformée en brasier. Les actes de vandalisme et les assassinats de Noirs en pleine rue s'étaient multipliés, malgré la présence de troupes de soldats et de volontaires que le président Lincoln avait dépêchées dans la ville pour essayer de mater les insurgés. Ceux-ci s'en étaient même pris à un orphelinat pour enfants noirs, qui avait été complètement saccagé. Les soldats avaient dû utiliser de l'artillerie lourde et des baïonnettes pour venir à bout de l'insurrection, mais les pertes en vies humaines et les nombreuses déprédations avaient laissé des marques indélébiles sur la cité.

Quelques jours après les tragiques événements, une liste des émeutiers avait été publiée dans les journaux. Andrew avait été horrifié en constatant le nombre d'Irlandais qui y figurait. Il s'en était ouvert à son chef, John O'Mahony, qui avait condamné avec véhémence ces gestes odieux, mais qui restait convaincu plus que jamais de la pertinence de leur cause. « Ces gens, lui avait-il dit en substance, ont agi ainsi parce qu'ils sont pauvres, sans travail, et qu'ils n'ont pas de vraie patrie. Redonnez-leur un pays, du travail, une raison de vivre, et ils redeviendront des hommes dignes de ce nom. »

Un sifflement aigu retentit. Le chef de gare annonçait le départ du train. Déjà, une fumée épaisse entourait la locomotive. Saisissant sa valise d'un mouvement impatient, Andrew se dirigea ensuite vers le convoi. *À la grâce de Dieu, ou du diable !* Il irait seul à Boston chercher cette satanée cargaison d'armes. Que pouvait-il faire d'autre ? Il avait perdu son seul ami et son compagnon d'armes, il n'avait ni femme ni enfant. Il ne lui restait plus que sa loyauté à son chef et à la confrérie.

Des employés fermèrent les portes des wagons qui claquèrent les unes après les autres. Andrew n'eut que le temps de se hisser sur le marchepied d'un compartiment dont la portière était restée ouverte. Le moteur de la locomotive gronda. Le train se mit en branle et commença à rouler lentement sur la voie. C'est alors qu'Andrew aperçut quelqu'un courir sur le quai vers le convoi en marche. *Sean !* C'était bien lui. Le jeune homme s'arrêta sur ses pas en constatant que le train venait de partir. Andrew lui fit des signes désespérés.

— Sean ! Par ici !

Celui-ci leva la tête et reconnut son mentor, dont la grande silhouette se détachait sur la plateforme d'un compartiment. Le train commençait à prendre de la vitesse, ponctuée par le sifflement de la locomotive. Sean se précipita en direction du wagon où se tenait Andrew. Il avait beau courir de toutes ses forces, le convoi s'éloignait de plus en plus vite. Redoublant d'ardeur, le jeune homme finit par se rapprocher de Beggs. Ce dernier, s'agrippant d'une main à la poignée de la portière, se pencha dans le vide et tendit son autre main. Sean la saisit, ignorant les protestations du chef de gare qui s'était mis à courir derrière lui en sifflant.

Rassemblant ses dernières forces, le jeune militant réussit à atteindre le marchepied. Andrew le tira vers lui et le poussa à l'intérieur du wagon, puis referma la portière. Les deux hommes restèrent debout l'un contre l'autre, reprenant leur souffle à grand-peine. La locomotive lança un autre sifflement plaintif en fonçant sur la voie ferrée.

⚬⁊⊙

Il y avait près d'une heure que le train roulait. Sean, la mine sombre, regardait distraitement le paysage défiler à travers la fenêtre du compartiment. Il n'avait pas desserré les dents depuis le début du voyage. Andrew brûlait d'apprendre le résultat des démarches de son protégé, mais il n'avait pas abordé le sujet, sachant qu'il valait mieux ne pas forcer les confidences. À en juger toutefois par le mutisme de Sean et son air renfrogné, celui-ci semblait être revenu bredouille. Pour meubler le silence, Andrew raconta les émeutes de *draft riots* qui avaient ravagé New York au cours des derniers jours et confia ses propres doutes quant à l'utilité de l'action des Fenians. Sean sortit de sa léthargie et l'écouta attentivement, secouant la tête avec dégoût en entendant le récit de la pendaison et en apprenant que tant de compatriotes avaient participé à ces pogroms, mais il ne fit aucun commentaire.

Le train avait pris sa vitesse de croisière. Sean se mit à parler d'une voix calme, mais voilée par l'émotion :

— Je suis retourné à la Grosse Isle. J'ai découvert que mes sœurs avaient été recueillies par des fermiers, au village de la Chevrotière, près de Québec. Je me suis rendu là-bas.

Le curé de la paroisse m'a confirmé qu'Amanda et Fionnualá avaient vécu chez les Cloutier, mais qu'elles y avaient été très malheureuses.

Il se tourna vers Andrew.

— Le curé Normandeau est convaincu qu'Amanda attendait l'enfant du fils aîné, Jacques Cloutier, et que c'est pour cette raison qu'elle a fui la ferme.

Andrew n'avait pas bronché pendant le récit du jeune homme.

— Jacques Cloutier était le père d'Ian, poursuivit Sean. Il a été pendu pour le meurtre d'un cultivateur. Vous le saviez, n'est-ce pas ?

Beggs garda un long silence, puis finit par acquiescer.

— Amanda m'en avait parlé, mais m'avait fait jurer de ne jamais le révéler à qui que ce soit.

Sean se tut. Le grincement des roues sur les rails combla le silence.

— Ian connaît-il l'identité de son vrai père ?

Andrew secoua la tête.

— Sa mère n'a jamais voulu qu'il l'apprenne. Elle est allée jusqu'à se parjurer en cour, en prétendant que le père d'Ian était un marin qui avait disparu en mer.

Un soupir échappa à Sean, presque une plainte, comme si le chagrin qui s'était accumulé pendant son périple s'exprimait enfin.

— Quelle vie difficile a dû être la sienne. C'est une chance de vous avoir trouvé sur son chemin.

La honte submergea Andrew. Il était vrai qu'il avait aidé Amanda à s'évader de prison, mais cela ne l'exonérait pas de ses mensonges concernant Fanette.

— J'espère seulement qu'Amanda a réussi à trouver un peu de bonheur, murmura Sean.

— Je l'espère aussi.

Les deux hommes se turent un instant.

Un contrôleur entra dans le compartiment et vérifia leurs billets. Sean attendit qu'il ressorte pour reprendre la parole :

— Je me suis rendu à la ferme. J'ai rencontré la mère de Jacques Cloutier. Elle m'a parlé d'une dame au grand chapeau qui lui avait rendu visite et prétendait que cette dame lui avait volé Fanette, comme elle nommait ma sœur Fionnualá.

Le cœur d'Andrew fit un bond dans sa poitrine. Il fixa son attention sur le paysage qui défilait par la fenêtre.

— J'ai tenté de savoir son nom, mais la pauvre femme n'avait plus toute sa raison.

Sean appuya sa tête sur le dossier de la banquette.

— Je regrette d'avoir entrepris ce voyage. Il aurait peut-être mieux valu que je ne sache rien.

Tandis que le train s'éloignait dans un nuage de vapeur, le jeune homme contempla avec tristesse son reflet dans la vitre du compartiment. Il avait maintenant la certitude que son rêve de retrouver ses deux sœurs ne se réaliserait jamais. Il ne savait pas encore que son vœu finirait un jour par s'exaucer, mais qu'il aurait un lourd tribut à payer pour ces retrouvailles.

XLIII

Village de La Chevrotière
Début du mois d'août 1863

Depuis la visite de Sean O'Brennan, le bedeau, perclus de remords et de craintes, n'arrivait plus à trouver le sommeil. Il avait même commencé à boire du vin de messe en cachette du curé, puisant au fur et à mesure dans des bouteilles que la ménagère rangeait dans un coin de la cave du presbytère, qui avait été transformé en cellier.

Un matin, il fut réveillé par des coups tambourinés à sa porte, tandis que la voix de stentor du curé Normandeau s'élevait :

— Ernest, il est passé sept heures ! Tu n'es pas encore debout, à cette heure ? J'ai dû sonner la cloche moi-même pour annoncer la première messe.

Le sacristain se leva d'un bond, passa une main dans ses cheveux ébouriffés en une vaine tentative de les lisser et se précipita pour ouvrir la porte.

— Qu'est-ce qui t'arrive, pour l'amour ! s'écria le curé en l'apercevant.

Puis il le scruta d'une mine sévère et ajouta :

— Tu n'étais pas en boisson, toujours ?

— J'ai passé tout droit, se justifia le bedeau en balbutiant.

Le curé Normandeau ne le quittait pas des yeux.

— Je te connais comme le fond de ma poche, Ernest Petit-clerc. Tu me caches quelque chose.

Devant le regard pénétrant du prêtre, le sacristain fut tenté de dire la vérité au sujet d'Amanda O'Brennan et du meurtre de Jean Bruneau, mais l'irruption de madame Bérubé, la ménagère, l'en empêcha.

— Votre bedeau vole le vin de messe, monsieur le curé !
s'exclama-t-elle, les joues rouges de colère. Je l'ai vu pas plus tard
qu'hier soir, qui rôdait dans les parages. Quand je suis descendue
dans le cellier ce matin, y manquait deux bouteilles !

Le curé se tourna vers son bedeau.

— Est-ce vrai, Ernest ? tonna-t-il.

— J'ai juste pris une couple de burettes, se défendit Petitclerc, ses yeux chassieux fixant ses pieds.

— C'est un fieffé menteur ! s'écria la ménagère.

Le curé dévisagea son sacristain.

— La prochaine messe commence à dix heures. Je t'attends
à la sacristie à neuf heures trente tapant. D'ici là, t'as intérêt à
être sobre. Puis je veux te voir à confesse après la célébration.

                                   ৎৎ

Ernest Petitclerc attendit que madame Dubreuil, qui tenait le
magasin général, ait quitté le confessionnal pour s'y agenouiller
à son tour. Il se sentit défaillir lorsque la tête du curé Normandeau apparut à travers le grillage. Avant de se rendre à l'église,
le bedeau avait plongé la tête dans une bassine d'eau froide et
pris soin de se raser pour avoir une mine plus convenable, mais
il n'en menait pas large.

— Pardonnez-moi, mon père, car j'ai péché.

Sa voix était si chevrotante que le curé eut presque pitié de
son sacristain.

— Mon pauvre Ernest, tu ne vas quand même pas brûler en
enfer pour quelques burettes de vin.

— C'est pas ça, m'sieur le curé.

Le petit homme déglutit. Une sueur froide mouillait son front.

— Quand vous saurez la vérité, vous allez m'excommunier,
pour sûr.

Le prêtre lui jeta un regard intrigué à travers la grille, puis
hocha la tête. Le bedeau, qui avait quitté l'école après sa troisième année, ignorait sans doute le sens véritable de ce mot.

— D'abord, il faut commettre une faute bien grave pour mériter l'excommunication, expliqua-t-il, comme renier ta religion, par exemple. Ensuite, ce n'est pas moi, mais un évêque qui peut procéder à cette punition, laquelle te bannirait à jamais de la communauté des catholiques. Comprends-tu ce que je te dis ?

Le sacristain leva des yeux apeurés vers le prêtre et se tordit les mains.

— Un évêque ? Mon Dieu…

— Ne prononce pas le nom de Dieu en vain, Ernest, et confesse-toi ! ordonna le prêtre, se demandant si le pauvre homme n'abusait pas trop en effet du vin de messe.

Le bedeau poussa un soupir à fendre l'âme, et se résolut à parler.

— Je sais qui a tué Jean Bruneau.

— Tout le monde sait qui a tué Jean Bruneau, s'impatienta le curé. C'est Amanda O'Brennan.

— J'ai été témoin du meurtre, poursuivit Petitclerc. J'ai tout vu ! Amanda est innocente.

Un lourd silence suivit cette déclaration. Cette fois, le curé Normandeau crut que son bedeau était carrément devenu fou.

— Amanda O'Brennan a été accusée et condamnée. La preuve qu'elle est coupable, c'est qu'elle s'est évadée de prison pour échapper à son juste châtiment.

— Puisque je vous dis que j'ai vu le vrai meurtrier ! De mes yeux vu !

Le prêtre lui fit signe de baisser le ton.

— J'étais sobre comme un chameau, m'sieur le curé. J'ai rien inventé.

— Qui l'a tué alors, si ce n'est pas l'Irlandaise ? chuchota le prêtre, abasourdi par les révélations de son bedeau.

Petitclerc essuya son front avec un mouchoir à la propreté douteuse, qu'il avait extirpé d'une poche de sa veste.

— Tu dois me dire la vérité, Ernest. Toute la vérité.

Le bedeau serra le mouchoir dans son poing, puis se confessa, la voix chevrotante. Le curé l'écouta attentivement. Lorsque son sacristain eut terminé, il approcha son visage du grillage. Ses yeux lançaient des éclairs.

— Pourquoi n'as-tu pas parlé avant aujourd'hui ?

La voix du curé résonna dans l'église. Une vieille femme qui priait tourna la tête en direction du confessionnal, étonnée par cet éclat inhabituel. Le prêtre baissa la voix.

— Réponds, malheureux.

— J'avais peur, m'sieur le curé.

Le prêtre le toisa.

— Retourne chez toi et mets ton plus bel habit. Reviens au presbytère dans une demi-heure au plus tard.

— Pour quoi faire ? articula le bedeau, sur des charbons ardents.

— Fais ce que je te dis.

— Mon absolution, m'sieur le curé ?

— Je te la donnerai quand t'auras fait ton devoir.

Le panneau de bois qui séparait le confessionnal en deux se referma avec un claquement sec. Le sacristain se releva et sortit, les jambes flageolantes, sous le regard curieux de quelques paroissiennes qui attendaient leur tour pour se confesser.

Une demi-heure plus tard, le bedeau se présenta au presbytère, revêtant le seul habit qu'il possédait, une redingote noire lustrée aux coudes et dont les manches étaient devenues trop courtes pour lui. Le curé Normandeau l'attendait dans sa calèche.

— Où on va, m'sieur le curé ? dit Ernest Petitclerc, plus mort que vif.

— Au palais de justice, à Québec. J'ai envoyé un télégramme au coroner, Georges Duchesne. Il nous attend à son bureau à une heure cet après-midi.

En entendant le nom du coroner, le sacristain devint aussi blanc que de la craie.

༄

Le coroner Duchesne examina le petit homme assis devant lui dont les yeux, un peu enfoncés dans les orbites, clignaient nerveusement. Une mouche voletait dans le bureau, se cognant parfois contre les carreaux de la fenêtre.

— Si ce n'est pas Amanda O'Brennan qui a tué Jean Bruneau, alors qui l'a fait? demanda-t-il d'une voix sévère.

Ernest Petitclerc jeta un coup d'œil au curé Normandeau, qui lui fit un signe de tête pour l'encourager.

— Jacques Cloutier.

Le coroner resta impassible.

— Vraiment.

— Vrai comme je vous vois! s'exclama le bedeau. C'était une nuit de pleine lune, j'ai reconnu son visage, comme en plein jour. Cloutier était à cheval. Il a poursuivi le pauvre Jean Bruneau et l'a tué sauvagement à coups de couteau. Après, il a pris la poudre d'escampette. Je me suis approché du corps. Y était couvert de sang. C'était épouvantable à voir.

Le sacristain fit un effort pour regarder le coroner dans les yeux.

— Amanda est innocente. Je vous le jure sur la tête de ma pauvre mère.

L'homme de loi n'avait pas bronché durant le récit du bedeau. Son visage était resté de marbre.

— Si ce que vous affirmez est vrai, pourquoi n'avez-vous pas dénoncé Jacques Cloutier à la police?

— J'avais peur, avoua Ernest, honteux.

— Mais il est mort, sacrebleu! Vous ne pouviez tout de même pas craindre un mort?

Petitclerc garda un silence embarrassé.

— Enfin, parlez!

— J'étais en train de poser des collets à lièvres quand c'est arrivé, reprit-il à mi-voix.

Le coroner le regarda sans comprendre. Petitclerc, intimidé, se racla la gorge.

— Je braconnais sur une terre de la Couronne.

Cette fois, les traits de l'homme de loi trahirent la colère.

— Vous avez laissé Amanda O'Brennan être accusée de meurtre parce que vous craigniez de vous faire arrêter pour braconnage ?

— Je voulais pas payer une grosse amende, bégaya le sacristain, la tête baissée. Vous comprenez, avec le petit salaire que le curé me verse...

Le prêtre le foudroya des yeux. Le coroner Duchesne se leva. Sa longue silhouette noire dominait le bedeau.

— Vous mériteriez que je vous envoie en prison sur-le-champ !

— Pitié, m'sieur le coroner. Pitié...

Ernest Petitclerc tomba sur ses genoux et se mit à pleurnicher, les mains croisées comme pour une prière. Le coroner poussa un soupir de dégoût.

— Relevez-vous.

Le sacristain se redressa. Ses genoux tremblaient. L'homme de loi se tourna vers le curé Normandeau.

— Vous pouvez retourner au village de La Chevrotière, mais tenez votre bedeau à l'œil. Je lui ordonne de rester à la disposition de la justice et de ne quitter son lieu d'habitation sous aucun prétexte, sinon il aura affaire à moi.

Le prêtre regretta presque d'avoir obligé son sacristain à témoigner de ce qu'il avait vu devant l'homme de loi tellement ce dernier lui paraissait impitoyable, mais il inclina la tête.

— Bien, monsieur le coroner.

— Vous pouvez partir.

Les deux hommes quittèrent le bureau, ébranlés par l'entretien. Le coroner Duchesne fit appeler l'un de ses hommes les plus sûrs.

— Faites surveiller la maison d'Emma Portelance jour et nuit. Interceptez tout courrier ou télégramme qui lui est adressé. Rapportez-vous à moi chaque jour.

— À vos ordres, monsieur le coroner.

Lorsqu'il fut de nouveau seul, le coroner fit quelques pas dans son bureau pour réfléchir. Il était convaincu que Fanette

Grandmont savait où sa sœur s'était réfugiée. Tôt ou tard, la jeune femme donnerait de ses nouvelles à sa mère à Québec, ou mieux, lui rendrait visite. Elle était sa seule chance de retrouver la fugitive.

XLIV

Québec
Début du mois d'août 1863

Lorsque Fanette annonça à sa tante qu'elle devait accomplir un voyage qui durerait environ deux semaines, elle eut droit à un flot de questions :

— Mais où vas-tu donc, ma chère nièce ? Tu sais bien que j'ai besoin de toi ici.

— Je rends visite à ma mère.

— Emma ? Elle n'est pas malade, j'espère ?

— Elle se porte à merveille.

— Ta mère ne m'a jamais parlé d'un tel voyage dans ses lettres. Tu es certaine que tu ne me caches rien ?

La jeune femme dut user de diplomatie, et parfois de fermeté, afin de couper court à la curiosité insatiable de Madeleine, qui se doutait qu'il y avait anguille sous roche. Il avait été toutefois plus ardu encore de convaincre Marie-Rosalie de rester à Montréal avec sa grand-tante. La fillette ne comprenait pas que sa mère ne l'emmène pas pour rendre visite à sa grand-mère.

— Je dois y aller seule.

— Pourquoi ?

— Je t'expliquerai lorsque tu seras plus grande.

— Mais je suis plus grande ! J'ai grandi de trois pouces !

Ni les pleurs, ni les supplications de sa fille, et encore moins ses cajoleries n'eurent raison de sa détermination.

Le matin de son départ, Fanette eut un pincement au cœur lorsque Marie-Rosalie refusa de l'embrasser.

— Un jour, tu comprendras, lui glissa-t-elle avant de se hisser dans la voiture.

Madeleine lui fit des adieux un peu secs, lui souhaitant bon voyage du bout des lèvres.

cン

Après plusieurs jours de route, Fanette parvint à la hauteur de Québec. Elle avait fait le voyage avec le Phaéton de sa tante et avait dû s'arrêter à plusieurs relais pour se sustenter et prendre du repos, pendant que son cheval était nourri par un palefrenier et reprenait des forces pour le long trajet.

Quelques semaines auparavant, Amanda lui avait écrit pour lui apprendre que la construction de l'église où devait avoir lieu le baptême de sa fille, Marie-Awen, était enfin terminée, après plus d'un an de travaux. Le lieu saint avait été entièrement rebâti en copiant l'ancien modèle, racontait-elle dans sa lettre. Les habitants du village y avaient travaillé d'arrache-pied pendant des mois. Tous avaient mis l'épaule à la roue, en sacrifiant des économies ou en donnant de leur temps, avec un dévouement et une ténacité qui faisaient honneur à la petite communauté. Amanda lui avait ensuite indiqué le nom du village où elle habitait depuis son départ du Nouveau-Brunswick, ainsi que le chemin pour s'y rendre. *La Jeune Lorette…* Fanette était à mille lieues d'imaginer que sa sœur avait trouvé refuge si près de Québec, alors qu'elle l'avait crue loin, aux États-Unis, peut-être, ou dans l'Ouest canadien, dans une localité où elle serait le plus éloignée possible de l'impitoyable coroner Duchesne. Mais en y réfléchissant, Fanette avait compris à quel point cette stratégie était habile. Le village huron était certainement le dernier endroit où l'homme de loi blanc aurait songé à rechercher la fugitive.

La lettre précisait également qu'Ian, qui avait été engagé comme novice dans un bateau marchand grâce à Noël, qui connaissait bien le capitaine du navire, avait obtenu un congé de quelques jours afin d'assister au baptême. Cette nouvelle réjouit Fanette au plus haut point. Son neveu avait vécu de dures épreuves, et le fait qu'il ait réussi non seulement à les surmonter, mais aussi à accomplir son rêve le plus cher la comblait.

ℭℴ

Emma, portant sa capeline et des gants, binait son potager lorsqu'elle entendit les roues d'une voiture s'approcher. Elle leva la tête et aperçut Fanette qui descendait de son Phaéton. Enchantée de la visite inattendue de sa fille, elle abandonna son sarcloir, enleva ses gants et s'élança vers la jeune femme, qu'elle prit dans ses bras.

— Quelle belle surprise !

— Comment, vous n'avez pas reçu mon télégramme ?

Emma secoua la tête.

— Non.

— C'est curieux, je vous ai écrit pour vous annoncer ma visite.

Emma haussa les épaules.

— L'important, c'est que tu sois là.

Elle entraîna sa fille vers la cuisine. Tandis qu'elle commençait des préparatifs pour le thé, Fanette lui confia qu'elle avait accepté de devenir la marraine de Marie-Awen, l'enfant de sa sœur, sans révéler toutefois le nom du village où Amanda s'était réfugiée. Emma partagea la joie de sa fille, mais s'inquiéta du risque que celle-ci prenait en rendant visite à la fugitive, qui était toujours recherchée par la police.

— C'est pour cette raison que je tenais à entreprendre ce voyage seule. Si vous saviez à quel point Marie-Rosalie m'en a voulu de ne pas l'emmener avec moi ! Elle a même refusé de m'embrasser avant mon départ.

— Elle ne t'en tiendra pas rigueur bien longtemps. Les enfants oublient vite.

Après avoir passé une nuit paisible dans son ancienne chambre, Fanette se prépara à poursuivre son périple. Sa mère tint à lui remettre un panier rempli de provisions.

— Sois prudente, recommanda-t-elle.

— Ne craignez rien.

— Souhaite tout le bonheur du monde à Amanda, à sa fille et à toute sa famille.

— Je n'y manquerai pas.

Mère et fille s'embrassèrent tendrement, puis Fanette se hissa dans le Phaéton et prit son départ. Emma resta sur le pas de sa porte, regardant la voiture s'éloigner, le cœur serré par l'appréhension. *Pourvu qu'il n'arrive rien de fâcheux !*

En roulant dans la rue Sault-au-Matelot, Fanette aperçut un policier monté qui semblait faire le guet à l'intersection de la côte de la Montagne. Bien qu'elle fût à peu près certaine que le gendarme n'était pas là pour la surveiller, elle rebroussa chemin par mesure de prudence. Elle se gara dans un coin discret, où elle attendit près d'une heure, puis retourna vers la côte de la Montagne. Le policier n'y était plus. Rassurée, la jeune femme fit route vers la haute ville, qu'elle avait l'intention de traverser en direction nord pour gagner ensuite le chemin qui menait vers la Jeune Lorette. Elle ne vit pas le policier habillé en civil qui la suivait en voiture à une distance raisonnable.

XLV

Village de la Jeune Lorette

L'après-midi tirait à sa fin lorsque Fanette aperçut les premières maisons du village, baignées dans une lumière ocre. L'air embaumait la résine et le foin fraîchement coupé. Des grillons stridulaient en chœur. Le bruit d'une cognée, les aboiements d'un chien, les cris d'enfants qui jouaient se faisaient écho dans une brise douce, qui rapportait des effluves de feu de bois et de pain grillé. *Quelle paix*, se dit Fanette, émue par la beauté simple de l'endroit. Le cheval allait au pas, comme s'il appréciait lui aussi le calme bucolique du chemin bordé de verges d'or.

Bientôt, le clocher de l'église apparut dans le ciel clair. Suivant les indications que sa sœur lui avait données, Fanette trouva sans peine la maison de bois, peinte de couleurs vives, où vivaient Amanda et sa famille. Elle vit à distance deux jeunes femmes, portant un chapeau de paille, qui travaillaient dans un potager. L'une d'elles avait un châle noué autour de son cou, d'où émergeait la tête rose d'un bébé, et repiquait des choux. Des mèches rousses dépassaient de sa coiffe. L'autre, dont deux tresses noires encadraient un visage à la peau mate et aux yeux en amande, était à genoux dans la terre et cueillait des tomates et des carottes, qu'elle plaçait ensuite dans un panier en osier. Les femmes étaient si absorbées par leur besogne qu'elles n'avaient pas entendu la voiture s'arrêter devant la maison. Fanette en descendit, les membres engourdis par le long voyage, la gorge serrée dans un étau. Elle voulut courir vers sa sœur, mais l'émotion la cloua sur place.

— Amanda !

Cette dernière leva la tête. Un sourire éclata sur son visage légèrement hâlé par le soleil. Elle se redressa, dénoua son châle et tendit son enfant à Lucie, puis se mit à courir. Son chapeau de paille s'envola dans sa course. Ses cheveux roux se répandirent sur ses épaules, captant les rayons du soleil. Les deux sœurs s'étreignirent, secouées par des rires et des sanglots, égrenant des mots sans suite.

࿐

Amanda et Fanette ne se quittaient pas d'une semelle. Elles éprouvaient le besoin de rester l'une près de l'autre, se tenant les mains ou une épaule, bavardant sans relâche ou se regardant en silence, les yeux brillants de larmes de joie. Lucie les observait discrètement, touchée par leur bonheur. Enfin, Amanda était arrivée au bout de ses peines. Quel plaisir de la voir si heureuse !

Lorsqu'il fut temps de coucher Marie-Awen, Fanette tint à la garder un peu plus longtemps dans ses bras. La petite, aux boucles noires et soyeuses et au visage rose et clair, la regardait avec de grands yeux, du même gris que ceux d'Amanda, tenant un doigt de sa tante serré dans son petit poing. Il y avait un tel abandon, une telle confiance dans ce regard que Fanette en fut remuée jusqu'à l'âme. Cette petite d'à peine huit mois semblait vouloir déjà absorber et comprendre les images chamarrées du monde.

— Elle te ressemble, murmura-t-elle à sa sœur.

— C'est ce que je me tue à dire à Amanda, mais elle prétend que Marie-Awen est mon portrait tout craché !

Les trois femmes se tournèrent vers Noël, qui venait d'entrer dans la maison.

Il revenait des champs. Sa chemise, dont il avait roulé les manches jusqu'aux coudes, était trempée de sueur. Son visage, aux traits réguliers et tannés par le soleil, était souriant. Fanette reconnut aussitôt le mari de sa sœur, dont celle-ci lui avait tant parlé dans ses lettres, au point où elle avait le sentiment de le connaître. Il lava son visage et ses mains à grande eau dans un évier de grès, puis les essuya avec un linge et s'avança vers la jeune femme en lui tendant la main.

— Ainsi, c'est vous, Fanette. Ma femme attendait ce moment depuis si longtemps.

Ses manières simples et affables plurent tout de suite à Fanette. Ses gestes tendres avec sa femme, la façon dont il lui prenait la taille, son regard loyal dénotaient une complicité et une affection profondes. *Comme cet homme est différent d'Alistair !* pensa-t-elle. L'évocation de celui qu'elle avait failli épouser mit un voile de tristesse sur la joie des retrouvailles, comme si elle avait évoqué un fantôme.

∽

Vers la fin de l'après-midi, Bertrand et Ian revinrent d'une expédition de pêche, apportant une nasse regorgeant de truites et de bars aux écailles rutilantes. Fanette fut frappée par les changements qui s'étaient produits chez l'adolescent. Toute trace d'enfance avait disparu de son visage, dans lequel on distinguait déjà les traits de l'homme qu'il allait devenir.

— Comme tu as grandi ! s'exclama-t-elle.

Ian fit un sourire timide.

— J'ai quelque chose à vous montrer, ma tante.

Il quitta la pièce et revint quelques minutes plus tard, tenant un objet dans la main, qu'il remit à Fanette. Cette dernière reconnut avec émotion le goéland sculpté par monsieur Dolbeau, qu'elle avait offert à l'adolescent juste avant leur départ de Québec dans des circonstances si dramatiques.

— Tu l'as gardé.

— Pour moi, ça représente la liberté, confia-t-il d'une voix qui avait mué et était devenue grave.

Ces quelques mots résumaient tout le chemin parcouru par Ian, et sa nouvelle maturité.

⌒◞

Le lendemain matin, une demi-heure avant le début de la cérémonie, Amanda, portant son enfant dans un panier d'osier bordé de dentelle blanche, sortit de la maison, accompagnée par Noël, Fanette, Ian et tout le reste de la famille.

Le petit cortège se rendit à pied vers l'église Notre-Dame-de-Lorette, qui se dressait, immaculée, dans le ciel d'un bleu éclatant. Le curé Vincent, qui attendait sur le parvis, les accueillit avec un grand sourire.

— Bienvenue dans notre nouvelle église ! dit-il avec une lueur de fierté dans ses yeux noirs.

Le prêtre traça un signe de croix sur le front de Marie-Awen, qui gigotait dans son panier, ses minuscules mains levées vers le ciel. Plusieurs villageois, vêtus de leurs plus beaux habits, s'approchaient de l'église, dont le prêtre ouvrit toutes grandes les portes.

— Entrez, entrez, vous êtes chez vous !

La famille de Marie-Awen entra la première. L'odeur de bois et de peinture fraîche se mêlait au parfum de l'encens et des roses blanches qui avaient été disposées au pied de l'autel. Fanette admira les courbes gracieuses de la nef, les fenêtres en ogive qui laissaient pénétrer une douce lumière. Difficile d'imaginer que cet endroit avait été la proie des flammes !

Le curé se dirigea vers les fonts baptismaux, situés à gauche de la nef et constitués d'une petite table sur laquelle une bassine remplie d'eau bénite avait été placée. Ian, à qui sa mère et Noël avaient demandé d'être le parrain de l'enfant, se tenait aux côtés de Fanette. Cette dernière avait pris le bébé dans ses bras. Après la profession de foi des catéchumènes, le prêtre aspergea l'enfant à trois reprises.

— Marie-Awen, je te baptise au nom du Père, et du Fils et du Saint-Esprit.

Le visage du bébé se crispa, laissant voir deux dents de lait qui commençaient à percer la gencive inférieure, mais les pleurs naissants s'éteignirent aussitôt que Fanette eut murmuré des mots apaisants dans son oreille. Le curé Vincent apposa le saint chrême sur le front de la nouvelle baptisée, qui fut revêtue ensuite d'une robe de baptême blanche, sertie de perles d'eau douce que Lucie avait brodées elle-même. Une fois la cérémonie terminée, le célébrant tendit un cierge allumé aux parents de Marie-Awen.

— Que la lumière du Christ accompagne votre enfant tout au long de sa vie.

Tit-Paul, l'enfant de chœur, courut aussitôt pour sonner la cloche. Amanda et Fanette échangèrent un regard où se lisait une joie profonde, mais aussi une sorte de soulagement. Les retrouvailles tant espérées entre les deux sœurs et ce baptême qui les couronnait de si belle façon n'avaient pas été assombris par le malheur. Pour la première fois depuis son évasion de la prison de Québec, Amanda avait le sentiment d'être vraiment libre. Le danger semblait s'être dissipé dans l'atmosphère sereine qui régnait dans l'église, grâce à la présence rassurante de son mari et du curé Vincent, et au milieu des visages amicaux des Hurons rassemblés pour l'événement. Rien de mal ne pouvait survenir en ce lieu béni, ce havre de paix rebâti grâce à la bonne volonté et au courage des villageois.

Dehors, le soleil était resplendissant. Amanda replaça le bonnet de Marie-Awen pour la protéger des rayons. La cloche résonnait joyeusement dans l'air cristallin, alors que les gens s'attardaient sur le parvis pour féliciter les parents de la baptisée, parler de l'abondance des récoltes et du beau temps qui persistait depuis plusieurs jours.

Soudain, tandis que la cloche de l'église sonnait à toute volée, Amanda aperçut un fiacre noir qui s'avançait dans le chemin, soulevant un nuage de poussière. Trois policiers à cheval l'escortaient. Une silhouette sombre se détacha dans la lumière aveuglante du midi. *Le coroner Duchesne.*

XLVI

Tout s'était figé, comme si le temps avait suspendu son cours. La cloche avait cessé de sonner. Amanda eut l'impression de revenir cinq ans en arrière, devant le parvis de l'église St. Patrick, à Québec : la même lumière implacable, dans laquelle se découpaient le fiacre noir, les silhouettes des policiers et l'ombre menaçante du coroner Duchesne. Fanette, debout à une vingtaine de pieds d'elle, lui avait crié : « Cours ! » Amanda s'était enfuie, prise en chasse par un policier monté, ressemblant à ceux qui accompagnaient le coroner aujourd'hui. Elle lui avait échappé, comme par miracle. Mais cinq ans plus tard, il n'y aurait pas de miracle. Pas d'échappatoire.

Les deux sœurs se rapprochèrent l'une de l'autre, dans un mouvement instinctif pour se protéger. Fanette comprit avec désespoir qu'elle avait dû être suivie sans s'en rendre compte. Il n'y avait pas d'autre explication à la présence du coroner Duchesne au village huron. Personne à part elle ne savait qu'Amanda s'y était réfugiée. Elle pensa au policier qu'elle avait aperçu faisant le guet près de la côte de la Montagne, et crut le reconnaître parmi les trois hommes qui escortaient le coroner. Une culpabilité atroce la traversa comme une dague.

Le coroner Duchesne s'avança, accompagné par les policiers montés, dans un cliquetis de harnais et d'armes. Noël s'avança à son tour, prêt à sacrifier sa vie pour défendre sa femme et son enfant. Tous les Hurons, sentant le danger qui menaçait comme un orage, formèrent un demi-cercle autour d'Amanda et de Marie-Awen, tel un rempart humain.

L'homme de loi s'arrêta, ses yeux durs comme de l'onyx fixés sur Amanda. Son haut-de-forme et sa redingote paraissaient incongrus parmi les centaines de chapeaux de feutre ornés d'une plume et les habits garnis de sequins et de franges qui faisaient des taches chamarrées.

Un petit homme descendit du fiacre. Il regarda autour de lui, clignant des yeux à cause du soleil. Amanda le regarda longuement. Elle ne savait pas qui était cet homme, ni la raison pour laquelle il était avec le coroner. Quelque chose dans ce visage sournois, ce regard fuyant, lui rappelait quelqu'un. Une scène lui revint. C'était un jour de brume, après sa fuite de la ferme des Cloutier. Elle sortait de l'étable appartenant aux Girard, transportant deux lourds seaux remplis de lait encore chaud. En levant les yeux, elle avait aperçu soudain un homme qui conduisait une charrette. Il lui faisait des signes de la main et lui souriait, mais son sourire était faux, empreint de malveillance. *Ernest Petitclerc, le bedeau.* Elle avait mis instinctivement une main sur son ventre, dont la rondeur commençait à se voir sous les plis de sa jupe de lin grossier. *Il se doute que je suis enceinte*, s'était-elle dit. À cet instant, elle avait compris que ses jours étaient comptés dans cette ferme, que le bedeau, qui avait la réputation d'être une mauvaise langue, s'empresserait de répandre la nouvelle à qui voudrait l'entendre, en commençant par le curé.

Et voilà que cet homme, qui avait gardé les mêmes traits mesquins, le même sourire hypocrite, se retrouvait devant elle, une main devant les yeux pour se protéger de la lumière, aux côtés du coroner Duchesne, son éternel persécuteur. Que faisait Ernest Petitclerc au village huron ? Que lui voulait-il à présent ? Ne lui avait-il pas fait suffisamment de mal ? Car Amanda était convaincue que c'était à cause du sacristain que les Girard avaient dû se résoudre à la chasser de leur maison, après qu'ils eurent été convoqués par le curé Normandeau. Combien de malheurs lui auraient été épargnés s'il ne l'avait pas trahie ainsi !

Un autre homme s'extirpa péniblement de la voiture. Il portait un béret et une soutane. *Le curé Normandeau.* Amanda se sentit défaillir. Sa vie défilait devant elle, comme lorsque l'on est sur le point de mourir. Fanette la soutint. Le prêtre, dont le visage rougeaud était couvert de sueur, s'épongea le front à l'aide d'un mouchoir. Le bedeau tourna la tête vers lui, la mine incertaine. Le curé lui tapota l'épaule, comme pour lui donner du courage.

Le coroner Duchesne prit la parole. Sa voix métallique se réverbérait à travers la futaie.

— Cet homme, dit-il en désignant le bedeau, prétend avoir été témoin du meurtre de Jean Bruneau.

La stupéfaction se lut sur le visage d'Amanda. Elle chercha le regard du sacristain, qui cilla et détourna les yeux. L'horrible souvenir du meurtre, le sang sur la neige blanche se mêlant aux lueurs rouges du soleil couchant, le couteau de Cloutier qui s'abattait sur le corps immobile, puis le hurlement des loups qui s'était élevé au moment où la lune sortait des nuages, toutes ces images reprenaient vie, mais Amanda ne se souvenait pas d'avoir vu le bedeau dans les parages. Pourquoi revenait-il, après toutes ces années, tel un fantôme malfaisant? La voix coupante du coroner la fit tressaillir.

— Dites ce que vous savez, ordonna-t-il au bedeau, qui était devenu blafard.

Le petit homme hésita, mais devant le regard impérieux de l'homme de loi, il n'eut d'autre choix que de parler.

— J'étais là, j'ai tout vu.

— Qu'est-ce que vous avez vu? s'impatienta le coroner.

Petitclerc poursuivit d'une voix chevrotante:

— Jacques Cloutier. Il courait après le pauvre Jean Bruneau. Il s'est jeté sur lui comme une bête sauvage et l'a assassiné à coups de couteau.

Amanda l'écoutait, suspendue à ses lèvres. Jusqu'à présent, il avait dit la vérité. Le sacristain finit par lever les yeux vers la jeune femme et la désigna d'une main tremblante.

— Elle s'est mise à courir dans l'autre direction. Je l'ai vue disparaître dans la forêt. Les loups ont commencé à hurler. J'ai eu peur, j'ai pris mes jambes à mon cou. Après, j'ai eu pitié du pauvre homme, je suis revenu sur mes pas. Jean Bruneau était mort. Son visage était blanc comme la lune, son manteau était déchiré, couvert de sang.

Sa voix était maintenant aussi ténue qu'un fil. Il se tourna vers le coroner.

— Amanda O'Brennan n'a rien à voir avec le meurtre. C'est Jacques Cloutier qui a tout fait. Je le jure devant Dieu.

Un long silence suivit la déclaration du sacristain. Tous les regards étaient tournés vers le coroner. Ce dernier fit quelques pas vers Amanda et s'arrêta à sa hauteur.

— Amanda O'Brennan, compte tenu du témoignage de cet homme, vous êtes désormais une femme libre. Je recommanderai à la Couronne d'instruire un nouveau procès afin que la vérité soit rétablie devant Dieu et les hommes.

Cinquième partie

L'affaire de l'empoisonneuse

XLVII

Montréal
Un an plus tard, avril 1864

Installée à son secrétaire, Fanette recopiait au propre un chapitre du feuilleton de sa tante, tandis que sa fille, penchée stu-
dieusement au-dessus d'un cahier, écrivait avec application des
phrases avec des lettres attachées, comme sa mère le lui avait
appris. Fanette lui jeta un regard attendri. La veille, Marie-
Rosalie avait perdu une dent de lait, que sa mère avait ensuite
pris soin de placer sous son oreiller avec une pièce de cinq sous.
Ce matin, dès son réveil, la fillette avait accouru vers Fanette en
affirmant que la fée des dents lui avait rendu visite et lui avait
donné une véritable fortune. Son sourire radieux avait dévoilé
l'incisive manquante, ce qui avait amusé et ému Fanette. Comme
Marie-Rosalie avait grandi ! Des cheveux blonds encadraient de
boucles soyeuses son visage aux traits délicats. Ses yeux marron
pétillaient d'intelligence. *Les yeux de son père*, songea Fanette avec
un serrement de cœur.

L'horloge sonna quatre heures. Fanette renonça à poursuivre
son travail. L'écriture de sa tante était de plus en plus difficile
à déchiffrer, sans compter les nombreuses ratures et les pâtés
d'encre qui couvraient les pages. Il lui faudrait encore une fois
la déranger afin d'éclaircir le sens d'un mot ou la tournure d'une
phrase. Madeleine, qui était d'une humeur massacrante depuis
quelque temps, l'accueillerait sans doute comme un chien dans
un jeu de quilles. Il y avait sûrement une explication à son comportement désagréable, mais ce n'était certes pas à sa nièce d'en
faire les frais.

Le chant modulé d'un merle parvint à Fanette, qui se leva et s'approcha de la fenêtre. L'oiseau à la poitrine orangée était perché sur une branche du tilleul qui se trouvait devant la maison et il s'égosillait. Le chant vif du merle la réconforta. C'était le premier signe du printemps, qui avait été tardif, cette année. Des bourgeons d'un vert tendre émergeaient, luisant dans la lumière blanche. Bientôt, les lilas refleuriraient et répandraient leur parfum suave et entêtant.

Le temps doux lui rappela la cérémonie du baptême de Marie-Awen, qui avait eu lieu l'année précédente. La journée avait été ensoleillée, de cette même lumière éclatante que celle qui régnait aujourd'hui. La frayeur qu'elle avait éprouvée en apercevant le coroner Duchesne devant l'église lui avait presque fait oublier l'heureux dénouement de cette histoire. Après que l'homme de loi eut prononcé ces mots brisant à jamais les chaînes invisibles qui tenaient sa sœur prisonnière : « Amanda O'Brennan, vous êtes désormais une femme libre », un nouveau procès s'était ouvert. Fanette avait tenté de retrouver Julien Vanier, le jeune avocat qui avait défendu sa sœur avec tant de dévouement durant son premier procès, mais elle avait appris avec regret qu'il avait quitté Québec. Elle avait donc demandé conseil à maître Hart, l'avoué de sa mère, qui lui avait recommandé un vieil avocat d'expérience. Ce dernier avait fort bien mené la défense. Le bedeau, Ernest Petit-clerc, avait témoigné en faveur d'Amanda. Le coroner Duchesne en personne s'était présenté au procès et avait reconnu publiquement son erreur. Il n'avait fallu au jury qu'une demi-heure pour arrêter son verdict : non coupable. *Non coupable.* Jamais Fanette n'oublierait le visage rayonnant d'Amanda, la joie et le soulagement de son mari et de toute la famille Picard, sans compter la présence d'un bon nombre de villageois de la Jeune Lorette qui avaient tenu à assister au procès et s'étaient levés en poussant des cris de réjouissance après l'énoncé du jugement, au point où le juge avait dû ramener l'ordre en frappant le pupitre avec son maillet.

Les deux sœurs s'étaient souvent écrit depuis, et rendu régulièrement visite. Deux autres bonnes nouvelles avaient réjoui

Fanette : sa sœur attendait un autre enfant, et Ian, qui allait sur ses quinze ans, avait été promu matelot léger et accomplissait des tâches dévolues généralement à de jeunes gens d'au moins dix-huit ans.

Comme Amanda mérite d'être heureuse ! Cette réflexion la ramena à sa propre situation. Un sentiment de tristesse teinté de frustration s'empara d'elle. La première année, son existence à Montréal lui avait paru remplie de promesses, mais le temps avait passé et, à vingt-quatre ans, elle avait l'impression de n'avoir encore rien accompli. Bien qu'elle n'eût jamais reparlé à sa tante de son rêve de devenir journaliste, elle n'avait cessé d'y penser. Elle s'était même procuré un cahier en moleskine dans lequel elle notait au fil des jours ses réflexions, ses observations sur les petits moments de la vie quotidienne, les faits et gestes dont elle était témoin lors de ses promenades solitaires, les événements de l'actualité qui l'avaient frappée. Elle se disait que, plus tard, cela lui servirait peut-être, mais rien de tout cela ne lui avait été utile. Et puis elle devait s'avouer que la solitude lui pesait. Elle adorait sa fille et était attachée à sa tante, malgré le caractère difficile de celle-ci, mais elle craignait parfois de ne plus jamais rencontrer l'amour. Les visites hebdomadaires du docteur Brissette lui faisaient plaisir, sans lui faire battre le cœur. Certaines nuits, elle se réveillait, contemplant la place vide à côté d'elle, et rêvait d'un corps d'homme contre lequel elle pourrait se blottir, de caresses qui lui feraient oublier ses tracas et la transporteraient dans un monde de plaisir et de tendresse. La voix impérieuse de sa tante interrompit ses songeries.

— Fanette !

La jeune femme contint un soupir. Elle revint vers son secrétaire, prit les pages du manuscrit qu'elle avait déjà recopiées et sortit de la pièce, se promettant d'avoir une explication avec sa tante si celle-ci se montrait encore une fois désagréable avec elle.

Lorsque Fanette entra dans la pièce octogonale qui servait de bureau à sa tante, elle fut accueillie par un « Ce n'est pas trop tôt ! » tonitruant. Madeleine, la coiffure et la mise en désordre, arborait son visage des mauvais jours. Fanette compta avec anxiété le nombre de boules de papier qui gisaient sur le plancher.

— Alors, la révision du manuscrit, ça avance ? dit Madeleine d'une voix rogue.

— J'ai terminé de transcrire vos trois derniers chapitres, mais quelques mots sont illisibles.

— Comment ça, illisibles ? J'ai une excellente main d'écriture !

Fanette s'efforça de rester patiente.

— Regardez par vous-même.

Elle lui désigna un mot au milieu d'une page. Madeleine ajusta ses bésicles et jeta un coup d'œil au feuillet.

— Mais c'est un N, voyons ! Ça se voit comme un nez au milieu du visage !

Fanette serra les lèvres, puis se décida à parler.

— Ma tante, ça ne peut plus continuer ainsi.

Madeleine regarda sa nièce, interloquée.

— Quoi donc ?

— Votre attitude à mon égard. Cela fait des mois que je travaille d'arrache-pied à recopier votre feuilleton, à répondre à vos lecteurs, à faire vos courses, à acquitter vos comptes, à vous encourager dans vos moments d'abattement, et j'en passe. Tout ce que je récolte, ce sont des remontrances. Jamais un merci ou une parole d'encouragement. À défaut de respect, je souhaiterais au moins avoir droit à un peu de gentillesse de votre part.

Fanette avait livré sa tirade d'un trait. Un peu de rougeur lui monta aux joues. Le front de Madeleine s'était plissé pendant que sa nièce se vidait le cœur. Elle remit lentement sa plume dans son socle, se racla la gorge, puis enleva ses lunettes, qu'elle déposa sur sa table de travail. Ses yeux étaient battus. Des fils argentés, que Fanette n'avait pas remarqués auparavant, striaient sa chevelure.

— Je ne m'étais pas rendu compte à quel point j'étais insupportable. Sache que j'ai le plus grand respect pour toi, même si je ne te le montre pas suffisamment. Tu es intelligente, efficace, généreuse, patiente, en d'autres mots, tu as toutes les qualités que je pouvais espérer d'une nièce et d'une secrétaire particulière. Mais tu es encore beaucoup plus que cela. Tu es attachante et sincère. J'espère de tout cœur que tu me pardonneras, et que tu me laisseras la chance de faire amende honorable. La pire chose qui pourrait m'arriver serait de te perdre.

Madeleine avait fait son mea-culpa sans pathos, d'une voix étonnamment douce. Fanette en fut remuée.

— Bien sûr, ma tante.

Remettant ses lunettes, Madeleine reprit les feuillets et les examina de nouveau.

— Si je te rends la vie si difficile depuis quelque temps, c'est que je déteste chaque mot que j'écris. J'ai beau m'enchaîner chaque jour à mon pupitre et y rester pendant des heures, l'inspiration ne vient pas. Les mots sortent au compte-gouttes. Et lorsque je réussis enfin à compléter un paragraphe, je le relis et le jette tellement il est mauvais.

— Vous m'avez souvent dit qu'un écrivain qui n'éprouvait pas de doutes n'était pas digne de ce nom.

— Ce n'est plus de doute qu'il s'agit, ma chère Fanette. J'ai l'impression d'avoir perdu le feu sacré. Tout ce qui sort de ma plume est plat, insipide, sans vie. Même le titre de mon feuilleton, *La Pension de la veuve Leclerc*, est d'un ennui mortel.

Fanette était trop embarrassée pour répondre. Elle ne voulait pas blesser sa tante, qui, sous ses manières de matamore, souffrait d'un profond manque de confiance en elle. Mais elle devait reconnaître que le style de son dernier feuilleton était ampoulé, conventionnel, comme si la romancière s'était efforcée d'entrer dans un moule qui ne lui ressemblait pas.

— Je vois bien à ta mine que j'ai raison, renchérit Madeleine.

Elle caressa distraitement la tête de sa chienne George, qui était installée aux pieds de sa maîtresse, comme elle le faisait souvent.

— En acceptant de mettre de l'eau dans mon vin pour satisfaire à la morale chrétienne, j'ai sacrifié mon intégrité. Lorsque j'écris, je sens l'ombre de monseigneur Bourget penchée au-dessus de mon épaule pour surveiller chaque mot que je trace sur le papier. Chaque fois que je m'assois à mon secrétaire, j'ai l'estomac noué, le cerveau paralysé, les mains moites. Je peux passer une heure à remanier la même phrase, sans l'ombre d'une satisfaction.

Des larmes d'impuissance lui vinrent aux yeux.

— Tu m'as dit, en me parlant de mon comportement : « Ça ne peut plus continuer ainsi. » Tu as raison. Si je poursuis l'écriture de ce feuilleton, je deviendrai folle.

— Que puis-je faire pour vous être utile ? demanda Fanette, malheureuse pour sa tante.

— Rien, ma pauvre Fanette. C'est à moi d'agir.

Madeleine s'empara des feuillets et les lança dans les airs. George se redressa et se mit à aboyer en frétillant de la queue. La chienne basset parvint à attraper une feuille, qu'elle déchira à belles dents sous le regard consterné de Fanette.

— Monsieur Laflèche attendait votre nouveau chapitre pour demain, s'objecta la jeune femme, anxieuse.

— Au diable Point final ! s'exclama Madeleine. La veuve Leclerc mourra d'un infarctus et j'en aurai fini avec ce misérable feuilleton !

Juste comme elle terminait sa phrase, on sonna à la porte. Après un moment, Berthe entra dans la pièce, un papier à la main.

— Un télégramme pour vous, madame Madeleine.

Celle-ci le saisit et le parcourut.

Madame Portelance, je vous donne rendez-vous à mon bureau, demain matin, à sept heures précises. Soyez à l'heure. Prosper Laflèche.

La coïncidence était si étonnante que Madeleine se demanda si son patron n'avait pas un don de double vue. Elle tendit le télégramme à sa nièce en silence.

— Que vous veut-il ? s'enquit Fanette, intriguée.

— Je n'en ai pas la moindre idée, mais je mettrais ma main au feu qu'il ne me convoque pas de si bonne heure pour me parler de la pluie et du beau temps. De plus, il sait très bien que j'écris la nuit et que j'ai du mal à me lever tôt le matin. Tout cela est de mauvais augure.

Elle froissa le télégramme et le jeta dans un panier.

— En tout cas, s'il veut me demander de mettre encore de l'eau dans mon vin, ou pire, m'annoncer qu'il me jette à la porte, eh bien, je ne lui laisserai pas ce plaisir. Je lui rendrai mon tablier avant qu'il me renvoie. J'ai fait suffisamment de concessions comme cela, ça suffit ! *Basta !*

Sur ces mots, elle quitta la pièce dans un froufrou de jupes, George sur ses talons. Fanette se pencha pour ramasser les feuillets épars, s'interrogeant avec inquiétude sur le sort qui attendait sa tante.

XLVIII

Madeleine se leva à l'aube. La veille, avant d'aller dormir, elle avait demandé à Berthe de la réveiller à six heures, de crainte de passer tout droit, car elle avait pris un peu de chloroforme pour combattre son insomnie. Pas question de laisser à son patron le plaisir de la prendre en défaut ! Elle mit un soin particulier à sa toilette et prit même la peine de se poudrer, ce qu'elle faisait rarement, comme un condamné à mort qui cherche à quitter ce monde avec le plus de dignité possible, puis elle se rendit à l'écurie pour faire atteler sa calèche. Alcidor, qui n'avait pas l'habitude de voir sa maîtresse habillée avec tant d'élégance, en fut bouche bée.

— On dirait que vous vous rendez à des noces ! s'exclama-t-il.

— Je vais plutôt à un enterrement, répliqua-t-elle, pince-sans-rire.

⁓

C'était la première fois que Madeleine se rendait si tôt au journal. La salle de rédaction était étrangement calme. Plusieurs pupitres étaient vides, et les quelques journalistes présents parlaient à mi-voix. Seuls quelques *press boys*, qui vendaient les journaux à la criée, entraient et sortaient de la pièce, portant une pile de journaux à bout de bras afin de les vendre dans la rue.

Madeleine s'avança vers le bureau de Point final, se préparant au pire. C'est à peine si elle remarqua Arsène Gagnon, qui, installé derrière son pupitre, une plume à l'oreille, la dévisageait avec une hostilité non déguisée.

— Bon courage, dit-il avec un sourire malveillant.

En entrant dans la pièce, elle constata que le pupitre de Prosper Laflèche était encombré comme d'habitude. La même odeur désagréable de tabac refroidi flottait dans l'air confiné. Le rédacteur en chef relisait un article, la mine renfrognée.

— Pour une fois, vous êtes à l'heure, marmonna Laflèche sans la regarder. Assoyez-vous.

Madeleine fit ce qu'il demandait.

— Je ne vous surprendrai pas en vous disant que votre dernier feuilleton n'a pas le succès de *Perdition*, tant s'en faut.

Ça y est, le couperet n'est pas loin, songea Madeleine.

— Eh bien, je…

— Nous avons perdu plusieurs centaines d'abonnés. Je n'ai pas de félicitations à vous faire.

Il s'empara de lettres, qu'il jeta devant elle.

— Des lecteurs se plaignent de la platitude de vos intrigues, de l'ennui que distillent les personnages. Vous nous aviez habitués à plus de verve, de rebondissements. Où est l'auteur de *Perdition*? Où est sa plume qui faisait rêver les lecteurs et vendre de la copie?

— C'est vous qui avez exigé que je mette de l'eau dans mon vin pour ne pas offusquer monseigneur Bourget!

— Pas au point de rendre votre feuilleton insipide!

Madeleine se leva. Les plumes de son chapeau s'agitèrent dans son mouvement.

— J'en ai assez entendu. Puisque mon feuilleton est si insipide, eh bien, mettez fin à mon contrat.

— Assoyez-vous, je n'ai pas terminé! aboya le patron.

Interdite, Madeleine reprit lentement sa place. Prosper Laflèche sortit sa pipe et la cura d'un geste impatient. Après l'avoir nettoyée, il la bourra de tabac de mauvaise qualité, puis prit une allumette, qu'il frotta sur son pupitre. On aurait dit qu'il faisait exprès pour faire languir Marguerite. Celle-ci eut la tentation de se lever de nouveau et de quitter le bureau pour ne plus jamais y revenir, mais elle n'en fit rien, saisie soudain par un profond abattement. *Advienne que pourra !* Laflèche alluma sa pipe en émettant un nuage de fumée malodorante autour de lui. Puis il déclara :

— J'ai une proposition à vous faire.

Après l'avalanche de remontrances que son patron avait assenées, Madeleine s'attendait à tout sauf à une offre. Tâchant de ne pas montrer sa surprise et sa curiosité, elle répondit, avec une nonchalance feinte :

— Je vous écoute.

— Un grand procès, celui d'Aimée Durand, une jeune femme accusée d'avoir empoisonné son mari, commence demain, à la cour du banc de la reine. Que diriez-vous de le couvrir à titre de reporter judiciaire ?

Madeleine écarquilla les yeux, stupéfaite. Cette offre était aussi inespérée qu'inattendue, car les chroniques judiciaires étaient fort appréciées des lecteurs et figuraient presque toujours en manchette. Jamais Laflèche n'avait engagé de femmes journalistes et il proclamait sur tous les toits qu'on lui marcherait sur le corps avant qu'il accepte qu'une femme travaille pour lui en tant que reporter. Elle n'arrivait pas à croire à sa chance. C'était sans doute une mauvaise blague de la part de son patron.

— Votre reporter judiciaire n'est-il pas Arsène Gagnon ? demanda-t-elle, prudente.

Le rédacteur en chef fit la moue.

— Gagnon est ennuyeux comme la pluie. Il manque, comment dire… de sens dramatique. Pour être franc, ses articles sont aussi intéressants qu'un avis de décès. De votre part, j'attends de l'action, du drame, des coups de théâtre, des larmes, du sang !

Un sourire se dessina sur le visage de la romancière. Elle détestait Arsène Gagnon à s'en confesser, et elle n'était pas mécontente d'entendre une critique aussi sévère à son sujet, surtout de la part de Point final. Elle fut tentée d'accepter l'offre immédiatement, mais se raisonna : il valait mieux ne pas trop montrer son intérêt pour faire grimper un peu les enchères.

— Vous me prenez de court, monsieur Laflèche. J'aimerais avoir un peu de temps pour réfléchir à votre offre.

— Je veux votre réponse tout de suite, répliqua-t-il sèchement. Je n'ai pas de temps à perdre. Le procès commence demain.

Madeleine plissa les lèvres. *Décidément, c'est un autocrate et un goujat de la pire espèce*, pensa-t-elle. Mais elle répondit d'un ton suave :

— Très bien. J'accepte, mais à deux conditions.

Le rédacteur en chef fronça ses sourcils épais, qui formèrent une ligne courroucée au-dessus de son arcade sourcilière.

— Je veux être payée trois sous par ligne de texte.

— Jamais. C'est un cent de plus que le salaire de Gagnon.

— Vous pensez que je vaux plus que lui, sinon vous ne m'auriez pas demandé de le remplacer pour couvrir ce procès.

Le rédacteur donna un coup de poing sur la table.

— Les poules auront des dents avant que je paie un salaire plus élevé à une femme qu'à un homme !

— Je refuse d'accepter de faire le même travail qu'un homme pour un salaire inférieur tout simplement parce que je ne porte pas de pantalon ! Enfin, pas toujours, ajouta-t-elle avec un air goguenard.

Laflèche fulminait. Il passa près d'envoyer promener cette femme insupportable, qui s'habillait parfois en homme, fumait le cigare et osait le défier alors que même ses reporters les plus chevronnés ne s'y risquaient pas, mais il avait besoin de donner un coup de barre à son journal, de reconquérir le lectorat perdu, et savait que Madeleine Portelance avait le talent pour y parvenir.

— Deux sous, c'est mon dernier mot.

C'était exactement le salaire de Gagnon. Madeleine comprit que Laflèche, afin de sauver la face, ne lui accorderait pas un sou de plus. Le fait même qu'il lui offre une chronique de premier plan était déjà un précédent inouï.

— Très bien, j'accepte.

Satisfait, le rédacteur en chef déposa un contrat devant Madeleine.

— Topez là ! Signez au bas de la page, à gauche.

Il lui tendit une plume, que Madeleine saisit, mais elle n'apposa pas tout de suite sa signature.

— Vous oubliez ma seconde condition, monsieur Laflèche.

Ce dernier s'enfonça dans son fauteuil, la mine contrariée.

— Je voudrais signer mes chroniques de mon vrai nom.

Laflèche éclata.

— Cette fois, vous dépassez les bornes ! Les femmes n'ont aucune crédibilité ! Voulez-vous m'acculer à la faillite ?

— Dans ce cas, pourquoi voulez-vous m'engager ?

— Parce que vous êtes un homme !

Les mots avaient jailli spontanément de sa bouche. Le patron rougit, ce qui ne lui arrivait jamais. Blessée, Madeleine enleva brusquement son chapeau et l'envoya valser par terre. Une plume se détacha et voleta gracieusement dans la pièce. Le chignon de la romancière se défit et ses cheveux poivre et sel se répandirent sur ses épaules.

— Un homme, vraiment ?

Le rédacteur en chef se racla la gorge.

— Je veux dire que les lecteurs vous connaissent sous votre nom de plume, Jacques Gallant.

— Il est plus que temps que mes lecteurs découvrent qui se cache derrière mon pseudonyme.

— Il n'en est pas question.

— Cette révélation fera sensation et pourrait même vous faire vendre encore plus de copies.

— Ou bien le contraire, la coupa froidement Laflèche. Les lecteurs se sentiront bernés et cesseront d'acheter le journal.

Sur le moment, Madeleine ne trouva rien à répondre. Pourquoi était-elle condamnée à signer ses écrits d'un nom d'homme alors qu'Arsène Gagnon, qui avait moins de talent qu'elle, avait le privilège d'apposer son nom sous chacun de ses articles tout simplement parce qu'il était de sexe masculin ?

— J'aurais dû naître un homme, finit-elle par dire, la gorge serrée.

Il y avait une telle douleur dans son regard que Prosper Laflèche en fut touché malgré lui.

— Je suis le patron d'un journal populaire, pas un révolutionnaire. Comptez-vous privilégiée que je vous engage comme reporter, même sous un pseudonyme.

Madeleine garda un long silence, puis s'empara de la plume et parapha le contrat. Malgré sa déception de ne pas avoir obtenu de signer ses articles de son vrai nom, elle éprouva soudain une joie et une fierté indicibles. Elle, Madeleine Portelance, avait enfin une chance de prouver qu'elle avait autant, sinon plus de talent qu'un homme.

— Demain, à la première heure, rendez-vous au palais de justice, annonça le rédacteur en chef. N'oubliez pas : je veux du drame, des pleurs, des grincements de dents, tout le bazar. Si votre article ne casse pas la baraque, je déchire votre contrat, point final !

Madeleine ramassa son chapeau, le remit sur sa tête sans prendre la peine de lui redonner sa forme et de l'épousseter, puis sortit avec l'impression de marcher sur un nuage. Arsène Gagnon l'examina au passage et remarqua son chapeau, qui semblait en mauvais état.

— Alors, le patron vous a renvoyée ? susurra-t-il d'un ton faussement compatissant.

Madeleine le gratifia d'un sourire triomphant.

— Il m'a confié la couverture du procès d'Aimée Durand. Que voulez-vous, il paraît que j'ai une plume moins soporifique que la vôtre. Au revoir, cher collègue.

Gagnon resta sans voix. Il n'arrivait pas à croire que le patron lui avait enlevé l'affaire de l'empoisonneuse pour la donner à cette harpie en jupons. *Ça ne se passera pas comme ça…*

Il se rendit au bureau de Laflèche.

— Patron, je viens d'entendre une bonne blague. Madeleine Portelance prétend que vous lui avez confié la couverture du procès d'Aimée Durand.

Prosper Laflèche prit une bouffée de sa pipe sans même lever la tête.

— Ce n'est pas une blague.

— Mais patron, vous n'y songez pas ! Une femme…

— … Une femme qui signera ses articles Jacques Gallant.

— Et moi ? Qu'est-ce que je vais devenir ?

— Tu couvriras la politique municipale.

— Autrement dit, les chiens écrasés ! s'exclama Gagnon, furieux.

— Si tu n'es pas content, je t'invite à trouver un emploi ailleurs.

Le reporter fut sur le point de donner sa démission, mais réussit à contrôler sa rage. Rien ne servait de perdre son sang-froid. Il trouverait bien un moyen de damer le pion à sa rivale.

XLIX

Lorsque Fanette entendit la calèche rouler dans la cour, elle prépara mentalement des mots de consolation et de réconfort afin de remonter le moral de sa tante. En l'apercevant qui descendait de sa voiture, elle fut saisie par sa mine solennelle.

— Ma chère nièce, déclara Madeleine, tu ne devineras jamais ce qui m'arrive.

Elle fit quelques pas vers la jeune femme, puis s'arrêta à sa hauteur, posant sur sa nièce ses yeux noirs fiévreux.

— Point final m'a engagée comme reporter judiciaire. Je couvrirai le procès d'Aimée Durand, accusée d'avoir empoisonné son mari. Le procès commence demain matin. Mon enfant, c'est la consécration de tous mes efforts !

Saisissant une main de Fanette, elle l'entraîna ensuite dans une valse endiablée, sous le regard ébahi d'Alcidor, qui se demandait si sa pauvre maîtresse n'avait pas une araignée dans le plafond.

— Tu te rends compte ? Reporter judiciaire, au nez et à la barbe de cet imbécile d'Arsène Gagnon ! Quelle joie ! Quel triomphe ! poursuivit-elle en s'affalant sur un banc. Quelle victoire sur la médiocrité ! Ah, ma chère Fanette, il y avait longtemps que je m'étais sentie aussi comblée !

— Je vous félicite, ma tante. J'en suis vraiment heureuse pour vous.

Bien que Fanette se réjouît de cette bonne nouvelle, elle avait néanmoins le cœur gros en pensant à sa propre situation. Il lui semblait que son horizon devenait de plus en plus étroit.

— Ma tante, j'aurais une faveur à vous demander.

— Je t'écoute, ma chère nièce.

— Puis-je vous accompagner au procès ? Je pourrais prendre des notes, vous donner un coup de main dans vos recherches.

— Excellente idée ! approuva Madeleine.

⁕

Le soir tombait lorsque Oscar Lemoyne descendit de la diligence, les jambes ankylosées à cause du long voyage de Québec à Montréal. Durant le trajet, il avait songé avec excitation à « l'affaire de l'empoisonneuse », comme on l'appelait déjà. Il n'avait pas eu trop de mal à convaincre son patron de l'envoyer à Montréal pour couvrir le procès d'Aimée Durand, qui était soupçonnée d'avoir empoisonné son mari à l'arsenic. Le jeune âge de l'accusée, qui n'avait que dix-neuf ans, ainsi que l'horreur du crime attisaient la curiosité du public, assoiffé de faits divers. L'affaire avait eu du retentissement jusqu'aux États-Unis, où des journaux avaient déjà publié quelques articles sur « *The female poisener* ».

Le jeune reporter prit sa valise de carton bouilli, que le cocher avait déposée par terre avec d'autres bagages, et marcha en direction du quartier Saint-Antoine, où se trouvait le nouveau logement de son oncle. Le ciel sombre était hachuré par des immeubles que des hirondelles survolaient en poussant des cris aigus. Il se mit à siffloter, heureux de retrouver les rues encombrées de Montréal, l'atmosphère fébrile qui y régnait, le mouvement incessant des voitures, la lumière orangée des réverbères. Il avait gardé un attachement particulier pour cette ville dans laquelle il avait grandi, après la mort de ses parents dans un terrible incendie. Il s'était toujours demandé ce qu'il serait devenu si son oncle ne l'avait pas si généreusement accueilli. *J'aurais sûrement mal tourné, comme le pauvre Antoine*, songea-t-il. La pensée de son ancien protégé l'attrista. La dernière fois qu'il l'avait vu, c'était justement à Montréal, dans une rue obscure, la nuit. Jamais il n'oublierait le regard féroce de l'adolescent, la lueur du couteau qu'il tenait dans son poing, alors que la bande de voyous dont il était visiblement le chef n'attendait qu'un signe de sa part pour lui faire un mauvais parti.

Le logement de son oncle était situé au premier étage d'une imprimerie, dans la rue Saint-Vincent. Après la perte de son ancien journal, qui avait été fermé par la police sous prétexte de propos séditieux, et un séjour de quelques mois en prison, il avait pu reprendre ses activités grâce à des amis de l'Institut canadien, dont il était membre, qui s'étaient cotisés et l'avaient aidé à faire l'acquisition d'une vieille imprimerie.

Oscar monta l'escalier en colimaçon et frappa à la porte. Personne ne vint répondre. Il redescendit et entra dans l'imprimerie, en se disant que son oncle y travaillait peut-être, malgré l'heure tardive. Son hypothèse se vérifia. Un homme aux cheveux blancs, penché au-dessus d'une petite presse à bras, était en train d'imprimer un document. Lorsqu'il aperçut son neveu, le vieil homme poussa une exclamation joyeuse :

— Mon petit Oscar !

Il serra son neveu dans ses bras avec une vigueur étonnante pour son âge, puis lui frotta affectueusement la tête, lui ébouriffant les cheveux.

— Je suis content de te revoir. As-tu fait bon voyage ?

— Excellent.

Oscar eut à peine le temps de déposer sa valise par terre que son oncle lui tendait le papier qu'il venait d'imprimer. L'encre était encore toute fraîche.

— C'est mon nouveau journal, *Le Phare*. Tiens, lis cet article et dis-moi ce que tu en penses.

Oscar le parcourut et ne put s'empêcher de sourire. Dans son papier, Victor prenait la défense de l'Institut canadien et de sa bibliothèque composée de livres à l'Index, au risque de s'attirer les foudres de monseigneur Bourget, l'archevêque de Montréal, qui avait déjà menacé les membres de l'Institut d'excommunication s'ils persistaient à avoir des « livres maudits », comme il les surnommait, dans leur bibliothèque. Son oncle n'avait pas changé : toujours aussi combatif et pugnace ! Même son séjour en prison ne l'avait pas assagi, bien au contraire.

— Alors ? demanda l'oncle.

— Vous n'avez pas peur d'être excommunié ?

Victor éclata d'un rire sonore.

— Eh bien ! j'irai chez le diable, et j'apporterai quelques livres à l'Index pour me tenir compagnie !

Le jeune journaliste hocha la tête, à la fois admiratif et inquiet. Monseigneur Bourget n'entendait pas à la plaisanterie. Lorsque le prélat prendrait connaissance de l'article, il ne manquerait pas de dénoncer son oncle en chaire. Ce dernier, qui se disait agnostique, se moquait bien d'être l'objet d'excommunication, mais monseigneur Bourget avait le bras long et il réussirait peut-être à obtenir une fois de plus la fermeture de l'imprimerie, ou pire, l'emprisonnement de son parent. Victor donna une tape paternelle sur l'épaule de son neveu.

— Ne t'inquiète pas pour ton vieil oncle. Il en a vu d'autres !

Prenant Oscar par le bras, il l'entraîna vers un escalier intérieur qui menait au premier étage. Il installa son neveu dans une petite chambre où se trouvaient un lit étroit, une chaise et une commode branlante. Des piles de journaux et des rouleaux de papier avaient été déposés contre un mur sans fenêtre. L'odeur d'encre et de papier était omniprésente.

— Comme tu vois, c'est loin d'être un palace, mais c'est tout ce que je puis t'offrir.

— Ce sera parfait pour moi, mon oncle.

Oscar déposa sa valise sur la chaise. Le manque de confort ne le dérangeait pas tant il était heureux de retrouver son cher parent. Et c'était sans compter le procès d'Aimée Durand, qui commençait le lendemain et promettait d'être passionnant.

L

Le lendemain, Fanette fut réveillée dès l'aube par sa tante, qui était déjà habillée de pied en cap.

— Allons, debout les morts !

Les yeux encore battus par le sommeil, la jeune femme s'extirpa du lit et s'habilla à la hâte après avoir fait une toilette sommaire. Elle mangea rapidement un peu de soupane encore fumante que Berthe venait de confectionner, puis retourna à sa chambre pour y prendre un carnet de notes et un crayon. Marie-Rosalie était réveillée.

— Où vas-tu, maman ?

— J'accompagne ta grand-tante au palais de justice.

— Pour quoi faire ?

— Pour assister à un procès.

— Qu'est-ce que c'est, un procès ?

Sa fille était à l'âge où l'on pose des questions sur tout.

— Des citoyens, qu'on appelle un jury, sont choisis pour juger une personne accusée d'un crime. Et le juge, un monsieur âgé, portant une perruque blanche et une robe noire, préside l'audience.

— Pourquoi le juge porte une perruque blanche et une robe noire ?

La voix de Madeleine retentit.

— Fanette, dépêche-toi, je ne veux surtout pas être en retard !

Fanette embrassa sa fille.

— Je te raconterai tout à mon retour. Sois gentille avec Berthe, ne la fais pas trop courir.

꒰ꕥ꒱

Il y avait foule devant le palais de justice. Les voitures formaient une queue interminable devant le majestueux portique, soutenu par des colonnes ioniques de style gréco-romain. Madeleine eut du mal à garer sa calèche, mais trouva finalement une place dans une ruelle adjacente à la rue Notre-Dame.

Une foule tout aussi nombreuse se pressait dans l'escalier menant à la salle d'audience. Les deux femmes s'y frayèrent péniblement un chemin. Une voix s'éleva soudain derrière elles.

— Mes salutations, mesdames.

Madeleine se retourna et reconnut Arsène Gagnon.

— Décidément, ce procès attire du monde comme le miel attire les mouches, remarqua-t-elle, sarcastique.

Le reporter ignora sa rivale et s'adressa à Fanette, en adoptant une attitude galante.

— Une cour d'assises n'est pas un lieu pour une jolie femme comme vous, fit-il en lissant sa moustache mince.

— Aucune loi n'interdit à une femme d'assister à un procès, rétorqua Fanette.

Il pinça les lèvres et disparut dans la mêlée.

꒰ꕥ꒱

Le balcon réservé aux dames était déjà rempli à craquer. Surchauffée par deux gros poêles placés de part et d'autre de la tribune, la salle d'audience était chargée d'une odeur de tabac et de charbon de bois. Madeleine et Fanette parvinrent à dénicher deux places libres dans la dernière rangée. C'était à peine si elles pouvaient entrevoir le prétoire, à moitié caché par les chapeaux des femmes assises devant elles. Madeleine pesta et sortit des jumelles de sa bourse. L'instrument, de petite dimension et muni d'un manche, lui servait habituellement lorsqu'elle assistait à un concert ou à un opéra.

— Ainsi, je pourrai voir l'accusée et les avocats de plus près, expliqua-t-elle à Fanette, en se bénissant elle-même d'avoir pensé à l'apporter.

En examinant le parterre avec ses jumelles, Madeleine aperçut Arsène Gagnon qui prenait place dans la rangée réservée aux journalistes. Il fumait un cigare avec ostentation et faisait des œillades grossières à une jeune femme qui était assise à l'avant du balcon. La romancière se demanda ce que le reporter venait faire au palais de justice, étant donné que le patron lui avait enlevé la couverture du procès, et regretta amèrement de ne pas avoir revêtu son costume d'homme, ce qui lui aurait permis de s'asseoir parmi ses confrères et d'en savoir davantage sur ses intentions. Elle se promit de le faire pour la séance du lendemain.

— Tiens, jette un coup d'œil, dit-elle à sa nièce en lui tendant les jumelles.

Fanette s'en saisit et observa la salle d'audience avec curiosité. Elle vit, debout non loin de la tribune, une silhouette qui lui sembla familière. *Oscar Lemoyne*. Le jeune reporter n'avait pas réussi à trouver une chaise libre, mais il prenait fébrilement des notes, le dos appuyé à une balustrade.

— Debout ! Monsieur le juge James Lindsay préside. La séance est ouverte. Dieu protège la reine ! prononça le crieur d'une voix forte.

L'assistance se leva tandis que le juge Lindsay entrait dans la salle. Un silence respectueux accueillit le magistrat. Celui-ci portait une perruque, une longue barbe et des favoris blancs qui contrastaient avec sa toge noire et lui donnaient de la prestance. Le souvenir du procès de Jacques Cloutier revint à la mémoire de Fanette. La même chaleur régnait alors, une atmosphère à la fois solennelle et étouffante.

Des murmures se firent entendre. Aimée Durand, menottée et entourée de deux gardiens, venait de prendre place dans le box des accusés. Madeleine reprit ses jumelles et observa la prisonnière de plus près. Sa première impression ne fut guère favorable.

La jeune femme arborait une mine placide, presque maussade, qui n'attirait pas la sympathie. Quelqu'un cria :

— Mort à l'empoisonneuse !

Une autre voix lança aussitôt :

— À la potence !

— Silence ! tonna le crieur.

Le calme se rétablit peu à peu. Les douze membres du jury s'installèrent sur leur banc. Puis ce fut au tour des avocats de la Couronne et de la défense de s'asseoir. Madeleine redonna les jumelles à sa nièce afin d'écrire ses premières impressions plus à son aise. Fanette examina d'abord l'accusée. Cette dernière, portant une tenue de deuil, gardait les yeux baissés. Ses poignets étaient enchaînés. Son visage, que des pommettes saillantes et des yeux légèrement bridés rendaient presque attrayant, était quelque peu marqué par la vérole. Il était difficile d'imaginer que cette jeune femme, à peine sortie de l'adolescence, aurait été capable d'empoisonner son mari.

Déplaçant les jumelles vers la droite du tribunal, Fanette remarqua un homme au front haut et pâle, dont les cheveux châtains tombaient en boucles sur son col blanc. Son visage aux traits énergiques trahissait une certaine anxiété. *Je connais cet homme*, se dit Fanette. Puis elle le replaça soudain. L'émotion lui serra la gorge. C'était Julien Vanier, l'avocat qui avait défendu Amanda lorsqu'elle avait été accusée du meurtre de Jean Bruneau.

LI

Julien Vanier n'avait pas changé. Seule une sorte de gravité rendait son visage un peu plus austère. Fanette n'avait jamais pu oublier leur dernière rencontre, lorsqu'il l'avait convoquée à son bureau et lui avait annoncé la mauvaise nouvelle : l'appel qu'il avait déposé afin de contester le premier jugement accusant Amanda du meurtre prémédité de Jean Bruneau avait été rejeté.

— Il faut en appeler de ce jugement, avait dit Fanette, désespérée.

— Il n'y a plus d'autres recours juridiques. C'était notre dernière chance.

Elle n'avait pas oublié l'air consterné du jeune avocat, la compassion qui se lisait dans son regard. Malgré tous ses efforts, il n'avait pas réussi à faire innocenter Amanda, et Fanette avait dû se résoudre à solliciter l'aide d'Alistair Gilmour afin d'organiser son évasion.

La jeune femme continua à observer l'avocat avec les jumelles. Il était en train de feuilleter un dossier, la tête légèrement penchée. Puis il se tourna vers l'accusée et lui sourit, comme pour l'encourager. Celle-ci avait toujours les yeux baissés et semblait enfermée en elle-même, imperméable à tout ce qui l'entourait. De façon machinale, Fanette commença à crayonner le visage de la prévenue dans son carnet de notes, se demandant si, cette fois, Julien Vanier réussirait à sauver sa cliente de la potence. Croyait-il à son innocence, comme il avait cru en l'innocence d'Amanda ?

— J'appelle le premier témoin de la Couronne, clama le greffier. Docteur Théophile Allard, veuillez vous présenter à la barre.

Un homme bien mis, au teint fleuri et à la mine affable, se leva et se dirigea vers le box des témoins. Le procureur de la Couronne, un homme maigre au profil d'aigle, fit quelques pas vers lui. Fanette reconnut maître Graham Craig, l'avocat de la poursuite contre sa sœur.

— Docteur Allard, c'est vous qui avez soigné la victime, Lionel Durand ?

Lionel Durand. Où avait-elle vu ce nom ? s'interrogea Fanette, intriguée.

— Oui. Je lui ai rendu visite à trois reprises.

— De quoi souffrait-il exactement ?

— Eh bien, le pauvre homme se plaignait de violents maux de ventre et de picotements dans la gorge. Il disait aussi éprouver une sensation de brûlure sur tout le corps et avoir constamment soif. Lorsque je l'ai examiné la première fois, j'ai constaté qu'il avait le teint verdâtre, le visage gonflé, ainsi que des taches rouges dans les yeux. À première vue, j'ai pensé qu'il souffrait d'un ulcère d'estomac. Je lui ai donc administré du chlorure de magnésium. Mais lors de ma deuxième visite, l'état de mon patient semblait s'être dégradé. Il avait des vomissements et des convulsions et disait que sa gorge était « en feu ».

— La victime a bien dit qu'elle avait la gorge en feu ? insista le procureur.

— Oui, c'était ses propres mots. J'ai donc écarté le diagnostic d'ulcère.

— Quel a été votre nouveau diagnostic, docteur Allard ?

— Selon moi, la victime présentait tous les symptômes de l'empoisonnement par l'arsenic.

Des exclamations horrifiées accueillirent sa déclaration.

— Silence dans la salle ! s'exclama le juge.

Le procureur attendit que le calme revienne pour poursuivre son interrogatoire.

— De quelle façon avez-vous soigné le pauvre homme ?

— Je lui ai prescrit du calomel, de l'opium et de la rhubarbe. Ces remèdes l'ont soulagé quelque peu, mais les convulsions ont repris de plus belle lors d'une troisième visite. Ensuite, j'ai cessé de voir la victime.

— Pour quelle raison ?

— Sa femme m'a demandé de ne plus venir.

Des murmures s'élevèrent parmi l'auditoire. Le procureur de la Couronne fit quelques pas vers le médecin.

— Pourquoi l'accusée vous a-t-elle fait une telle demande ?

Le médecin se tourna vers Aimée Durand. Son visage jovial était devenu désapprobateur.

— Elle m'a dit que je coûtais trop cher et qu'elle n'avait pas les moyens de payer d'autres visites.

Des réactions indignées fusèrent dans la salle.

— Silence ! tonna le juge.

Une fois le calme rétabli, maître Craig s'adressa aux membres du jury.

— Ainsi, martela-t-il, l'accusée a refusé des soins à son mari, tout en sachant qu'il était mourant, sous prétexte que *cela coûtait trop cher.*

—. Objection ! s'écria Julien Vanier, outré. Rien ne prouve que ma cliente connaissait la gravité des maux de son mari, ni surtout qu'elle savait celui-ci mourant. Je demande que cette remarque ne soit pas consignée dans les minutes de ce procès.

— Accordé, maugréa le juge.

Le magistrat ajouta à l'intention du jury :

— Messieurs les jurés, veuillez ne pas tenir compte des propos que maître Craig vient de tenir.

L'avocat de la Couronne ne quitta toutefois pas les jurés du regard, comme pour leur signifier : *mais vous les avez entendus.* Il revint vers le témoin.

— Docteur Allard, avez-vous participé à l'autopsie du corps de la victime ?

— En effet, répondit le médecin, avec deux estimés collègues.

— Quelles ont été les conclusions de cette autopsie ?

Le médecin se tourna vers le juge et le jury, comme le lui avait recommandé le procureur, afin de créer une plus forte impression.

— L'estomac était enflammé et couvert de taches distinctes. Une substance blanchâtre adhérait aux parois muqueuses. Après une analyse de cette substance à l'aide de la méthode de Marck et de Reinsh, qui répond à toutes les exigences de la science moderne, les résultats ne laissent aucun doute sur la présence d'acide arsénieux dans l'estomac de la victime.

— Que signifie « acide arsénieux » ? demanda le juge, visiblement intéressé par les révélations du témoin.

— De l'arsenic.

— Y en avait-il en quantité suffisante pour tuer la victime ? renchérit le magistrat.

Le médecin regarda l'assistance.

— Il y en avait assez pour tuer plusieurs personnes.

Une femme poussa un cri et s'évanouit, à quelques rangées devant Madeleine et Fanette. Quelques personnes se précipitèrent vers elle pour la secourir. Le juge utilisa son maillet pour rétablir l'ordre.

— J'ordonne l'ajournement de cette séance ! Nous reprendrons le procès demain matin, à dix heures.

Julien Vanier intervint.

— Votre Seigneurie, je n'ai pas procédé au contre-interrogatoire du témoin.

— Vous aurez amplement le temps de le faire demain ! décréta le juge.

Les coups du marteau continuèrent à résonner dans la salle d'audience, tandis que l'accusée était entraînée sans ménagement par deux gardiens, sous le regard anxieux de Julien Vanier.

LII

En sortant de la salle d'audience en compagnie de sa tante, Fanette croisa Julien Vanier dans un couloir du palais de justice. Celui-ci, portant une serviette de cuir noir remplie de dossiers, paraissait soucieux. Surmontant sa timidité, Fanette l'aborda :

— Maître Vanier.

Le jeune homme leva les yeux vers elle. Il était si absorbé dans ses pensées qu'il ne sembla pas la reconnaître. Puis son visage s'éclaira.

— Madame Grandmont ! Pardonnez-moi, je ne vous avais pas replacée tout de suite. Je viens tout juste de sortir de la première audience d'un procès qui s'annonce difficile.

— En effet. J'étais dans la salle.

L'avocat jeta un regard surpris à la jeune femme.

— J'accompagne ma tante, expliqua-t-elle. Je suis sa secrétaire particulière.

Madeleine, qui ne les avait pas quittés du regard, s'immisça dans la conversation.

— Vous vous connaissez ? demanda-t-elle, cachant mal sa curiosité.

Fanette garda un silence embarrassé. Bien qu'Amanda eût été innocentée des accusations qui pesaient contre elle, elle était demeurée discrète sur tous ces événements, autant par respect pour la vie privée de sa sœur que parce qu'elle se méfiait de la propension de Madeleine à se servir de la vie des autres pour alimenter ses feuilletons.

— Nous nous sommes rencontrés à Québec, finit-elle par dire avec réticence.

Le trouble de Fanette fit supposer à Madeleine que cette dernière lui cachait quelque chose sur ses relations avec l'avocat. Se promettant d'en savoir davantage lorsqu'elle serait seule avec sa nièce, elle tendit la main au jeune homme.

— Je me présente, Madeleine Portelance, journaliste. Croyez-vous en l'innocence de votre cliente, maître Vanier ?

L'avocat se ferma aussitôt comme une huître.

— Que je croie ou non en l'innocence de ma cliente n'a aucune importance. Tout accusé a droit à une défense pleine et entière.

— Mais vous avez bien une opinion sur sa culpabilité ?

— Sa *présumée* culpabilité, madame Portelance. Ma cliente est innocente jusqu'à ce que sa culpabilité ait été établie hors de tout doute raisonnable. Veuillez m'excuser, j'ai beaucoup de pain sur la planche pour défendre cette infortunée jeune femme.

Il se tourna vers Fanette et inclina la tête.

— Mes hommages, madame.

Il s'éloigna dans le couloir.

— Non mais, quel goujat ! s'exclama Madeleine, piquée au vif.

Fanette réprima un sourire. Julien Vanier n'avait pas changé : toujours aussi impétueux et d'une loyauté à toute épreuve.

෴

La calèche roulait dans la rue Saint-Denis, qui n'était pas trop achalandée pour une fin de matinée. Quelques passants flânaient devant des vitrines de magasins, profitant du temps plus doux qui annonçait l'été. Madeleine, installée dans le siège du conducteur, avait passé une partie du trajet à questionner sa nièce sur les circonstances dans lesquelles elle avait rencontré « ce blanc-bec arrogant et donneur de leçons », mais Fanette était restée évasive.

— Pourtant, vous sembliez fort bien vous connaître, tous les deux, insista Madeleine.

— À Québec, tout le monde finit par se croiser un jour ou l'autre.

Madeleine comprit que sa nièce ne lui en dirait pas davantage. Elle haussa les épaules, vexée.

— En tout cas, ton Julien Vanier aura beau faire des pieds et des mains pour défendre Aimée Durand, ça me paraît clair comme de l'eau de roche qu'elle est coupable.

Fanette fut agacée par le jugement à l'emporte-pièce de sa tante. Pour sa part, elle était portée à donner le bénéfice du doute à l'accusée, peut-être parce que cette dernière était défendue par celui-là même qui avait tenté de sauver sa sœur de la pendaison, mais elle garda ses pensées pour elle.

— Qui vivra verra.

❧

Aussitôt rentrée à la maison, Madeleine se rendit à sa table de travail sans même prendre le temps de dîner. Elle devait se dépêcher d'écrire son article avant la tombée du journal, qui était à six heures du soir. Berthe, qui venait de sonner la cloche pour annoncer que le repas était servi, la sermonna :

— Vous avez à peine mangé une bouchée depuis ce matin !

— J'ai du travail.

— Si ça continue, vous deviendrez plus maigre qu'un piquet de clôture.

Madeleine haussa les épaules et jeta un coup d'œil aux notes qu'elle avait griffonnées durant l'audience. *Quelle affaire incroyable !* Une jeune accusée, un meurtre crapuleux, une agonie horrible, la preuve de l'empoisonnement par l'arsenic : tous les ingrédients étaient rassemblés pour faire un papier du tonnerre. Elle s'empara de sa plume, la trempa dans l'encrier et se mit à écrire avec ferveur. Après quelques heures de travail, elle avait déjà rempli près de quatre feuillets de son écriture hachurée. Lorsqu'elle eut terminé, elle remit sa plume dans son socle, appliqua un tampon buvard sur ses feuillets pour faire sécher l'encre plus rapidement, et appela Fanette.

— Je tiens à avoir ton opinion, ma chère nièce, lui dit-elle en lui tendant les feuillets. J'espère que cela achèvera de te convaincre de l'estime que j'ai pour toi.

Touchée par le geste de sa tante, Fanette lut l'article avec attention.

L'affaire de l'empoisonneuse

Le procès d'Aimée Durand, une jeune femme de dix-neuf ans, en est à sa première audience à la cour du banc de la reine. Celle que l'on qualifie déjà d'empoisonneuse a été accusée d'avoir assassiné son mari, Lionel Durand, en lui administrant de l'arsenic.

Jusqu'à présent, un seul témoin a été entendu, le docteur Allard, qui a soigné la victime durant son agonie. Or, ce médecin, qui jouit d'une excellente réputation dans sa profession, a affirmé sans l'ombre d'une hésitation que les symptômes dont souffrait la victime étaient bel et bien ceux de l'empoisonnement par l'arsenic.

De plus, les résultats d'une autopsie de la victime pratiquée par le docteur Allard et deux distingués confrères semblent confirmer la présence d'acide arsénieux (autrement dit, d'arsenic) dans l'estomac du défunt. Mais le clou de cet interrogatoire, mené avec diligence par maître Graham Craig, le procureur de la Couronne, fut une déclaration du témoin, qui a affirmé qu'Aimée Durand, après sa troisième visite, et malgré l'état alarmant de la victime, lui a demandé de ne plus venir. Lorsque maître Craig a voulu savoir pourquoi l'accusée lui avait fait une telle demande, le docteur Allard a répondu, avec une mine indignée : « Elle m'a dit que je coûtais trop cher et qu'elle n'avait pas les moyens de payer d'autres visites. »

Chers lecteurs, une femme aimante dont le mari était à l'article de la mort aurait-elle renvoyé le médecin qui le traitait en prétendant que ce dernier coûtait trop cher ? Cette simple phrase dénote une froideur et une sécheresse de cœur peu communes, et nous permet de mettre en doute l'innocence de l'accusée, qui a gardé les yeux baissés durant toute la séance et n'a montré aucune émotion. Pire, on peut en déduire de l'attitude d'Aimée Durand que cette dernière souhaitait peut-être la mort de son mari. Si elle avait été innocente, n'aurait-elle pas exprimé de la douleur, ou tout au moins de la compassion pour son défunt mari ? Poser la question, c'est y répondre.

Signé, Jacques Gallant.

— Eh bien ? demanda Madeleine.

— Votre article est excellent.

— Je sens qu'il y a un « mais ».

Voyant que sa nièce hésitait à parler, elle ajouta :

— Jamais je ne t'en voudrai de ta franchise.

Rassurée par les paroles de sa tante, Fanette se décida à livrer le fond de sa pensée.

— Vous semblez convaincue qu'Aimée Durand a empoisonné son mari.

— Ça me semble évident.

— Elle est pourtant innocente jusqu'à preuve du contraire.

— Tu parles comme ce blanc-bec d'avocat ! Le témoignage du docteur Allard était accablant. Pourquoi Aimée Durand aurait-elle exigé que le médecin cesse de soigner son mari si elle n'était pas coupable ? Ça saute aux yeux, qu'elle souhaitait sa mort !

— C'est une chose que de souhaiter la mort de son mari, c'en est une autre de l'avoir délibérément empoisonné.

Madeleine fut frappée par la justesse de cette réflexion, mais elle était trop orgueilleuse pour l'admettre.

— Qu'on le veuille ou non, ma pauvre Fanette, les lecteurs ne s'intéressent pas à la nuance. Ils veulent du drame, des bons et des méchants, des émotions fortes.

— Il ne tient qu'à vous de leur offrir un autre point de vue. Tant que vous ne leur donnerez que ce qu'ils veulent, ils en redemanderont.

— Nous ne sommes pas là pour les éduquer, mais pour vendre de la copie ! répliqua Madeleine avec une note d'irritation.

Elle s'en voulut aussitôt de sa remarque, qui était en tout point conforme à l'opinion de son rédacteur en chef, et tint à rectifier le tir.

— Tu n'as pas complètement tort, ma chère nièce, mais tu me donnes plus de pouvoir que j'en ai. En fin de compte, c'est Point final qui tranche. Le jour où j'aurai le droit de signer un article de mon vrai nom, alors là, peut-être les choses seront-elles différentes.

Elle ajouta, comme pour se dédouaner :

— Je te donne congé pour le reste de la journée.

— Merci, ma tante.

Tandis que Fanette quittait la pièce, Madeleine relut son article. Elle hésita, puis reprit sa plume et griffonna quelques phrases en guise de conclusion.

Bien que, jusqu'à présent, la preuve présentée contre l'accusée soit accablante, ne tirons pas de conclusions trop hâtives. Dans notre système de justice, un accusé est innocent jusqu'à preuve du contraire.

Elle utilisa de nouveau son buvard, puis glissa ensuite les feuillets dans une enveloppe. *Voilà, les dés sont jetés,* se dit-elle en se rendant à l'écurie d'un pas décidé. Alcidor attela sa calèche. Elle saisit les rênes et fit claquer son fouet.

— *Andiamo !* s'écria-t-elle.

L'air printanier la vivifia et la remplit d'optimisme. La calèche fila rapidement en direction du journal.

LIII

Le rédacteur en chef, tout en tirant fortement sur sa pipe éteinte, lut l'article sans prononcer un mot. Madeleine, assise sur le bord de sa chaise, attendait qu'il eût terminé, les mains moites et la gorge nouée par l'anxiété.

— J'ajouterais quelques adjectifs ici et là pour accentuer le drame, mais en gros je suis satisfait. Votre article sera publié en manchette dans l'édition de demain. Toutefois, il y a un passage que je tiens à biffer.

— Lequel ?

Il lut à voix haute :

— « Bien que, jusqu'à présent, la preuve présentée contre l'accusée soit accablante, ne tirons pas de conclusions trop hâtives, etc. » C'est du blabla totalement inutile.

— Je crois important d'établir la présomption d'innocence de l'accusée, protesta Madeleine, défendant l'opinion de sa nièce comme si elle avait été la sienne.

— Nous ne sommes pas là pour faire du prêchi-prêcha, mais pour vendre de la copie.

— Vendre de la copie ne devrait pas nous empêcher de bien informer nos lecteurs.

Le rédacteur en chef la fusilla du regard.

— Voulez-vous que votre papier soit publié, oui ou non ?

Madeleine se tut.

Le rédacteur en chef se remit au travail. Madeleine resta à sa place, comme pétrifiée.

— Vous allez rester clouée à votre chaise bien longtemps ? maugréa Laflèche, qui lui signifia son congé en cognant sa pipe contre le cendrier.

Madeleine balbutia des remerciements et sortit, portée par la joie d'avoir son article publié en manchette.

༄

Lorsqu'elle rentra chez elle, Madeleine fut accueillie par les aboiements joyeux du basset.

— Ta maîtresse est devenue une journaliste, ma chère George !

Le souper fut rempli de gaieté. Madeleine mangea avec un appétit d'ogre, ce qui ramena le sourire chez Berthe, satisfaite de voir sa maîtresse reprendre plusieurs fois de sa daube. Marie-Rosalie tentait d'apprendre des tours à George.

— Donne la patte !

George restait assise, la langue pendante.

— Sois une bonne fille, allez, donne la patte !

La bonne humeur de Madeleine fut à peine entamée lorsque la chienne sauta sur ses genoux et renversa avec sa queue un verre de cristal, qui se brisa sur le sol et tacha de vin rouge son beau tapis persan. Elle se contenta de gronder l'animal pour la forme :

— George, reste tranquille, sinon je te renvoie à la cuisine.

Le basset continua à gambader comme si de rien n'était, sous le regard indulgent de Madeleine, qui raconta avec enthousiasme la réaction positive de Laflèche à son article.

— Toutes mes félicitations, ma tante.

Madeleine regarda sa nièce du coin de l'œil. Elle avait senti une légère réserve dans le ton de cette dernière.

— Tu sais, j'ai ajouté un passage sur la présomption d'innocence, prit-elle soin de préciser, mais Point final l'a rejeté du revers de la main en prétendant que c'était du blabla.

— Au moins, vous avez essayé, dit Fanette en souriant.

Madeleine considéra sa nièce d'un air pensif.

— J'ai presque deux fois ton âge, et pourtant je ne possède pas le quart de ton discernement, avoua-t-elle tandis que Berthe débarrassait la table.

Après le souper, Madeleine se rendit dans son bureau pour y dépouiller son courrier, que la servante avait déposé sur un coin de sa table encombrée. Il y avait quelques lettres de lecteurs et des factures. Tout cela pouvait attendre. Alors qu'elle remettait le courrier sur le meuble, une lettre glissa par terre. Madeleine se pencha pour la ramasser. L'enveloppe, en papier de chiffon, était élégante. Le nom de l'expéditeur n'y figurait pas. Intriguée, elle l'ouvrit et en sortit un carton d'invitation, fabriqué du même papier.

> Madame Clara Bloomingdale
> a l'honneur de vous inviter
> à une exposition de ses œuvres
> qui aura lieu à sa résidence
> de Murray Hill
> le 7 avril prochain
> de cinq heures à neuf heures

Clara… Douze longues années s'étaient écoulées depuis leur dernière rencontre. Douze années pendant lesquelles Madeleine s'était efforcée d'effacer les souvenirs de cette femme qu'elle avait si passionnément aimée, et pour laquelle elle avait été prête à commettre les pires folies. Tout ce qu'elle avait gardé de Clara, à part quelques lettres, était un portrait que cette dernière avait peint d'elle et qui était toujours suspendu en haut de la cheminée, dans le salon.

Son invitation à la main, elle s'en approcha et le contempla. Elle avait trente-quatre ans lorsqu'elle avait posé pour cette toile, en cavalière, avec une cravache à la main. Comme elle semblait jeune et insouciante ! Cette Madeleine-là appartenait à une autre vie.

En regardant de nouveau l'invitation, un détail la frappa. *Le 7 avril*. Elle constata que c'était la date d'aujourd'hui. La poste avait dû être plus lente qu'à l'accoutumée, ou bien Clara avait peut-être décidé d'envoyer son invitation à la dernière minute. Elle chercha à comprendre pourquoi son ancienne amie la lui avait fait parvenir, après toutes ces années. Était-ce une tentative de renouer avec elle ? À cette idée, un espoir fou l'envahit. Clara avait peut-être décidé de mettre fin à son mariage. Après tout, elle n'avait jamais été amoureuse de Peter Newton. Lorsque Clara s'était présentée chez elle, par une belle matinée de juin, et lui avait annoncé qu'elle s'apprêtait à se marier avec son mécène, Madeleine avait senti son univers s'écrouler.

— Pourquoi l'épouser, alors qu'il a toujours financé tes expositions sans jamais rien exiger en retour ?

— Parce qu'il me l'a demandé et que je n'ai pas eu le cœur de refuser.

— Et moi ? Je ne compte donc pour rien dans ta vie ? avait rétorqué Madeleine, en larmes.

Clara lui avait avoué sans ambages qu'elle le faisait non par amour, mais afin de se libérer de toute contrainte financière et de pouvoir ainsi se consacrer entièrement à la peinture. Elle avait même tenu à garder son nom de jeune fille, Bloomingdale, refusant de prendre celui de son mari.

— Mon mariage ne changera rien à notre relation.

— Rien, vraiment ? Tu crois que j'accepterai de te partager avec un mari ? Je t'aime trop pour jouer les seconds violons !

— Pour une fois, fais preuve d'un peu de réalisme ! Je n'ai pas un sou vaillant. J'ai besoin de sécurité financière pour continuer à peindre. Peter est un ami fidèle. Il n'y a jamais rien eu entre nous, sinon notre passion commune pour la peinture.

— Et toi, fais preuve d'honnêteté. Pourquoi t'a-t-il demandé en mariage si ce n'est pour coucher avec toi ?

Clara était partie sans lui répondre et ne lui avait plus jamais fait signe de vie depuis ce jour.

Quelques semaines après leur rupture, le mariage avait été annoncé dans un journal mondain. Pendant des jours, Madeleine avait tourné en rond, comme un lion en cage, concevant des plans plus insensés les uns que les autres : elle achetait un pistolet chez un armurier, se rendait dans le petit logement où habitait Clara, la tuait, puis s'enlevait la vie ; ou bien elle assistait à la célébration du mariage, tirait sur Clara dans l'église, comme Julien Sorel tirait sur madame de Rênal dans *Le Rouge et le Noir*, et elle était condamnée à mort après un procès retentissant. Elle se voyait monter sur l'échafaud, indifférente aux quolibets et aux injures que lui lançait la populace, refusant les secours spirituels d'un prêtre avant son exécution.

Le jour du mariage, Madeleine s'était rendue chez un armurier, rue Notre-Dame, prétextant qu'elle avait besoin d'une arme pour sa protection. Le marchand lui avait vanté les mérites d'un petit pistolet au manche de nacre, « fabriqué expressément pour l'usage d'une main féminine », avait-il assuré d'une voix mielleuse. Madeleine l'avait acheté sur un coup de tête, faisant taire la voix de la raison. Elle avait glissé le pistolet dans sa bourse et s'était rendue à l'église.

Il faisait un temps radieux. La lumière du mois d'août peignait les feuilles et les trottoirs de teintes orangées. Le cœur battant, Madeleine était entrée dans l'église. Des cierges illuminaient l'autel, entouré de gerbes de roses dont le parfum suave se mêlait à celui de l'encens. Une trentaine de personnes étaient installées dans les premiers bancs. Madeleine avait pris place dans un coin discret, derrière une colonne, mais pas trop loin de l'abside, pour bien voir les futurs mariés.

Les notes de la *Marche nuptiale* de Mendelssohn avaient rempli l'église. Clara, vêtue d'une robe blanche très simple, la tête couverte d'un voile de tulle blanc ceint par une couronne de marguerites, un bouquet de roses jaunes dans les mains, s'était avancée dans l'allée, accompagnée de deux petites bouquetières. Madeleine l'avait suivie du regard, retenant une exclamation de douleur. Clara, *sa* Clara, s'apprêtait à épouser un homme qu'elle n'aimait pas, soi-disant au nom de l'art !

Clara était parvenue à l'autel. Un homme de grande taille, portant une redingote ainsi qu'une rose rouge à sa boutonnière, l'y attendait. *Peter Newton*. D'un geste instinctif, Madeleine ouvrit sa bourse et saisit la crosse du pistolet. Le temps avait suspendu son cours, telle une montre qu'on a oublié de remonter. Madeleine ressentait un étrange détachement, comme si elle était devenue elle-même une héroïne de roman. Ses sens semblaient s'être décuplés : chaque objet, chaque couleur avaient une netteté parfaite.

La voix du prêtre s'éleva dans l'église. Madeleine se leva et pointa le canon de son arme vers Peter Newton. Sa main tremblait à peine. *Un coup de feu et ce sera fini*, se dit-elle. *Clara sera de nouveau libre*. Elle refusait de penser aux conséquences de son geste : la prison, le procès, la condamnation. La folie qu'elle était sur le point d'accomplir l'habitait entièrement. Elle plaça son index sur la détente. Soudain, une hirondelle se mit à virevolter autour de l'abside dans un froissement d'ailes. L'oiseau avait sans doute fait son nid quelque part dans les voûtes de l'église. Madeleine se mit à fixer l'hirondelle, ce qui la ramena brusquement à la réalité. L'une des bouquetières leva la tête et sourit en observant l'oiseau. La fillette aperçut alors une femme vêtue de noir, dont les yeux lançaient des éclairs et qui tenait un étrange objet à la main. Effrayée, l'enfant poussa un cri. Clara se retourna. Son regard croisa celui de Madeleine, qui abaissa son arme et resta debout, immobile, comme hypnotisée. Il y avait de la tristesse dans l'expression de la future mariée, mêlée à une sorte de défi. Des gens se mirent à murmurer, ne comprenant pas ce qui se tramait.

Un silence de mort régnait dans l'église. Madeleine fut prise d'un étrange vertige. Une sorte de brouillard envahit son cerveau. La robe blanche de Clara, le parfum entêtant des roses, l'air étonné des invités, le visage effrayé de la bouquetière, tout était devenu irréel. Elle sortit et regagna sa voiture, les jambes flageolantes. En chemin, elle jeta son pistolet dans un caniveau. C'est à peine si elle se souvint du trajet jusque chez elle, n'éprouvant plus qu'une immense fatigue.

Le lendemain du mariage, Madeleine avait rangé les lettres que Clara lui avait écrites dans un coffret, qu'elle avait enfoui dans le tiroir d'une vieille commode, au fond du grenier. Elle s'était ensuite enfermée dans sa chambre et avait pleuré toutes les larmes de son corps. Pendant de longs mois, elle avait traîné son chagrin comme un boulet, perdant sa joie de vivre et même tout intérêt pour l'écriture, au grand désarroi de ses deux fidèles serviteurs, qui ne savaient plus par quel bout la prendre. Le temps avait peu à peu érodé sa peine, jusqu'à la rendre presque tolérable. Et maintenant qu'elle avait reconquis sa paix intérieure, qu'elle avait enfin retrouvé sa sérénité, elle recevait cette maudite invitation.

D'un geste résolu, Madeleine déchira le carton d'invitation et en jeta les morceaux dans le foyer. Les flammes crépitèrent. *Je n'irai pas. La page est tournée. Je ne l'aime plus depuis longtemps. C'est fini, mort et enterré ! Basta !* Elle alla vers sa bibliothèque et choisit un livre au hasard pour se changer les idées. C'était *Le Père Goriot,* de Balzac, son romancier préféré après George Sand. Elle s'installa dans un fauteuil et commença à feuilleter le roman. Elle l'avait lu à plusieurs reprises, mais ne s'en lassait pas. Le destin tragique de ce père de famille dévoué, qui donne tout à ses filles sans jamais rien recevoir en retour, la bouleversait chaque fois.

Après la lecture de quelques chapitres, le regard de Madeleine fut capté par un rai de lumière qui entrait par la fenêtre. Un souvenir lui revint, aussi vif que si l'événement s'était produit la veille. Elle posait dans le petit studio de Clara, situé dans les combles d'une maison de chambres, pour le portrait qui était au-dessus de la cheminée. Un faisceau de lumière provenant d'une lucarne éclairait la pièce encombrée de toiles et de tubes de peinture et enflammait les cheveux de Clara, d'un blond vénitien, abondants et bouclés. La lumière découpait les gestes gracieux de sa main fine tandis qu'elle peignait. Madeleine, assise sur une chaise inconfortable, tâchait de garder la pose, mais la séance était si longue qu'elle finissait par bouger. Clara s'arrêtait alors de peindre, tenant son pinceau en l'air comme une baguette de magicien.

— *Please, darling Maddie, I told you a hundred times, DON'T MOVE!*

À cette époque, elle l'appelait « Maddie », qu'elle préférait à Madeleine. Parfois, pour la taquiner, elle l'appelait « Mad », qui signifie « fou » en français, et éclatait d'un grand rire clair.

✑

N'y tenant plus, Madeleine déposa le livre de Balzac sur la table à café et se leva. Elle contempla le portrait une dernière fois, puis s'empara d'un tabouret, s'y hissa et décrocha la toile, qu'elle porta ensuite au grenier. Il y avait douze ans qu'elle n'y avait pas mis les pieds. Une multitude de meubles et d'objets hétéroclites y étaient entassés jusqu'au plafond. L'air était saturé par une odeur de renfermé et de naphtaline. Les derniers rayons de soleil pénétraient par une petite lucarne.

Madeleine repoussa une lourde bâche sous laquelle elle plaça le tableau, espérant par son geste en finir une fois pour toutes avec le passé. Puis, comme si une main invisible l'avait guidée, elle se dirigea vers une vieille commode, au fond du grenier, et ouvrit un tiroir. Le coffret en bois de rose était toujours là où elle l'avait rangé, douze ans auparavant. Elle s'en saisit délicatement, comme s'il s'était agi d'un objet à la fois précieux et empoisonné. S'assoyant sur une caisse poussiéreuse, elle souleva le couvercle de la boîte et en sortit un paquet de lettres, jaunies par le passage du temps. Elle dénoua le ruban qui attachait les missives et commença à lire la première. Elle avait été rédigée en anglais, mais Madeleine l'avait traduite en français dans la marge. Il n'y avait pas de date.

Dear Maddie, je suis encore enchantée par ces moments magiques passés en ta compagnie. N'est-ce pas que les tableaux exposés dans la demeure de Mr. Smith étaient magnifiques ? Surtout l'incendie de Québec, par le peintre Joseph Légaré. Quelle force dans l'évocation ! Mais tu as raison, Antoine Plamondon est trop académique, trop figé.

Je ne suis pas un écrivain comme toi, alors les mots me manquent pour te dire à quel point je t'aime, et combien ta présence illumine ma vie. Ta Clara.

Madeleine replia lentement la lettre. Ces mots d'amour qui lui étaient adressés, cette passion dont elle était l'objet semblaient appartenir à une autre vie. *Comme nous étions jeunes !* Elle aperçut au fond du coffret un objet qui luisait doucement dans la lueur du jour. Elle le prit, le tourna vers la clarté. C'était une bague sertie d'un petit rubis, qui scintillait d'éclats rouges. *Mon Dieu, comment ai-je pu oublier ?* Clara la lui avait offerte « en gage de leur amour éternel », avait-elle dit. Madeleine tenta de glisser la bague à son annulaire, mais n'y parvint pas. Son doigt avait épaissi. Pour la première fois, elle remarqua des taches de son sur ses mains. Des veines saillaient ici et là. Se pouvait-il qu'elle soit déjà au seuil de la vieillesse et qu'elle ait renoncé pour toujours à aimer, à être aimée ? Son cœur commençait-il lui aussi à se flétrir, comme ses mains ? Elle remit les lettres et la bague dans le coffre, qu'elle replaça dans la commode. Sa résolution était prise. *Je dois la revoir, quand bien même ce serait la dernière fois.*

✎

Fanette lut à Marie-Rosalie *La Petite Fille aux allumettes*, un conte d'Andersen dont Madeleine avait fait cadeau à l'enfant pour son anniversaire, et la mit au lit. Après avoir baissé la mèche de la lampe, elle décida de descendre à la cuisine pour se faire du thé. Elle rencontra sa tante sur le palier. Celle-ci avait des traces de poussière sur sa jupe et semblait agitée. Ses yeux brillaient plus qu'à l'accoutumée.

— Ma chère nièce, je dois m'absenter. Je serai de retour dans une petite heure.

Fanette fut étonnée que sa tante décide de sortir au beau milieu de la soirée. Madeleine éprouva le besoin de se justifier :

— Il s'agit… Eh bien, c'est… c'est personnel.

Un sourire timide illumina subitement son visage. Un peu de rouge lui vint aux joues. Puis elle se détourna brusquement et continua à descendre rapidement l'escalier, comme si elle ne voulait pas perdre une minute.

Fanette avait l'habitude des humeurs changeantes de sa tante, mais il y avait quelque chose de déconcertant dans sa conduite. Pourquoi semblait-elle si nerveuse ? Lorsqu'elle avait dit : « C'est personnel », elle avait rougi comme une jeune fille. Se pouvait-il qu'il s'agisse d'un rendez-vous amoureux ? Pourtant, sa tante vivait seule depuis des années, et Fanette ne lui connaissait pas de prétendant.

Se perdant en conjectures, Fanette parvint au hall qui donnait sur le salon. Quelque chose avait changé, mais elle n'arrivait pas à savoir ce que c'était. C'est alors qu'elle remarqua un rectangle vide au-dessus de la cheminée, dont la teinte plus claire contrastait avec le reste du papier peint. Il y avait une toile à cet endroit, pas plus tard que ce matin, elle en était certaine. Un portrait de Madeleine. Sans savoir pourquoi, elle eut l'intuition que la disparition soudaine du tableau avait un lien avec le départ précipité de sa tante.

LIV

Madeleine releva le capuchon de sa pèlerine. La nuit était tombée et la température avait fraîchi tout d'un coup. Le ciel, si clair le matin, s'était couvert de nuages. Des champs s'étendaient à perte de vue dans la clarté bleutée du crépuscule.

La maison où habitait Clara depuis son mariage était située de l'autre côté de la ville, dans le village de la côte Saint-Antoine, sur le flanc ouest du mont Royal. Bien souvent, Madeleine avait songé à s'y rendre, ne serait-ce que pour voir de ses yeux dans quel cadre vivait son ancienne amie, avec la curiosité douloureuse des amants éconduits, mais chaque fois elle y avait renoncé. On aurait dit qu'elle préférait garder Clara enfermée dans un coin secret de son cœur, sans avoir à faire face à la réalité de sa nouvelle existence, dont elle avait été exclue à jamais.

En chemin, elle fut tentée de tourner bride. La voix de la sagesse lui dictait de ne pas raviver les cendres du passé et de retourner chez elle. Mais la même force obscure qui l'avait guidée vers le tiroir de la commode la poussait maintenant vers Clara.

Après une demi-heure de route, Madeleine atteignit un chemin de terre battue assez large pour laisser passer deux voitures. Un petit panneau, vaguement éclairé par les deux lanternes de la calèche, indiquait « Murray Hill Avenue ». La route, entourée de chaque côté par un épais boisé, montait en pente assez abrupte jusqu'au faîte de la montagne. Le silence était profond, à peine entamé par le bruissement du vent dans les arbres et quelques cris d'oiseaux nocturnes.

Une fois arrivée en haut de la côte, Madeleine aperçut une allée bordée de thuyas qui menait à une maison de pierres. Son cœur se mit à battre à tout rompre. C'était dans cette maison qu'habitaient Clara et son mari. Encore une fois, elle songea à rebrousser chemin, mais l'espoir de revoir son ancienne amie, de s'imprégner des lieux où elle vivait prit le dessus sur ses craintes.

En s'approchant de la demeure, Madeleine fut troublée malgré elle par la grâce de l'architecture, la beauté des pierres grises et des toits de cuivre dont les reflets vert-de-gris se fondaient dans le ciel ennuagé. Les fenêtres, vivement éclairées, ressemblaient à des lampions. Sans vouloir l'admettre, elle comprit l'attrait que pouvait exercer un tel lieu pour l'œil d'un peintre.

Une dizaine de voitures étaient stationnées à proximité des écuries. Un valet escortait un couple vers l'entrée. Soudain intimidée, Madeleine gara sa voiture à distance. Elle attendit que le valet retourne à l'écurie, puis se dirigea vers le portique, soutenu par des colonnes cannelées. Elle eut de la difficulté à franchir les marches tellement son souffle était court et resta debout devant la majestueuse porte de chêne, paralysée par l'émotion.

La porte s'ouvrit brusquement. Une femme au visage rond et doux, auréolé d'une abondante chevelure au blond cuivré entremêlée de mèches blanches, se tenait sur le seuil. *Clara*. Elle n'avait pas changé. On aurait dit que le temps n'avait eu aucune prise sur elle. Les deux femmes se regardèrent longuement, trop émues pour parler.

— Tu es venue, dit Clara, étrangement calme.

— Je ne resterai pas longtemps.

— Entre tout de même. Tu n'as pas fait tout ce chemin pour rien.

Bien qu'elle eût toujours gardé un accent anglais prononcé, Clara parlait un bon français, qu'elle avait appris lors d'un séjour d'un an à Paris, où elle avait étudié à l'école des beaux-arts. Madeleine hésita sur le seuil et finit par suivre Clara dans le hall, illuminé par un lustre de cristal. Un brouhaha de conversations lui parvint. Une femme de chambre la débarrassa de sa pèlerine et de ses gants, puis s'éloigna.

— Tu as une tache d'encre sur la joue, remarqua Clara. Tu écris toujours ?

— Plus que jamais. Et toi, tu as continué à peindre, à ce que je vois.

— Plus que jamais, répondit Clara avec un sourire mutin.

Elle prit familièrement Madeleine par le bras, comme si les deux femmes s'étaient rencontrées la veille.

— Viens, Maddie, j'ai quelque chose à te montrer.

D'être ainsi appelée « Maddie » par Clara la bouleversa. Elle se laissa guider vers le salon. Une quarantaine de tableaux avaient été suspendus aux murs lambrissés de panneaux de chêne. Disséminés en quelques groupes, des invités bavardaient avec animation, tandis que des serviteurs allaient et venaient en portant des plateaux garnis de verres de vin et de petits fours. Le noir des redingotes, les couleurs chatoyantes des robes, les odeurs de parfum, de poudre et de tabac de bonne qualité étourdirent Madeleine, qui avait perdu l'habitude des soirées mondaines.

— Je m'en vais. Il y a trop de monde, murmura-t-elle.

Clara la retint.

— Attends. Il y a un tableau que tu dois absolument voir.

Lui prenant la main, elle la mena vers le fond de la salle. Ce simple geste troubla infiniment Madeleine, qui sentait la chaleur de la paume de Clara dans la sienne, la douceur de sa peau. Clara s'arrêta devant une toile. On y voyait une femme installée à son secrétaire, une plume à la main. Madeleine ne pouvait détacher ses yeux du tableau. La femme sur la toile lui ressemblait, mais elle avait été peinte par touches successives, dont les teintes contrastées donnaient une impression de mouvement. Il y avait une audace dans les coups de pinceau et le choix des couleurs qui la frappa. Mais c'était surtout le fait que Clara l'ait choisie comme sujet du tableau qui la touchait au plus profond d'elle-même. Cela signifiait que son amie ne l'avait pas oubliée. Mieux, elle avait pensé à elle pendant toutes ces heures consacrées à son portrait.

— Comme je n'avais pas le modèle à portée de la main, expliqua la peintre avec une touche d'humour, je me suis inspirée d'un daguerréotype de toi que j'avais gardé. Qu'en penses-tu ?

— Ton style a changé, commenta Madeleine avec émotion. Cela sort des sentiers battus. C'est remarquable.

— Mon mari déteste cette toile, ajouta Clara, avec un demi-sourire. Il est convaincu que je n'arriverai pas à trouver preneur, mais ça ne fait rien, elle n'est pas à vendre. Jamais je n'accepterais de m'en séparer.

Une question brûlait les lèvres de Madeleine, mais elle n'osait la poser, par pudeur ou par orgueil. Clara la devina aisément.

— Peter est en voyage pour affaires. Il reviendra dans un mois.

Madeleine accueillit cette nouvelle avec une apparente indifférence, mais elle bouillait intérieurement. Était-ce parce que son mari s'était absenté que Clara lui avait envoyé l'invitation ? Devait-elle interpréter ce geste comme une tentative de réconciliation ? Clara sourit et fit signe à son amie de la suivre dans une pièce attenante.

— Mais, tes invités ? objecta Madeleine, anxieuse.

— Ils se passeront de moi pendant quelques minutes.

Les deux femmes entrèrent dans une salle de séjour où l'on avait installé un piano, des fauteuils confortables et quelques fougères. Des bibliothèques encastrées étaient remplies de livres. Clara referma soigneusement les portes qui séparaient les deux pièces et se tourna vers Madeleine.

— Tu m'as manqué. Pourquoi ne m'as-tu jamais fait signe de vie, pendant toutes ces années ?

Ainsi, l'intuition de Madeleine ne l'avait pas trompée. Clara l'avait invitée dans l'espoir de renouer avec elle. Cette constatation la plongea dans une détresse sans nom, accompagnée d'un bonheur si vif qu'il faisait presque mal. Ses sentiments pour Clara, qu'elle avait réussi à enfouir sous des couches de déni, avaient resurgi, plus forts que jamais, avec leur cortège de joie, de regrets et de chagrin. Il lui avait fallu tant de temps pour reconquérir une certaine paix. Pourquoi avait-il fallu que Clara la brise en l'invitant chez elle, et qu'elle-même fût assez folle pour accepter ?

— Il se fait tard. Je dois partir.

Madeleine fit un mouvement pour quitter la pièce, mais Clara se plaça devant elle.

— Je t'en prie, reste. La vie est si courte. Nous avons un mois devant nous pour rattraper le temps perdu. Un long mois.

Clara l'enlaça. Ses beaux yeux ne quittaient pas ceux de Madeleine, qui se sentit fondre. Les lèvres douces de son amie effleurèrent les siennes. Il y avait longtemps qu'elle avait été embrassée ainsi. Comme c'était doux ! Clara lui chuchota à l'oreille :

— Allons en Italie ! Tiens, à Florence, tu en as toujours rêvé.

Florence ! Florence, avec son dôme couvert d'or, son fleuve majestueux enjambé par le célèbre *Ponte Vecchio*, ses innombrables églises aux fresques peintes par les plus grands artistes que la Terre eût jamais portés ! Toutes les œuvres que Madeleine avait admirées dans des livres d'art, sur du papier glacé, elle les verrait enfin de ses propres yeux, en compagnie de celle qu'elle avait tant aimée, qu'elle aimait encore. La tentation d'accepter l'offre de Clara fut si forte qu'il lui fallut tout son courage pour y résister.

— Je ne peux pas, dit-elle en s'arrachant à regret des bras de Clara. Je ne peux pas.

— Qu'est-ce qui te retient à Montréal ?

— Je dois couvrir un procès. C'est une chance unique de devenir enfin journaliste. Cette chance ne se présentera pas une deuxième fois.

— Ton travail, il n'y a que cela qui compte pour toi !

— Tu oses m'en faire le reproche, alors que tu t'es mariée justement pour pouvoir peindre à ta guise ?

— Ce n'est pas un reproche.

Le visage de Clara devint suppliant.

— Je t'en prie, accepte. Ne méritons-nous pas un peu de bonheur ?

— Si j'accepte, nous vivrons un mois merveilleux. Puis ton mari reviendra, et tout recommencera comme avant. À quoi bon ?

— Pourquoi es-tu venue, alors ?

— Je n'aurais pas dû.

Tout en combattant ses larmes, Madeleine sortit du vivoir et courut presque jusqu'au hall, cherchant désespérément un serviteur des yeux afin de reprendre son manteau. Elle se sentait lâche et misérable d'agir ainsi, mais la simple idée de replonger dans le tumulte de ses amours avec Clara éveillait tant de souffrance qu'elle préférait fuir. Elle aperçut la femme de chambre qui avait pris sa pèlerine à son arrivée et s'élança vers elle.

— Vite, je vous en prie, apportez-moi ma pèlerine.

La servante jeta un regard intrigué à cette étrange invitée, dont les yeux noirs brillaient de larmes.

— Tout de suite, madame.

La bonne revint quelques instants plus tard avec la cape, que Madeleine jeta sur ses épaules sans prendre le temps d'en attacher le col. Dehors, une pluie verglaçante tombait en un rideau opaque. Madeleine dut se tenir à la rampe de fer forgé qui longeait l'escalier, car sur les marches s'étendait une fine couche de glace. Un coup de vent faillit emporter sa pèlerine, qu'elle retint d'une main, s'agrippant à la balustrade de l'autre pour ne pas glisser. C'est à peine si elle entendit la voix de Clara qui l'appelait à distance.

— Maddie !

Madeleine poursuivit son chemin sans se retourner et parvint à grand-peine à sa calèche, dont le toit, qu'elle avait heureusement laissé relevé, était couvert de givre. Quel contraste avec le soleil radieux qui avait régné toute la matinée, donnant l'illusion que la belle saison avait commencé ! Détrempée par l'eau glaciale, elle se hissa sur le siège de sa voiture.

☙

La calèche roulait vite. Madeleine fixait la route devant elle, la tête et le cœur vides. Elle ne sentait plus ses mains, complètement engourdies par le froid. Dans sa hâte de quitter la maison de Clara, elle avait oublié ses gants. Le vent sifflait dans ses oreilles, ressemblant à une mélopée. Les branches des arbres ployaient sous le verglas qu'illuminaient brièvement les lanternes de la voiture. Le paysage était si féerique que Madeleine, malgré son chagrin, ne put s'empêcher de l'admirer.

La pluie tomba de plus belle. Ne voyant plus le chemin, Madeleine tenta de ralentir la voiture, mais le cheval prit le mors aux dents et se mit à galoper.

— Hue ! Hue dia !

La calèche roulait de plus en plus vite. Les roues dérapèrent soudain sur une plaque de glace. La secousse fut si violente que Madeleine lâcha les rênes pour empoigner le rebord de la portière afin de ne pas tomber. La voiture s'écrasa contre le tronc d'un arbre. Madeleine fut projetée de son siège et atterrit brusquement sur le sol. Sur le coup, elle ne ressentit rien. Un voile noir lui couvrit les yeux. Avant de sombrer dans l'inconscience, elle se dit qu'elle avait pu voir Clara une dernière fois avant de mourir.

LV

Installée dans un fauteuil en face de la cheminée, Fanette était en train de lire *Le Père Goriot*, qu'elle avait trouvé sur la table à café. George était à ses pieds. La pendule sonna dix coups. La chienne se redressa tout à coup, remuant la queue, aux aguets, comme si elle espérait voir apparaître sa maîtresse d'un instant à l'autre. Fanette jeta un coup d'œil soucieux à l'horloge. Il se faisait tard, et sa tante n'était pas encore rentrée. Pourtant, Madeleine lui avait dit qu'elle ne s'absentait que pour une heure.

Inquiète, la jeune femme referma son livre, alla à la fenêtre et repoussa le rideau. Un épais verglas couvrait les arbres. Un passant, muni d'un parapluie, marchait avec précaution sur le trottoir glacé. Il glissa et il s'en fallut de peu qu'il ne tombe. Songeant que sa tante avait probablement été retardée par le verglas, elle retourna s'asseoir et tenta de replonger dans sa lecture, mais une anxiété sourde l'en empêcha. Déposant son livre sur la table à café, elle mit un châle sur ses épaules et alla à l'écurie. Alcidor était en train de polir le Phaéton.

— Bonsoir, Alcidor. Ma tante n'est pas encore rentrée. Savez-vous où elle se rendait ?

Alcidor secoua la tête.

— Je l'ai pas vue partir. J'suis allé porter des fers à jouaux chez le maréchal-ferrant. Ma'me Madeleine a attelé la calèche elle-même.

Déçue, Fanette le remercia et revint au salon. Son regard s'attarda sur le rectangle vide au-dessus de l'âtre. Son angoisse augmenta d'un cran. *Ma tante, où êtes-vous donc ?* Lorsqu'il fut onze heures, elle se résigna à monter à sa chambre, mais fut incapable de trouver le sommeil.

⁓

— Bout de calvaire !

Un homme, tenant solidement les rênes de son berlot, s'arrêta au milieu du chemin. Les roues de sa voiture venaient de heurter quelque chose. Il se pencha pour tenter de distinguer ce qu'il venait de frapper, mais ne vit rien à cause de la brume. Il alluma une lanterne et descendit de sa voiture en pestant entre ses dents. Quelle idée de s'entêter à faire sa livraison de bois par un temps pareil ! À l'aube, sa femme, observant de la fenêtre le verglas qui couvrait la chaussée et les trottoirs, avait bien essayé de le dissuader de faire sa tournée hebdomadaire, mais il avait décidé de partir tout de même. Son père avait été marchand de bois, et son grand-père avant lui. Jamais il ne leur serait venu à l'esprit de ne pas entreprendre de livraison à cause du mauvais temps.

— Mes clients ont payé pour leur bois. C'est ben le moins que j'aille leur porter.

Il avait donc empilé des bûches dans une caisse oblongue munie de petites roues qu'il avait accrochée à son berlot, puis il avait pris la route. Non seulement on n'y voyait goutte, mais la chaussée était si glissante que le marchand avait failli perdre sa cargaison à plusieurs reprises. Des voitures avaient été abandonnées ici et là dans les rues glacées.

Lorsqu'il s'était engagé dans le chemin Murray Hill, une brume épaisse s'était levée, masquant les arbres sous un crachin blanchâtre. Le brouillard était si dense qu'on n'y voyait pas à un pied devant soi. C'est alors que son berlot avait frappé quelque chose.

⁓

Tenant sa lanterne devant lui, le marchand de bois avança à pas prudents sur le bord de la route. Il trébucha tout à coup sur une branche et tomba en laissant échapper une kyrielle de jurons. Il eut tout juste le temps de saisir son fanal avant qu'il se fracasse par terre. La pluie avait cessé, mais le brouillard persistait. *Pourvu que je ne me sois pas fracturé un os ! Ça serait ben le restant des écus...* Il se releva péniblement. Par chance, il ne ressentit aucune douleur, mais son pantalon de coutil et son manteau étaient complètement détrempés.

En observant le sol autour de lui, le marchand de bois aperçut un objet sombre. Il s'en approcha. Il s'agissait d'une roue de voiture. C'était sans doute cette roue que son berlot avait percutée. Un bruit étrange, comme un claquement, lui parvint, amorti par la brume.

La lumière du soleil perça enfin les nuages, faisant scintiller comme du cristal la glace qui couvrait les arbres. Le brouillard commença à se dissiper, laissant des traînées blanches dans le ciel. Le marchand vit une calèche écrasée contre un arbre et renversée sur un côté. Une portière claquait au vent, ce qui expliquait le bruit.

En se dirigeant vers la voiture, le marchand constata qu'aucun cheval n'y était attelé. Ou plutôt, il y en avait eu un, mais il était sans doute parti à l'épouvante. Une partie de son harnais était resté accroché à la calèche. Il se pencha pour examiner l'intérieur du véhicule. Celui-ci était vide. Le marchand regarda à la ronde, se demandant où se trouvaient les passagers. Il perçut un geignement non loin de lui. Le son était si faible qu'il crut d'abord que ce n'était que le sifflement du vent dans les branches. Il tendit l'oreille. Le gémissement se poursuivait, telle la plainte d'un animal blessé.

L'homme fit quelques pas vers la voiture. Une forme noire gisait à droite de la calèche, au bord d'un fossé. L'homme s'avança, le cœur serré. C'était une femme. Elle était étendue sur le dos, les bras ouverts en croix. Son visage était pâle, avec des ombres bleuâtres sous ses yeux fermés. Si elle n'avait pas émis une plainte sourde, il l'aurait crue morte. Non loin d'elle, un chapeau muni d'une plume était resté accroché à une branche de sapin.

Il déposa sa lanterne à côté de lui, puis s'agenouilla près de la femme.

— Madame, m'entendez-vous ?

La femme continuait de geindre doucement. Il saisit l'une de ses mains, qui était glacée.

— Vous avez eu un accident. Êtes-vous capable de bouger ?

Elle ouvrit les yeux. Son regard était perdu, comme si elle ne savait pas où elle était ni ce qui lui était arrivé. Son visage se crispa.

— J'ai mal.

Sa voix était à peine audible et sa respiration, haletante. Nul besoin d'être un médecin pour savoir que la pauvre femme était sérieusement blessée.

— Habitez-vous près d'ici ? demanda l'homme.

Elle tenta de soulever un bras, comme pour indiquer une direction, mais un cri de douleur lui échappa. Le marchand de bois soupira, ne sachant que faire. Il ne pouvait laisser cette femme sur le bord du chemin, mais d'un autre côté, il craignait de la blesser encore davantage en la soulevant. Soudain, elle parla d'une voix un peu plus claire :

— Rue Saint-Denis... Près... église.

Le marchand réfléchit. La femme faisait sans doute référence à l'église Saint-Jacques.

— Je vous ramène. Quel est votre nom ?

Les lèvres blêmes de la blessée remuèrent à peine. L'homme dut se pencher vers elle pour l'entendre.

— Porte... lance.

Elle s'évanouit.

LVI

Berthe n'avait pour ainsi dire pas dormi de la nuit. Son bonnet enfoncé sur la tête, elle n'avait cessé de tourner dans son lit comme une crêpe, inquiète de ne pas entendre sa maîtresse rentrer. À plusieurs reprises, elle s'était levée et, une chandelle à la main, s'était rendue jusqu'à la chambre de madame Madeleine, comme elle l'appelait, mais l'avait trouvée vide, le lit toujours fait et la chienne George dormant près de l'oreiller.

La servante venait tout juste de s'assoupir lorsqu'un bruit la réveilla en sursaut. Quelqu'un martelait la porte d'entrée. Portant toujours son bonnet de nuit, Berthe enfila sa robe de chambre ainsi qu'une paire de vieilles pantoufles déformées par l'usage et marcha aussi vite que ses rhumatismes le lui permettaient.

La servante parvint au hall et ouvrit la porte. Un grand gaillard, dont le visage trahissait la fatigue et l'anxiété, se tenait sur le seuil.

— Est-ce qu'une dame Portance habite ici ?

— Portelance. Oui, c'est bien ici, répondit Berthe, l'air soucieux.

L'homme poussa un soupir de soulagement.

— J'ai frappé à une couple de portes avant de tomber sur la bonne.

— Qu'est-ce qui se passe, pour l'amour ?

— Votre dame a eu un accident. Elle m'a dit qu'elle habitait rue Saint-Denis, pas loin de l'église.

Fanette apparut dans l'entrée. Elle était en robe de nuit et n'avait pas eu le temps de se coiffer.

— Un accident ? répéta Fanette, pâle comme un drap.

— Je l'ai ramenée dans mon berlot.

Le marchand de bois retourna à sa voiture, qu'il avait garée devant la maison, puis revint quelques minutes plus tard, portant une femme dans ses bras.

— Ma tante ! s'écria Fanette.

Madeleine, enveloppée dans une couverture, avait les yeux fermés. Son visage était cendreux. La chienne George s'élança vers le corps inerte en poussant des gémissements pitoyables. Berthe, croyant que sa maîtresse était morte, lâcha un cri. S'efforçant de garder son sang-froid, Fanette fit signe à l'homme d'entrer et le guida vers le salon.

— Par ici. Déposez-la sur ce divan.

Berthe se dépêcha de refermer la porte pour ne pas refroidir la maison davantage. L'homme étendit délicatement Madeleine sur le canapé. La tante de Fanette émit un faible soupir plaintif, mais garda les yeux fermés. George se coucha à ses pieds, continuant à geindre. Alcidor, qui venait d'entrer dans la maison pour y apporter des bûches qu'il avait coupées, s'arrêta sur ses pas, saisi par la scène.

— Comment est-ce arrivé ? s'enquit Fanette, la voix blanche.

— Je faisais ma livraison quand je l'ai trouvée sur le bord d'un chemin qui traverse la montagne. Sa calèche a embouti un arbre. Le cheval a dû prendre la poudre d'escampette.

Il hocha la tête.

— Vot' pauvre dame est ben mal en point.

Fanette se tourna vers la servante.

— Allez vite chercher le docteur Brissette. Je reste ici pour veiller sur elle.

La bonne essuya ses larmes avec son tablier et obtempéra. Fanette s'adressa de nouveau à l'inconnu.

— Je vous remercie d'avoir ramené ma tante à la maison. Je n'ose pas imaginer ce qui serait arrivé si vous n'aviez pas été là.

Le marchand de bois fit un geste de la main.

— J'ai passé à un cheveu de virer mon capot de bord, à cause du verglas. Une bonne chance que j'ai une tête de cochon, comme dit mon épouse.

Alcidor, qui parlait rarement, demanda au bon samaritain des précisions sur le lieu de l'accident, car il voulait retrouver la voiture et le cheval. Le marchand dessina un plan sommaire sur une feuille de papier que Fanette lui donna.

— Je peux vous y conduire, si vous voulez, proposa-t-il.

Alcidor secoua la tête.

— Je connais la ville comme le fond de ma poche.

Fanette voulut offrir au marchand de l'argent pour sa peine, mais il refusa net.

— Si on peut plus rendre service à son prochain...

Après le départ des deux hommes, Fanette prit place sur une chaise près de sa tante et écarta avec précaution la couverture. Le manteau de Madeleine était complètement détrempé et glacé. La jeune femme songea à le lui enlever, mais n'osa pas, craignant de lui faire mal en la déplaçant.

— Ma tante, murmura-t-elle, s'interrogeant sur ce que cette dernière faisait sur un chemin de montagne, au beau milieu d'une tempête de verglas.

Madeleine remua un peu et grimaça de douleur.

— J'ai... mal... réussit-elle à articuler.

— Ne bougez surtout pas.

Pourvu que le docteur Brissette soit chez lui ! Sentant un courant d'air frais sur sa nuque, Fanette décida d'allumer un feu dans la cheminée. En remuant des cendres à l'aide d'un tisonnier, elle remarqua quelques morceaux de papier noircis au fond de l'âtre. Elle en saisit un, sur lequel étaient écrits des mots sans suite : « Bloomingdale », « de vous inviter », « ses œuvres ». *Bloomingdale.* Elle avait déjà entendu ce nom, mais ne se rappelait pas en quelle occasion. Levant les yeux, elle fut de nouveau frappée par le rectangle vide, là où avait été accroché le portrait de sa tante. Clara Bloomingdale. Elle s'en souvenait, maintenant. C'était le nom de la peintre qui avait exécuté le tableau.

La porte d'entrée s'ouvrit sur ces entrefaites. Fanette reconnut la voix du docteur Brissette avec un soulagement indicible et alla à sa rencontre. Ce dernier fut ébranlé en apercevant la jeune femme en robe de nuit, avec ses beaux cheveux sombres répandus sur ses épaules. C'était la première fois qu'il la voyait ainsi, mais il n'eut pas le temps de s'en émouvoir.

— Ma tante a eu un grave accident.

༄

Penché au-dessus de Madeleine, le médecin l'auscultait avec minutie. La pauvre femme respirait avec difficulté, comme si un poids pesait sur sa poitrine. Fanette et la servante étaient debout en retrait, le visage soucieux.

— À première vue, je crains que quelques côtes soient brisées.

Berthe éclata en sanglots. Le docteur Brissette tenta de se faire rassurant.

— Ce n'est pas d'une grande gravité, bien que ce soit extrêmement douloureux.

Après avoir déboutonné le chemisier de la blessée, il observa des marques blanchâtres sur sa peau.

— Elle a dû rester plusieurs heures au froid. Il y a des signes d'hypothermie. Il faudra lui mettre des vêtements chauds, la garder près d'une source de chaleur et lui administrer des cataplasmes de moutarde blanche.

Puis il sortit un stéthoscope de son sac de médecine et l'appuya délicatement sur la poitrine de Madeleine, du côté du cœur.

— Elle fait un peu d'arythmie.

— Qu'est-ce que ça mange en hiver ? s'enquit Berthe, ne comprenant rien à ce jargon.

— Son rythme cardiaque est légèrement irrégulier. Sans doute le résultat de l'hypothermie.

Il souleva doucement le bras droit de Madeleine, qui geignit de douleur. En le regardant de plus près, il constata une enflure du poignet.

— Une entorse ou une fracture.

Fanette hocha la tête, consternée. Sa tante était droitière. Comment pourrait-elle continuer à écrire dans cet état ? Le médecin examina le reste du corps de sa patiente et découvrit qu'elle semblait s'être également fracturé une jambe. Il se redressa et prit Fanette à part.

— Votre tante est vraiment mal en point, dit-il à mi-voix. Il faut la bouger le moins possible, mais je crois qu'il serait plus sage que je la conduise à l'hôpital. Le plus proche est l'Hôtel-Dieu.

— Non, gémit Madeleine, qui avait entendu. Pas l'hôpital.

Le médecin se tourna vers sa patiente.

— Vous avez de nombreuses fractures, madame Portelance, des contusions importantes, de l'hypothermie, de l'arythmie. Je n'ai pas ce qu'il faut pour vous soigner convenablement, expliqua-t-il afin de la raisonner.

— Plutôt crever, répliqua faiblement Madeleine.

Le docteur Brissette s'adressa à Fanette.

— Je vous en prie, tâchez de la convaincre. Elle vous écoutera peut-être.

Autant demander à un sourd d'écouter un muet, pensa Fanette, qui commençait à connaître sa tante comme si elle l'avait tricotée. Elle fit néanmoins une tentative :

— Le docteur Brissette a raison. Vous devez aller à l'hôpital. Je vous accompagnerai.

Madeleine ne répondit pas. Ses yeux étaient clos et son visage, pâle comme de la cire.

— Docteur ! s'écria Fanette, alarmée. Je crois qu'elle s'est évanouie.

Le médecin prit le pouls de sa patiente.

— Le battement des artères est plus lent. Avez-vous du brandy ou du cognac ? demanda-t-il alors à Berthe.

Berthe acquiesça et courut en chercher.

— On ne peut pas laisser votre tante ici, déclara le médecin à Fanette. À défaut de l'hôpital, il faut l'installer dans un lit confortable.

— Sa chambre est au premier étage.

— Alors nous n'avons qu'à descendre son lit au rez-de-chaussée.

— Alcidor pourra nous donner un coup de main à son retour.

— Excellente idée.

Berthe revint, apportant une bouteille de brandy et un verre. Le médecin s'en empara et en versa une bonne rasade. Il souleva ensuite délicatement la tête de Madeleine et lui en fit boire une gorgée. La pauvre femme s'étouffa. Une douleur aiguë irradia dans son abdomen. Elle respirait avec peine. Le docteur Brissette la regarda avec inquiétude.

⇛

Alcidor, chaudement vêtu, conduisait une vieille carriole qu'il avait pris soin de munir de patins pour affronter les rues verglacées. Un soleil vif faisait briller la chaussée couverte de frimas. Heureusement, il y avait peu de circulation. Une odeur de feu de bois flottait dans l'air. Il ne fallut au serviteur qu'une vingtaine de minutes pour retrouver la calèche de Madeleine Portelance, écrasée contre un arbre. Il descendit de la carriole et l'examina. La voiture était sérieusement endommagée, mais pas au point qu'il soit impossible de la réparer. Il lui faudrait revenir le lendemain avec les outils nécessaires. En se penchant, il remarqua que le harnais avait été arraché. Il décela des traces de sabots près des débris de la calèche. La jument avait sans doute été prise de panique après l'accident et s'était enfuie, mais quelle direction avait-elle prise ?

En suivant les traces de sabots, Alcidor se rendit compte qu'elles menaient à un sentier qui traversait la forêt. Il décida d'aller dans cette direction après avoir attaché son cheval à un tronc d'arbre.

Le sentier était étroit. La lumière, qui se réfléchissait sur la glace couvrant les branches et le sol, était aveuglante. Après avoir marché pendant quelque temps, Alcidor crut apercevoir une forme sombre allongée au travers de la piste. Il s'en approcha.

C'était la jument, Anastazia. Il l'avait surnommée ainsi en souvenir d'une écuyère qu'il avait rencontrée lors d'une fête foraine dans son village, alors qu'il avait quinze ans. Il était tombé éperdument amoureux de la cavalière, éblouissante dans son costume blanc d'amazone, sans espoir d'être aimé en retour, mais il avait gardé d'elle un souvenir impérissable. Des années plus tard, après avoir fui la ferme de ses parents, il avait croisé une caravane de forains et était devenu cracheur de feu en souvenir de la belle écuyère.

La jument était immobile. Ses yeux noirs, grands ouverts, luisaient sous un rayon de soleil, ressemblant à des billes de verre. Un filet de sang s'écoulait de ses naseaux. Une légère couche de givre couvrait sa livrée. Alcidor s'agenouilla près de la bête, pencha la tête pour percevoir sa respiration, mais la jument restait figée, telle une statue de bronze. Le serviteur, qui n'avait jamais pleuré de sa vie, sentit des larmes chaudes rouler sur ses joues froides, comme s'il pleurait sur un rêve brisé.

LVII

En l'absence d'Alcidor, qui tardait à revenir, Berthe, Fanette et le docteur Brissette se chargèrent de descendre le lit de Madeleine. Le médecin avait refusé avec indignation que les deux femmes lui donnent un coup de main, affirmant que le lit était beaucoup trop lourd, mais Fanette avait tellement insisté pour l'aider qu'il avait finalement cédé à contrecœur. Ils transportèrent la lourde structure d'acajou jusqu'au salon et la déposèrent à proximité de la cheminée, suivis de près par la chienne George, qui s'installa au pied du lit, les oreilles basses et le regard triste.

Avec l'assistance de Fanette, le médecin prit doucement Madeleine par les épaules et la transporta du divan vers le lit, essayant de la remuer le moins possible. La pauvre femme gémit de douleur. Le docteur Brissette, en nage, les manches de sa chemise roulées jusqu'aux coudes, administra du laudanum à sa patiente pour atténuer sa souffrance.

— Votre tante doit se reposer, et surtout éviter tout mouvement, expliqua-t-il à Fanette.

Il prit sa sacoche.

— Je dois retourner chez moi pour chercher le nécessaire afin de soigner ses fractures. Je reviendrai dès que possible.

— Je ne sais comment vous remercier pour votre dévouement.

— C'est la moindre des choses. Ne suis-je pas un ami de la famille ?

Après le départ du médecin, Fanette retourna au chevet de sa tante, qui venait de se réveiller. Le regard de Madeleine était embrouillé. Elle faisait un effort pour se concentrer et remuait les lèvres, mais des sons inarticulés sortaient de sa bouche. La jeune femme prit un linge et essuya le front de la blessée.

— Fanette, murmura Madeleine d'une voix presque inaudible.

— Je suis là, ma tante.

La jeune femme fit un mouvement pour lui prendre la main, mais se rappela à temps que le poignet était blessé.

— Quel jour... sommes-nous ? demanda Madeleine dans un souffle rauque.

— Le 8 avril.

— Tu dois... te rendre... au palais de justice.

— Il n'en est pas question. Je ne veux pas vous laisser seule.

— Tu prendras des notes... Après, je te dicterai... un article.

— Mais ma tante, vous n'êtes pas en état de travailler.

— Je t'en prie... Fais... ce que je te demande.

Madeleine ferma les yeux. Le laudanum semblait agir rapidement, car elle s'endormit.

Fanette demeurait indécise quant à ce qu'il lui fallait faire. Mal en point comme elle l'était, sa tante n'aurait jamais la force de lui dicter une chronique, encore moins de la rédiger, mais comment lui refuser ce qu'elle lui avait demandé avec tant d'insistance ? Elle appela la servante.

— Berthe, je dois me rendre au palais de justice. Pourriez-vous veiller sur ma tante et sur Marie-Rosalie durant mon absence ? Le docteur Brissette sera de retour d'un moment à l'autre. Je reviendrai pour le dîner.

La bonne acquiesça et prit place dans un fauteuil, à proximité de sa maîtresse. George resta couchée au pied du lit, veillant sur Madeleine avec une fidélité aveugle.

❧

En sortant du salon, Fanette trouva sa fille, en robe de nuit, assise dans les marches de l'escalier, un pouce dans la bouche.

— Qu'est-ce que tu fais là, ma pauvre chouette ?

— Le bruit m'a réveillée.

La fillette leva les yeux vers sa mère.

— Pourquoi tante Madeleine dort dans le salon ? demanda-t-elle.

Fanette dut lui expliquer que sa grand-tante avait eu un accident de voiture et qu'elle avait besoin de beaucoup de repos.

— Mais pourquoi elle n'est pas dans sa chambre ?

— Parce qu'elle a subi des fractures et que c'est préférable de ne pas la bouger.

La fillette arborait une mine grave.

— Est-ce qu'elle va mourir ?

— Non, elle ne va pas mourir. Mais il lui faudra du temps avant de guérir.

Elle l'embrassa.

— Viens, je vais te préparer à déjeuner.

Elle saisit sa fille par la main et l'entraîna vers la cuisine.

⁊

Après un déjeuner frugal, Fanette choisit une robe de soie verte que sa tante avait commandée à une couturière sur un modèle en vogue en France et qu'elle lui avait offerte pour la remercier de ses bons et loyaux services. Elle brossa ses longs cheveux noirs devant le miroir de son chiffonnier et les enroula en chignon. Il y avait longtemps qu'elle s'était regardée ainsi dans la glace, comme si ses nombreuses tâches de la vie quotidienne avaient pris toute la place, ne lui laissant guère le loisir de penser à elle. Malgré la fatigue et son inquiétude pour l'état de sa tante, elle ne se trouva pas trop mauvaise mine. Elle éprouva même une certaine excitation à l'idée de retourner à la cour pour assister à la suite du procès d'Aimée Durand. Quel autre témoin l'avocat de la Couronne ferait-il entendre ? Julien Vanier réussirait-il à sauver sa cliente ? Après avoir mis un chapeau à voilette assorti à la robe, elle embrassa tendrement sa fille.

— Où vas-tu, maman ?

— Au palais de justice.

— Avec le juge en perruque blanche ?

Fanette ne put s'empêcher de sourire.

— Exactement.

— Emmène-moi avec toi ! la supplia la fillette en entourant le cou de sa mère de ses bras potelés.

— Ce n'est pas un lieu pour les enfants.

⁂

Fanette sortit dans la cour et aperçut Alcidor, couché sur de la paille fraîche dans la stalle réservée à la jument Anastazia. Il était enroulé dans une grosse couverture qui servait à protéger l'animal durant les nuits froides et pleurait en silence. Tout près de lui, l'autre cheval appartenant à Madeleine mangeait de l'avoine dans son râtelier. Croyant que le palefrenier dormait, Fanette attela le Phaéton elle-même et mena le cheval par la bride jusqu'à la rue.

La vue de la glace, que le soleil faisait scintiller comme du verre, lui coupa le souffle. La chaussée et les trottoirs déserts luisaient comme des miroirs. Des glaçons pendaient aux corniches des maisons, et les branches d'arbres ressemblaient à des lustres. Fanette perdit pied sur la chaussée glacée et dut s'accrocher au rebord de sa voiture pour ne pas tomber. Elle se hissa sur le siège et fit claquer son fouet.

Avant de se rendre au palais de justice, Fanette fit un détour par le bureau de la Montreal Telegraph, situé dans la rue Saint-Sacrement, afin d'envoyer un télégramme à Emma.

> Chère maman, tante Madeleine a eu un accident de voiture.
> Elle a plusieurs fractures, mais soyez sans inquiétude, elle
> est bien soignée par le docteur Brissette. Je vous tiendrai au
> courant. Votre Fanette.

Il y avait foule devant le palais de justice. Fanette réussit de peine et de misère à garer sa voiture. Craignant d'être en retard au procès, elle marcha le plus rapidement possible sur le trottoir glacé en direction du portique, qui était noir de monde. Un garçon, debout devant l'entrée, vendait des journaux à la criée.

— Achetez *L'Époque* ! Tout sur l'affaire de l'empoisonneuse ! Achetez *L'Époque* pour seulement trois cennes ! Tout sur l'affaire de l'empoisonneuse !

Des badauds se pressaient autour de l'adolescent, dont le visage hâve et les vêtements troués par endroits trahissaient la pauvreté. Constatant que la pile de journaux baissait à vue d'œil, Fanette dut jouer des coudes pour parvenir jusqu'au crieur, à qui elle acheta un exemplaire. Son journal sous le bras, elle se réfugia dans un coin plus tranquille, derrière l'une des colonnes, et déplia le journal, qui sentait l'encre fraîche. Une réclame faisait l'apologie de l'eau de mélisse, « un médicament miraculeux qui guérit l'apoplexie, le choléra, les vapeurs, le mal de mer, les migraines, les indigestions, etc. ». Puis, au milieu de la première page, un grand titre s'étalait en manchette :

L'affaire de l'empoisonneuse !

L'article paraissait en dessous du titre, suivi par la signature de Jacques Gallant. Fanette replia le journal, se promettant de le montrer à sa tante dès son retour, si cette dernière était en état d'y jeter un coup d'œil. En entrant dans le hall, elle passa devant Arsène Gagnon sans le voir. Appuyé sur une colonne, un pli amer à la bouche, le reporter avait le nez plongé dans le journal *L'Époque*. Il leva la tête et aperçut Fanette, qu'il apostropha avec sa grossièreté coutumière.

— Bien le bonjour, mam'selle.

Elle l'ignora, mais il s'approcha d'elle, la dévisageant avec sans-gêne.

— Votre tante n'est pas avec vous ce matin ? s'étonna-t-il.

Fanette ne voulait surtout pas révéler au journaliste l'accident dont Madeleine avait été victime.

— Elle a eu un contretemps.

— Rien de grave, j'espère, commenta le reporter avec une bienveillance feinte.

Se méfiant du journaliste comme de la peste, Fanette s'éloigna sans répondre. Arsène Gagnon la suivit du regard. Sa curiosité avait été éveillée par les manières évasives de la nièce de sa rivale, dont le malaise sautait aux yeux. Son instinct lui dicta qu'un simple contretemps ne pouvait expliquer l'absence de Madeleine Portelance au palais de justice. Cette virago dévorée par l'ambition n'aurait pas manqué la suite du procès de l'empoisonneuse pour tout l'or au monde, surtout pas après que son article eut fait l'objet d'une telle manchette. Quelque chose de plus sérieux s'était produit, et il se faisait fort de le découvrir.

⁓

L'audience n'était pas encore commencée lorsque Fanette arriva au balcon réservé aux dames. Il y avait tellement de monde qu'elle dut rester debout. Par chance, la vue qu'elle avait du prétoire était excellente. Et puis elle avait eu la présence d'esprit d'apporter les jumelles à manche d'ivoire de sa tante, qui lui seraient fort utiles.

La prisonnière était déjà assise dans le box des accusés, flanquée de deux gardiens. Comme la première fois, elle était vêtue de noir, et ses poignets étaient entravés par des chaînes. Elle gardait toujours les yeux baissés. Il était difficile de savoir si c'était par timidité ou par un sentiment de défiance. Le regard de Fanette s'attarda au prétoire, mais les avocats n'avaient pas encore fait leur apparition.

— La cour est ouverte ! Levez-vous. Le juge James Lindsay préside.

L'assistance se mit debout d'un seul mouvement. Fanette entrevit la silhouette de Julien Vanier entre les chapeaux des dames. Il était plongé dans un dossier dont il feuilletait nerveusement les pages. Elle ne put s'empêcher d'éprouver de la sympathie pour l'avocat, dont la tâche était presque insurmontable.

Le greffier se leva.

— La Cour appelle de nouveau le docteur Théophile Allard comme témoin.

Le juge s'adressa à Julien Vanier :

— Comme le procureur de la Couronne, maître Craig, a déjà interrogé le témoin, c'est donc à votre tour de procéder, maître.

— Merci, Votre Seigneurie.

L'avocat se redressa et s'avança dans le prétoire. Sa toge noire lui donnait de la prestance. Tous les regards étaient rivés sur lui. Une hostilité palpable, mêlée à une curiosité avide, émanait de la salle.

— Docteur Allard, vous avez affirmé, lors de votre interrogatoire par mon distingué collègue, que les symptômes de la victime étaient bien ceux de l'empoisonnement par l'arsenic.

— C'est exact, répondit le médecin en bombant légèrement le torse, visiblement flatté par l'attention dont il était l'objet.

— Vous avez également affirmé que, lors d'une première visite à Lionel Durand, vous aviez d'abord cru à un ulcère d'estomac.

Décontenancé par la question, le témoin se tourna vers le juge.

— Répondez, docteur Allard.

— Euh… Oui, c'est exact.

L'avocat s'approcha du médecin et s'arrêta à sa hauteur.

— Cela signifie donc que vous vous êtes trompé la première fois, n'est-ce pas ?

Le médecin rougit jusqu'aux oreilles.

— Enfin, c'est normal, lors d'une première visite, de ne pas immédiatement saisir les causes de…

Julien Vanier le coupa :

— Je ne vous demande pas de vous justifier, docteur Allard, je vous demande de répondre simplement à ma question.

Avez-vous, oui ou non, commis une erreur de diagnostic lors de votre première visite à la victime ?

Le médecin, mortifié, toussota dans une main.

— Oui.

Des murmures accueillirent sa réponse. L'avocat de la défense regarda le médecin dans les yeux.

— Si vous vous êtes trompé une première fois, docteur Allard, n'est-il pas possible que vous vous soyez trompé une deuxième fois, et que les symptômes que vous avez attribués à l'arsenic aient eu une tout autre cause ?

L'avocat de la Couronne se leva, indigné.

— Objection, Votre Seigneurie ! Mon confrère fait de la spéculation pure et simple !

— Objection retenue, décréta le juge, en jetant un coup d'œil sévère au jeune avocat. Maître Vanier, contentez-vous de poser des questions sur les faits, et non sur des suppositions.

L'avocat ne parut aucunement déconcerté par la remontrance du magistrat.

— Je formulerai donc ma question autrement, Votre Seigneurie.

Il interrogea de nouveau le témoin.

— Est-il possible, je dis bien *possible*, insista-t-il, que vous ayez commis une erreur de diagnostic lors de votre deuxième visite à Lionel Durand ?

Le médecin devint cramoisi.

— Vous remettez en cause mon intégrité professionnelle ?

— Contentez-vous de répondre à la question, docteur Allard, intervint le juge.

— Oui, c'est possible, concéda le médecin à contrecœur, mais je suis convaincu que…

Julien se tourna vers le juge.

— J'en ai terminé avec le témoin, Votre Seigneurie.

Bien que le fait d'être debout ne lui facilitât pas la tâche, Fanette avait soigneusement noté les échanges entre le jeune avocat et le témoin, essayant de ne rien omettre. Elle admirait l'habileté avec laquelle Julien Vanier avait semé le doute chez le jury. Mais cela suffirait-il à faire pencher la balance en faveur de l'accusée ?

Oscar Lemoyne, installé sur le banc réservé aux journalistes, se redressa pour se dégourdir les jambes et aperçut la « jolie dame » debout dans les premiers rangs, à gauche du balcon. Il se rendit compte qu'elle était seule. Un sentiment de joie insensée s'empara de lui, qu'il s'empressa de réfréner. *Allez, du calme, pauvre idiot*, s'admonesta-t-il. *Ce n'est pas parce que Fanette Grandmont est veuve que tu as la moindre chance de l'intéresser. De toute façon, elle s'est peut-être remariée.* Il s'efforça de relire ses notes, qu'il avait griffonnées à la hâte dans son calepin, mais son regard déviait toujours vers le balcon, tel du fer attiré par un aimant. *Ce qu'elle est jolie !* Même de loin, il percevait une grâce dans son maintien, une dignité naturelle qui le ravissaient. Et sa robe verte lui allait comme un gant, rappelant ses origines irlandaises. *Ah, la verte Erin*, rêva-t-il.

Une jeune femme entra dans la salle d'audience. Elle poussait un petit chariot dans lequel s'entassaient des dossiers. Oscar la reconnut sans peine. *Jo Barrette !* C'était l'employée qui travaillait au greffe du palais de justice et qui lui avait fourni des renseignements intéressants dans l'enquête qu'il menait à l'époque sur l'affaire du prête-nom[2]. Il lui fit un signe de la main, mais elle poursuivit son chemin sans le remarquer. Peut-être ne l'avait-elle pas vu, déduisit le reporter. Ou bien elle lui en voulait de ne pas avoir répondu à la lettre qu'elle avait eu la gentillesse de lui écrire.

La voix du crieur résonna dans la salle :

— La Couronne appelle Noémie Hamel à la barre !

Oscar reporta son attention du côté du box des témoins. Une jeune femme frêle et au visage délicat, vêtue d'une robe noire, venait d'y prendre place après avoir prêté serment. Elle fit tout de suite bonne impression au jeune reporter.

---

2. Voir le tome 3, *Le secret d'Amanda*.

L'avocat de la Couronne s'avança vers le témoin.

— Vous êtes la sœur du défunt ? demanda-t-il gentiment.

— Sa sœur cadette, murmura la jeune femme en se tamponnant les yeux avec un mouchoir.

Des soupirs émus parcoururent la salle en réponse à son geste.

— Madame Hamel, lorsque votre frère a eu ses premiers symptômes et que vous avez voulu aller chercher un médecin, est-il exact que l'accusée, Aimée Durand, a essayé par tous les moyens à vous en empêcher ?

Julien Vanier bondit.

— Votre Seigneurie, je m'oppose aux mots « par tous les moyens », qui sont préjudiciables à ma cliente.

— Objection retenue, décréta le juge. Veuillez ne pas noter les mots « par tous les moyens » aux minutes du procès, indiqua-t-il au greffier.

Puis, s'adressant au témoin, le magistrat ajouta avec bienveillance :

— Répondez à la question, madame Hamel.

— C'est la vérité, dit la sœur de la victime d'une voix tremblante. Aimée a refusé que j'aille quérir un médecin. Pourtant, mon frère était très malade. Il était pâle à faire peur et souffrait de maux de ventre épouvantables.

— Quelle raison a évoquée l'accusée pour justifier ce refus ?

La jeune femme lorgna sa belle-sœur. Ses yeux étaient chargés de chagrin et de révolte.

— Aimée a prétendu que mon frère n'avait pas besoin d'un médecin. Elle m'a dit : « De toute manière, il va mourir, alors à quoi ça servirait de gaspiller de l'argent ! »

Une rumeur indignée traversa l'assistance, aussitôt réprimée par le juge.

— Silence !

— J'en ai fini avec le témoin, conclut l'avocat de la Couronne, qui retourna s'asseoir avec une mine satisfaite.

Après avoir brièvement consulté ses notes, Julien Vanier s'approcha à son tour du témoin.

— D'abord, je voudrais vous faire part de mes sincères condoléances concernant le décès de votre frère, madame Hamel.

Noémie Hamel resta muette de surprise. L'avocat reprit avec douceur.

— Quel métier exerçait le défunt ?

— Il travaillait comme commis dans une banque.

— Est-il exact qu'il s'adonnait au jeu et avait contracté des dettes importantes ?

L'avocat de la Couronne intervint.

— Cette question n'a rien à voir avec ce procès ! s'indigna-t-il.

— Cette question a tout à voir avec ce procès, et j'entends bien le démontrer.

— Objection rejetée, trancha le juge. Poursuivez, maître.

Julien Vanier se tourna vers la jeune femme.

— Je répète, madame Hamel : votre frère s'adonnait-il au jeu, et avait-il contracté des dettes importantes ?

La jeune femme se troubla.

— Lionel jouait aux cartes de temps en temps, mais...

L'avocat brandit une feuille de papier.

— J'ai ici une reconnaissance de dette de quatre cents dollars signée par votre frère. Reconnaissez-vous sa signature ?

Noémie Hamel jeta un coup d'œil au document.

— Oui, dit-elle d'une petite voix.

— Parlez plus fort, afin que le jury vous entende.

Elle s'éclaircit la gorge.

— Oui.

Julien Vanier s'avança vers le jury, auquel il montra le document, puis revint vers le témoin.

— Est-il exact qu'Aimée Durand vous avait confié à plusieurs reprises qu'elle manquait parfois d'argent, même pour le plus strict nécessaire ?

Noémie Hamel serra les lèvres.

— C'est arrivé une ou deux fois, mais...

— Oui ou non ? s'impatienta l'avocat.

— Oui.

— Si votre belle-sœur manquait d'argent pour l'essentiel, cela n'explique-t-il pas son refus d'aller chercher un médecin, qu'elle n'avait pas les moyens de payer ?

L'avocat de la Couronne s'interposa, furieux.

— La question de mon collègue est tendancieuse !

— Au contraire, cet élément est essentiel à la défense de ma cliente, rétorqua le jeune avocat.

— Répondez à la question, dit le juge au témoin. N'oubliez pas que vous êtes sous serment et qu'un faux témoignage est sévèrement puni par la Cour.

Noémie Hamel hésita, puis secoua la tête.

— Non, ce n'était pas pour ça.

Elle regarda de nouveau l'accusée.

— Aimée voulait que mon frère meure.

Des exclamations horrifiées fusèrent.

— Silence dans la salle ! clama le crieur.

Julien Vanier toisa la jeune femme.

— Qu'est-ce qui vous permet d'affirmer une pareille chose, madame Hamel ?

— Une couple de semaines avant sa mort, je suis venue rendre visite à mon frère. Il n'était pas là. Aimée avait les yeux rouges, elle m'a avoué qu'ils s'étaient disputés. Elle m'a dit : « Je peux plus supporter la situation. Je voudrais que Lionel meure. »

Un silence lourd flotta dans la salle après ces paroles. L'avocat fixa un point devant lui, comme s'il réfléchissait à la suite à donner à l'interrogatoire.

— À quelle situation Aimée Durand faisait-elle référence ?

La jeune femme prit une inspiration, comme si ce qu'elle s'apprêtait à révéler était trop pénible.

— Elle prétendait que mon frère la battait.

Cette fois, le tumulte fut tel que le juge dut utiliser son marteau pour rétablir le calme. Julien Vanier attendit que le silence revienne pour poursuivre.

— Étiez-vous seule avec Aimée Durand au moment où elle vous aurait fait ces confidences ?

— Oui.

— Donc, il n'y a personne d'autre que vous pour corroborer les propos que vous prêtez à ma cliente ?

— C'est ce qu'Aimée m'a dit, mot pour mot ! protesta la jeune femme. Vous avez juste à lui demander vous-même.

Julien Vanier leva la tête vers sa cliente, qui avait gardé les yeux baissés et dont le visage n'exprimait aucune émotion. Puis il se tourna vers le juge.

— Je n'ai plus de questions, Votre Seigneurie.

LVIII

L'audience avait été ajournée pour la fin de semaine. Fanette, tenant son exemplaire du journal *L'Époque* dans une main et sa bourse dans l'autre, se dirigea vers la sortie. Bien que Julien Vanier eût mené les contre-interrogatoires du médecin et de la sœur de la victime avec brio, elle commençait à avoir de sérieux doutes sur l'innocence de l'accusée. Le témoignage de Noémie Hamel l'avait fortement ébranlée. *Aimée voulait que mon frère meure.* La jeune femme avait prononcé ces mots avec une telle conviction qu'il était difficile de ne pas la croire. S'il était vrai que le mari de l'accusée la battait, cela donnait un mobile plausible à Aimée Durand de vouloir se débarrasser de lui et confortait la thèse de la Couronne. Nul doute que sa tante, si elle avait assisté à ce témoignage, aurait penché du côté de l'accusation.

La pensée de Madeleine lui fit hâter le pas. Berthe avait beau veiller sur elle, Fanette ne voulait pas s'absenter trop longtemps. En traversant le hall du palais de justice, elle croisa Julien Vanier, qui parut heureux de la revoir, malgré la tournure du procès. Il transportait sa grosse serviette de cuir.

— Votre tante n'est pas avec vous ?

Fanette joua de prudence.

— Elle est légèrement souffrante. Elle m'a chargée de prendre des notes du procès à sa place.

— Vous lui souhaiterez un prompt rétablissement de ma part.

Il y avait dans le ton de l'avocat une légère ironie qui n'échappa pas à Fanette.

— Vous ne l'aimez pas beaucoup, on dirait.

— En fait, ce sont les journalistes en général que je n'aime pas. Le spectacle de la justice leur importe plus que la vérité.

— Certains d'entre eux sont honnêtes, répliqua Fanette sur la défensive, et font bien leur travail.

— Peut-être, mais ils ne sont que des exceptions qui confirment la règle.

Il remarqua le journal que Fanette avait dans une main.

— J'ai lu l'article de Jacques Gallant dans *L'Époque*. Il semble convaincu que ma cliente est coupable. Et vous, quelle est votre opinion ?

— Vous avez hérité d'une cause bien difficile.

L'avocat lui jeta un coup d'œil dubitatif.

— Vous croyez qu'Aimée Durand a empoisonné son mari ?

— Le témoignage de la sœur de la victime semblait très crédible, admit Fanette.

Contre toute attente, Julien Vanier sourit.

— J'apprécie votre franchise. Du reste, je n'en suis pas étonné. Je ne vous connais pas beaucoup, mais je sais que vous êtes une personne intègre.

Une foule compacte se pressait autour d'eux. À une bonne distance, Arsène Gagnon, dissimulé derrière un pilier de marbre, les observait. Il vit les deux jeunes gens franchir la porte du palais et leur emboîta le pas.

Une brise printanière accueillit Fanette et Julien Vanier sur le parvis. Le soleil était déjà haut dans le ciel. Le verglas commençait à fondre, laissant des flaques d'eau sur le pavé. Des glaçons s'écrasaient sur le sol avec un bruit de verre cassé. Fanette désigna son Phaéton, qui était garé à deux coins de rue.

— Ma voiture est là-bas.

Julien Vanier prit poliment le bras de la jeune femme. Il se mit à parler tout en marchant.

— Depuis que je vous ai revue, je n'ai cessé de penser à votre sœur. J'ai appris par les journaux qu'elle s'était évadée de la prison de Québec, puis qu'elle avait subi un nouveau procès et avait été innocentée. Rien n'aurait pu me réjouir davantage.

À l'évocation d'Amanda, Fanette eut un sourire radieux.

— C'était inespéré. Un homme qui avait vu le meurtre de Jean Bruneau a finalement accepté de témoigner en faveur d'Amanda. Elle a enfin cessé d'être une fugitive. Elle habite à la Jeune Lorette, avec sa famille.

— J'ose espérer que l'issue du procès de ma cliente connaîtra une fin aussi heureuse. Tout l'accable, mais je crois fermement à son innocence, tout comme je croyais à celle de votre sœur.

Émue par les paroles de l'avocat, par son regard droit et empreint de loyauté, Fanette s'attarda.

— Est-ce indiscret de vous demander pourquoi vous avez quitté Québec pour vous installer à Montréal ?

— Après l'énoncé du verdict qui avait condamné si injustement votre sœur, je suis passé près d'abandonner le droit. J'ai fait un voyage de quelques mois en Europe pour tenter d'y voir plus clair.

Il s'interrompit. Une expression de souffrance traversa fugitivement son regard.

— À mon retour, une firme de Montréal m'a fait une offre. J'éprouvais le besoin de m'éloigner de Québec, de tirer un trait sur le passé. Alors j'ai accepté.

L'avocat saisit la main de Fanette et l'aida à franchir le marchepied de sa voiture, puis il ôta son chapeau et s'inclina.

— Au revoir, madame Grandmont.

Il s'éloigna d'un pas rapide. Fanette le suivit des yeux jusqu'à ce qu'il se perde dans la foule. Sa détermination à défendre sa cliente et l'intérêt dont il avait fait preuve quant au sort d'Amanda l'avaient profondément touchée. « Tout l'accable, mais je crois fermement à son innocence, tout comme je croyais à celle de votre sœur », avait-il dit. Elle souhaita soudain qu'il réussisse à faire innocenter la jeune accusée.

La cloche de la basilique Notre-Dame sonna l'angélus. Déjà midi ! Fanette secoua les rênes, s'inquiétant de l'état dans lequel elle retrouverait sa tante. En chemin, elle repensa à Julien Vanier. Elle avait remarqué une ombre dans son regard lorsqu'il avait parlé de son voyage en Europe, comme si cela éveillait en lui un souvenir douloureux. Peut-être avait-il connu une déconvenue amoureuse. Elle se surprit à se demander s'il était marié et comprit que le jeune avocat ne lui était pas indifférent.

Arsène Gagnon, posté derrière une rangée de fiacres afin de ne pas être repéré, avait observé les deux jeunes gens. Il n'avait pu entendre leur conversation, couverte par le bruit des voitures, mais avait scruté l'expression de leur visage, dont la gravité lui fit supposer que leur entretien était important.

Voyant soudain la voiture de Fanette se mettre en marche, le reporter songea à héler un fiacre pour la suivre, mais en fouillant dans ses poches il se rendit compte qu'il n'avait pas assez d'argent. Il réfléchit. La jeune femme habitait chez sa tante, dont la maison n'était pas très loin du palais de justice. Il n'y avait qu'une façon de savoir pourquoi Madeleine Portelance avait envoyé sa nièce assister au procès à sa place : se rendre à pied chez elle pour surveiller la maison. S'il y avait anguille sous roche, il la découvrirait.

LIX

Le docteur Brissette était en train de ranger son stéthoscope dans sa sacoche lorsque Fanette entra dans le salon. Elle n'avait pas pris le temps d'enlever son chapeau et son mantelet, pressée qu'elle était de prendre des nouvelles de sa tante. Le médecin alla à sa rencontre.

— Je vous attendais avant de repartir, dit-il à mi-voix. Soyez sans inquiétude, l'état de votre tante est stable. Elle n'a pas de fièvre, ce qui est bon signe, mais ses fractures lui causent encore beaucoup de douleur. J'ai dû lui administrer une dose plus forte de laudanum.

Fanette alla au chevet de sa tante. Cette dernière était profondément endormie, mais sa respiration demeurait laborieuse. George était toujours à ses pieds et, le museau sur les pattes, gardait ses yeux humides fixés sur sa maîtresse. Fanette remarqua que le poignet droit de Madeleine était entouré de bandages et soutenu par une attelle. Sa jambe gauche était emprisonnée entre deux planches maintenues en place par des cordes, qui étaient elles-mêmes rattachées à des poulies. Cet attirail l'inquiéta plus qu'il ne la rassura.

— Votre tante ne se porte pas trop mal, malgré les apparences, expliqua à voix basse le médecin, qui avait vu de l'appréhension dans les yeux de la jeune femme. Sur mes instructions, Alcidor a équarri deux planches de bois afin d'immobiliser la jambe. Celle-ci reste surélevée, grâce à un système de poulies, afin de diminuer l'enflure et de permettre une meilleure circulation sanguine.

Il sortit un flacon de sa sacoche.

— Donnez-lui trois gouttes de laudanum dès son réveil, ou lorsque la douleur se manifeste. Bouillon de poule et laitage jusqu'à ce qu'elle puisse avaler un repas plus consistant. Il faudra la surveiller de près durant quelques jours jusqu'à ce qu'elle prenne du mieux. Tâchez de ne pas la laisser seule. Pour ma part, je reviendrai la voir deux fois par jour, davantage s'il le faut. En attendant, je dois faire ma tournée de patients.

Fanette l'accompagna jusqu'à la porte.

— Encore une fois, je ne sais comment vous remercier pour le soin que vous prenez de ma tante.

Le médecin haussa les épaules.

— Je ne fais que mon devoir.

Il ajouta, en rougissant légèrement :

— Le plaisir de votre présence ne le rend que plus agréable.

Il prit congé. Fanette s'installa au chevet de sa tante, qui dormait toujours. Son souffle était légèrement saccadé. Son teint avait pris une teinte cireuse. La pitié étreignit le cœur de Fanette. Assommée par la drogue, sa tante n'était pas en état de lui dicter un article, ni même de jeter un coup d'œil à l'exemplaire de *L'Époque* qu'elle lui avait rapporté.

❧

Arsène Gagnon faisait le pied de grue devant la maison de briques rouges, mais il n'avait observé jusqu'à présent aucun signe d'activité, bien qu'il y eût un peu de lumière aux fenêtres. Un peu plus tôt, il avait contourné l'immeuble et avait jeté un coup d'œil à la cour arrière. Le Phaéton que la nièce de Madeleine Portelance conduisait s'y trouvait. Juste à côté, il avait aperçu une calèche en piètre état, dont une roue manquait. Un homme d'allure costaude était en train de la réparer à gros coups de marteau. Gagnon avait tout de suite reconnu la voiture : c'était la calèche qu'utilisait habituellement Madeleine Portelance pour se rendre au journal. Que s'était-il produit pour qu'elle soit à ce point endommagée ?

Ne voulant pas attirer l'attention du palefrenier, Arsène Gagnon était retourné devant la maison pour continuer sa surveillance. Il fut sur le point d'abandonner lorsque la porte s'ouvrit enfin. Un homme au visage rond et jovial, tenant une sacoche noire à la main, en sortit. Le reporter supposa qu'il s'agissait d'un médecin. Il attendit que la porte se referme et s'élança vers lui.

— Docteur !

L'homme se tourna dans sa direction.

— Oui ?

Le reporter contint un sourire satisfait : il avait deviné juste.

— Docteur, répéta-t-il, je suis un collègue de madame Portelance au journal *L'Époque*. J'allais aux nouvelles.

Le médecin parut mal à l'aise. Arsène Gagnon s'empressa d'ajouter :

— J'ai croisé sa nièce au palais de justice. Elle m'a appris que sa tante était souffrante.

Mis en confiance par l'explication du reporter, le docteur Brissette acquiesça.

— Madame Portelance a eu un accident de voiture.

Voilà qui explique la calèche abîmée, songea le reporter, excité par sa découverte.

— Rien de grave, j'espère ? demanda-t-il, faisant un effort pour mimer l'inquiétude.

— Je crains que si. Elle s'en remettra, mais il lui faudra du temps.

Puis, craignant soudain d'en avoir trop dit, le médecin regarda le reporter de plus près.

— Vous dites que vous êtes un collègue de madame Portelance. Quel est votre nom ? Je transmettrai vos vœux de prompt rétablissement à ma patiente lorsque je la reverrai.

Mais le journaliste lui avait déjà tourné le dos et marchait rapidement sur le trottoir de bois, n'en revenant pas de la facilité avec laquelle il avait réussi à tirer les vers du nez du médecin. Quant au docteur Brissette, il regagna son logement avec le sentiment désagréable qu'il avait, sans le vouloir, commis une fâcheuse indiscrétion.

Fanette raviva le feu dans l'âtre, car il commençait à faire un peu frais dans la maison. Sa tante dormait toujours. La jeune femme contempla les flammes qui crépitaient dans l'âtre, incertaine de la marche à suivre. Elle relut les notes qu'elle avait prises durant le procès, tout en sachant que c'était inutile.

— J'ai soif.

Fanette se leva aussitôt et prit un pichet d'eau fraîche que Berthe avait laissé sur la table à café. Elle en versa dans un verre et aida sa tante à boire. Celle-ci avala quelques gorgées, mais ce simple geste la fit gémir de douleur.

— Ma pauvre tante, il faut vous reposer.

— Le journal ?

— Je vous en ai rapporté un exemplaire.

Fanette se hâta d'aller chercher la gazette, qu'elle avait déposée sur un guéridon, et la montra à sa tante. Un faible sourire éclaira son visage exsangue.

— Mon article... en manchette.

Madeleine voulut faire un mouvement pour prendre le journal, mais elle eut un spasme de douleur.

— Maudit accident, maugréa-t-elle.

— Il faut vous reposer.

Madeleine fit un effort pour poursuivre.

— Es-tu allée... au palais de justice...

— Oui, et j'ai pris des notes, comme vous me l'aviez demandé, mais vous n'êtes pas en état de travailler.

— Écoute-moi.

La voix de Madeleine s'enraya. La blessée garda le silence, comme pour recouvrer des forces, puis reprit la parole :

— Je voudrais... que tu écrives... l'article... N'oublie pas... la tombée... est à six heures...

— Mais ma tante, je n'ai jamais rédigé un article de ma vie ! Je n'ai pas d'expérience.

— Tu rêvais… de devenir… journaliste. C'est le temps… de faire tes… preuves.

— Votre patron n'acceptera jamais un papier écrit par moi, objecta Fanette. Vous m'avez dit vous-même qu'il ne veut même pas que je me présente à la salle de rédaction sous prétexte que je distrais ses employés.

— Tu feras croire… à Point final… que c'est moi… l'auteur.

Fanette voulut répliquer, mais sa tante, de sa main valide, lui saisit le bras avec une force surprenante.

— Je t'en prie, fais-le pour moi.

Elle ferma les yeux, vaincue par l'épuisement. Complètement prise au dépourvu, Fanette caressa la tête du basset, qui était toujours allongé au pied du lit.

— Que vais-je faire, George ? murmura-t-elle.

La chienne lui lécha les doigts pour toute réponse.

❧

Tout en marchant d'un pas vif, Julien Vanier songeait à sa rencontre avec Fanette Grandmont. Il avait été ému par la sensibilité de la jeune femme, la grâce de ses mouvements, sa beauté et la vivacité de son regard. Lorsqu'il avait fait sa connaissance à Québec, il avait ressenti de l'attirance pour elle, mais le procès d'Amanda O'Brennan l'avait accaparé tout entier. Après le terrible verdict, et ses vaines démarches pour tenter de le faire renverser, il n'avait pas osé reprendre contact avec la jeune femme, bien qu'il eût appris qu'elle était devenue veuve. Un regret lancinant le saisit. Si seulement il avait écouté son cœur, quand il en était encore temps, comme tout aurait été différent ! *Trop tard. Il est trop tard.*

Julien Vanier arriva à la hauteur de la prison du Pied-du-Courant. Il leva les yeux vers l'édifice, dont les deux ailes avaient été bâties devant le fleuve, d'où son nom. En franchissant la lourde porte surmontée d'un fronton triangulaire, il se rappela que c'était sur un échafaud construit devant le portail de cette prison que les Patriotes avaient été pendus après les rébellions de 1837-1838. L'avocat était entré des dizaines de fois dans ce lieu sinistre pour visiter sa cliente, mais ne s'habituait pas à son atmosphère confinée et lugubre, ni à la souffrance que contenaient ses murs inexpugnables.

Après avoir passé la guérite, il se dirigea vers le premier étage, où se trouvaient les cellules des prévenus. Un gardien l'escortait, tenant un quinquet fumant dans une main. Un énorme trousseau de clés pendait à sa ceinture, faisant un cliquetis irritant.

La geôle d'Aimée Durand était située au fond du corridor. À leur passage, l'avocat et le garde-chiourme furent assaillis par des rires et des quolibets lancés par les prisonniers, des hommes comme des femmes, car la prison était mixte. *Que de misère !* pensa Vanier, devinant que les détenus cachaient, sous leurs insultes, une immense détresse.

La cellule était étroite, à peine éclairée par une lumière blafarde qui entrait par une fenêtre en forme de demi-lune striée de barreaux, dont les ombres se dessinaient sur le sol de pierre gris. Des taches d'humidité suintaient des murs. La prisonnière était assise sur un grabat de paille et avait les mains croisées sur ses genoux. Julien Vanier prit place sur un tabouret de bois, en face de l'accusée.

— Madame Durand, est-ce vrai que votre mari vous battait ?

La prisonnière se tenait immobile sur son grabat, les yeux toujours baissés.

— Je vous en prie, répondez-moi !

Saisie par le ton brusque de l'avocat, Aimée Durand leva la tête. Son regard était impavide.

— Je vous rappelle que je suis là pour vous défendre. Si vous ne m'aidez pas, vous risquez de vous retrouver au bout d'une corde !

L'avocat détestait utiliser ce langage menaçant, mais sa cliente ne lui laissait guère d'autre choix. Il n'arrivait pas à comprendre la cause de son indifférence et commençait à se demander si la pauvre jeune femme avait toute sa tête. Ou peut-être la gravité des accusations qui pesaient contre elle lui enlevait-elle tous ses moyens ? Il prit un ton plus conciliant :

— Madame Durand, je sais à quel point votre situation est difficile, mais je dois pouvoir compter sur votre collaboration. Vous devez me dire la vérité.

Les yeux légèrement bridés de la prévenue semblèrent s'animer quelque peu. Elle regarda par sa fenêtre étroite. Un long silence s'ensuivit. Puis elle parla enfin.

— C'est vrai.

Sa voix était un peu éraillée, comme celle de quelqu'un qui n'a pas l'habitude de s'exprimer souvent à voix haute.

— Pourquoi ne m'en avez-vous rien dit ?

— Je voulais pas que vous le sachiez.

— Pour quelle raison ?

La prisonnière baissa de nouveau les yeux.

— J'avais honte.

Les mots, qui avaient été prononcés à mi-voix, révélaient soudain un abîme de misère.

— Je comprends mieux votre situation, madame Durand, mais vous auriez dû m'en faire part bien avant aujourd'hui. Maître Craig, l'avocat de la Couronne, s'en servira pour prétendre que vous aviez un motif de vouloir vous débarrasser de votre mari.

L'accusée serra son châle sur ses épaules, comme si elle cherchait à se protéger. Le jeune avocat contempla sa cliente, le cœur étreint par la compassion. Mais il lui fallait mettre tout sentiment de côté s'il voulait la sauver.

— Avez-vous, oui ou non, avoué à votre belle-sœur que vous ne pouviez plus supporter la situation, que vous vouliez que votre mari meure ?

Aimée Durand hésita, puis secoua la tête.

— Je me rappelle pas.

— Y a-t-il autre chose que je devrais savoir ?

Aimée Durand resta coite puis, après un long silence, secoua la tête. L'avocat se leva.

— L'audience reprend lundi. D'ici là, tâchez de prendre du repos.

Julien Vanier fit un signe au gardien qui se tenait derrière la porte grillagée. Ce dernier la déverrouilla et l'ouvrit. Le grincement des gonds remplit l'espace. L'avocat fut soulagé de quitter la cellule. En longeant le couloir humide, il songea avec inquiétude à la suite du procès. L'aveu de sa cliente n'aidait pas sa cause, bien au contraire. L'optimisme qu'il avait éprouvé depuis qu'il avait accepté de défendre Aimée Durand commençait à se lézarder. Non qu'il eût le moindre doute sur l'innocence de sa cliente. Il craignait plutôt que l'avocat de la Couronne réussisse à convaincre le jury de sa culpabilité.

LX

Il était près de trois heures de l'après-midi lorsque Arsène Gagnon parvint à la rédaction de *L'Époque*. Il avait été obligé de faire à pied le chemin de la maison de Madeleine jusqu'au journal, mais l'heure de tombée n'était qu'à six heures, ce qui lui laissait amplement le temps de mettre son plan à exécution.

La porte du rédacteur en chef était fermée, mais le reporter brava la consigne et frappa.

— Entrez ! aboya Laflèche.

Prenant une inspiration pour se donner du courage, Gagnon ouvrit la porte. Comme toujours, une fumée bleuâtre flottait dans la pièce.

— Patron, j'ai une mauvaise nouvelle.

— Plus la nouvelle est mauvaise, meilleure est la manchette, marmonna le rédacteur, sa pipe éteinte entre les dents.

— Je parle d'une *vraie* mauvaise nouvelle.

Laflèche leva les yeux.

— De quoi s'agit-il ?

— Madeleine Portelance a eu un grave accident de voiture. D'après mes renseignements, elle n'est plus en état d'écrire.

— Comment l'avez-vous appris ?

— Elle n'était pas au palais de justice ce matin. J'ai croisé le médecin de madame Portelance qui sortait de sa résidence, il me l'a confirmé.

D'un geste rageur, le rédacteur en chef lança sa pipe, qui rebondit sur le mur et éclata, répandant du tabac noirci tout autour.

— Ça m'apprendra à faire confiance à une femme !

Arsène Gagnon s'élança vers la pipe brisée et se mit à genoux pour en ramasser les morceaux.

— J'ai une solution, patron.

Il se redressa et jeta les fragments de bois dans un panier à déchets.

— Je peux écrire l'article moi-même. Après tout, c'est moi qui suis votre chroniqueur judiciaire.

Laflèche fit la moue.

— Ton style est ennuyeux comme la pluie, mon pauvre vieux.

— Je vous livrerai un papier qui vous épatera, patron, se défendit le reporter.

Le rédacteur en chef jeta un regard dépité aux morceaux de sa pipe qui gisaient au fond du panier.

— Bien. Mais avant de commencer ton article, va m'acheter une nouvelle pipe.

Il extirpa un billet froissé d'une poche de son pantalon et le tendit à son reporter.

— Rends-moi la monnaie. Et n'oublie pas : je veux que ça saigne !

— À vos ordres, patron.

Arsène Gagnon sortit du bureau en jubilant. Il tenait enfin sa chance de river son clou à son ennemie !

❧

Installée dans le bureau de sa tante, Fanette écrivait depuis plusieurs heures, tandis que Marie-Rosalie, assise par terre non loin de sa mère, dessinait. La jeune femme relut le feuillet qu'elle venait de rédiger et poussa un soupir de découragement. Le style était fade, répétitif. Elle roula la feuille en boule, qui atterrit par terre parmi d'autres papiers, puis consulta l'horloge. Il était près de trois heures trente, et elle n'avait pas réussi à écrire une seule ligne valable. Le tic-tac de la pendule semblait la narguer. *Je n'y arriverai jamais.* Un abattement sans bornes pesa sur elle.

Elle comprenait mieux maintenant les états d'âme de sa tante, qui pouvait passer de la joie la plus éclatante au désespoir le plus profond lorsqu'elle écrivait ses feuilletons. Comme ses conseils lui auraient été utiles en ce moment !

Marie-Rosalie montra à sa mère un dessin qu'elle venait de terminer. Fanette y jeta un coup d'œil distrait.

— C'est très joli.

— Tu ne l'as pas regardé, protesta la fillette.

— Je suis désolée, ma chouette, j'ai un travail urgent à terminer.

L'enfant haussa les épaules et roula son papier en boule.

— Pourquoi détruis-tu ton dessin ? s'étonna Fanette.

— Je fais comme toi.

Lasse de dessiner, Marie-Rosalie demanda la permission d'aller rejoindre Berthe dans la cuisine. Fanette accepta, soulagée de rester seule. Elle contempla sa page blanche et, n'en pouvant plus d'être assise, remit la plume sur son socle et alla dans le salon pour jeter un coup d'œil à sa tante. Cette dernière se réveillait. Fanette ajusta doucement son oreiller et remonta sa couverture.

— Tâchez de vous reposer, ma tante.

— Je ne fais que ça, répondit Madeleine, le souffle court.

Son visage se crispa.

— Vous avez mal ? s'enquit Fanette, inquiète.

Madeleine se tut un moment, visiblement souffrante, puis elle reprit la parole.

— L'article… ça avance ?

Fanette regarda sa tante, stupéfaite. Non seulement elle avait gardé toute sa tête, malgré le laudanum, mais elle avait de la suite dans les idées.

— Je n'y arrive pas, avoua-t-elle. Les faits sont là, mais c'est terne, sans vie.

— Lis-moi ce que tu as écrit.

Fanette alla chercher ses feuillets roulés en boule, les déplia et revint vers sa tante. Elle en entreprit la lecture, un crayon à la main.

— « Coupable ou non coupable ? Le procès d'Aimée Durand, accusée d'avoir empoisonné son mari à l'arsenic, s'est poursuivi à la cour du banc de la reine. »

— Mets le verbe au présent de l'indicatif, murmura Madeleine. Ce sera déjà plus vivant.

Fanette corrigea et reprit :

— « Julien Vanier, le brillant avocat qui défend l'inculpée, a contre-interrogé le docteur Théophile Allard. Ce dernier, assailli par les questions habiles de l'avocat, a dû admettre qu'il avait fait une erreur de diagnostic lors de sa première visite à la victime, Lionel Durand, en croyant que celui-ci souffrait d'un ulcère d'estomac, et qu'il aurait donc pu se tromper de nouveau lorsqu'il avait conclu, lors de sa deuxième visite, qu'il s'agissait d'un empoisonnement à l'arsenic. »

— Trop… de mots, articula difficilement Madeleine. N'oublie pas, chère nièce. L'émotion… c'est cela… qui compte. Décris… l'atmosphère… dans la salle… l'accusée… Tout cela… c'est du théâtre.

À bout de forces, Madeleine ferma les yeux. Fanette revint vers le pupitre, prit une nouvelle feuille et se remit à écrire, tâchant de recréer l'atmosphère qui régnait durant le procès : les yeux baissés de l'accusée, la silhouette frêle de Noémie Hamel, son regard indigné posé sur Aimée Durand, les interrogatoires habiles des deux avocats. Mais ce furent l'éloquence de Julien Vanier, sa conviction profonde que l'accusée était innocente qui l'inspirèrent particulièrement. Sa plume courait maintenant sur le papier. De temps en temps, elle allait voir sa tante, lui donnait un peu d'eau ou du laudanum, puis elle retournait écrire. Elle était si absorbée par son travail qu'elle ne vit pas le temps s'écouler.

Il était cinq heures trente lorsqu'elle termina son article. Il ne lui restait qu'une demi-heure pour aller porter son papier au journal. Elle examina ses feuillets, remplis de ratures et de pâtés d'encre, et se rendit compte avec angoisse qu'elle n'aurait pas le temps de les recopier au propre. Que dirait Point final en voyant ce brouillon, lui qui était plus que pointilleux sur la présentation des textes ? Mais il tolérait encore moins les retards. Fanette devait donc se résoudre à remettre l'article tel quel. Elle s'empara du buvard de sa tante pour faire sécher l'encre plus rapidement, puis chercha fébrilement une enveloppe sur le pupitre, en vain.

Les feuillets à la main, elle traversa le salon, non sans avoir jeté un coup d'œil à Madeleine pour s'assurer qu'elle dormait, puis monta l'escalier en flèche et courut vers sa chambre. Elle fouilla sur son secrétaire et dénicha une enveloppe dans laquelle elle glissa les feuillets, les mains tremblantes d'énervement. Elle prit le premier chapeau qui lui tomba sous la main, redescendit ensuite au rez-de-chaussée, enfila rapidement un manteau et des gants, puis, serrant sa précieuse enveloppe contre elle, s'élança vers la cuisine. Berthe était en train de rouler de la pâte à tarte, tandis que Marie-Rosalie, assise sur un tabouret, mangeait une tartine de confiture.

— Je dois aller porter un article à la rédaction du journal, expliqua Fanette à la servante. Je compte sur vous pour veiller sur ma tante et sur Marie-Rosalie.

— Je veux y aller avec toi ! s'exclama la fillette.

— Pas cette fois.

— S'il te plaît, maman !

Fanette perdit patience.

— Je n'ai pas le temps de discuter ! Sois sage ou tu iras dans ta chambre.

Des larmes montèrent aux yeux de la fillette. Fanette la regarda avec un sentiment de culpabilité, se promettant de lui consacrer plus de temps lorsque les choses reprendraient leur cours normal. Elle l'embrassa et partit en coup de vent.

ॐ

Il faisait plus froid et de la glace s'était reformée sur la chaussée et les trottoirs, mais Fanette roulait rapidement, craignant d'arriver en retard au journal. Tenant fermement les guides, elle réfléchissait à la suite des événements. Qu'elle ait réussi à rédiger l'article était un exploit en soi, mais d'autres problèmes subsistaient. Quelle serait la réaction de Point final lorsqu'il la verrait entrer dans la salle de rédaction, alors qu'il lui en avait interdit l'accès ? Il lui faudrait également expliquer pourquoi sa tante n'était pas venue porter son article en personne et justifier le fait qu'il avait été écrit avec une autre main d'écriture que la sienne, tout en restant discrète sur l'accident qui la clouait au lit. Ces questions bourdonnaient sans relâche dans sa tête pendant qu'elle conduisait.

Le son aigu d'un sifflet retentit. Fanette sursauta. Un policier en uniforme lui fit signe de s'arrêter. Un bâton pendait à sa ceinture. Le cœur battant, la jeune femme tira sur les rênes et immobilisa sa voiture sur le côté de la rue. L'agent se dirigea vers elle et commença à l'enguirlander.

— Vous conduisez à tombeau ouvert, mademoiselle !

— Excusez-moi, monsieur l'agent, j'ai une commission urgente à faire.

— Ce n'est pas une raison pour rouler avec imprudence. Vous ne serez pas plus avancée si vous vous retrouvez à l'hôpital !

— Je vous promets d'être plus prudente à l'avenir, mais je vous en prie, laissez-moi partir.

Le policier examina le visage de Fanette à la lumière d'un réverbère, qu'un employé de la ville venait d'allumer. La jeune femme semblait sincère, sans compter qu'elle était mignonne comme tout.

— Je vous laisse aller, pour cette fois. Mais que je ne vous y reprenne plus !

Fanette poussa un soupir de soulagement et reprit la route, faisant un effort pour rouler plus lentement. Elle consulta sa montre de gousset : il ne lui restait que sept minutes pour parvenir au journal.

LXI

Il était six heures deux minutes lorsque Fanette, à bout de souffle, fit son entrée dans la salle de rédaction, tenant sa précieuse enveloppe dans une main. La fumée de tabac était dense, à peine percée par la lumière provenant des lampes suspendues au plafond. Quelques journalistes achevaient leur papier à la hâte. Des typographes, portant un tablier taché d'encre, rangeaient des lettres de plomb dans les tiroirs de casses en attendant de commencer leur travail. Les imprimeurs huilaient les rouages de la presse Hoe en bavardant. Tous les regards se tournèrent vers la jeune femme, tandis qu'elle se dirigeait vers le bureau du patron, surtout celui d'Arsène Gagnon, qui venait tout juste de terminer son article et soufflait dessus pour sécher l'encre. *Que fait-elle ici ?* se demanda le reporter, méfiant. Une porte claqua. Les conversations s'éteignirent aussitôt. La voix de stentor de Prosper Laflèche s'éleva.

— Il est six heures trois minutes ! Qu'est-ce que vous attendez pour me remettre vos articles, bande de fainéants !

Le rédacteur en chef, sa sempiternelle pipe à la bouche, était debout devant son bureau, les bras croisés sur son ventre proéminent. Tous les employés étaient immobiles, appréhendant l'orage. C'était toujours le moment le plus éprouvant de la journée. Laflèche aperçut soudain Fanette. Ses yeux lancèrent des éclairs.

— Que faites-vous ici, mademoiselle ? J'avais pourtant averti votre tante que je ne voulais pas vous voir dans ma salle de rédaction.

Fanette rassembla tout son courage.

— Ma tante est légèrement souffrante, elle m'a demandé d'aller porter son article à sa place.

— Mais c'est impossible ! s'écria Arsène Gagnon. Votre tante est incapable d'écrire, après son accident !

Fanette le dévisagea, stupéfaite. Comment le reporter avait-il pu savoir une chose pareille ? Personne, à part elle, le docteur Brissette et les serviteurs, n'était au courant.

— Qui vous a dit cela ?

— Peu importe, répliqua Gagnon, se mordant la langue de s'être trahi aussi bêtement. Le fait est que votre tante n'est pas en état d'écrire.

Observant le visage sournois du journaliste, Fanette comprit qu'il ne lui dirait pas un mot de plus. Elle était bien décidée à éclaircir ce mystère, mais le plus urgent était de remettre l'article au rédacteur en chef. Ce dernier toisa Fanette, la mine sévère :

— Venez immédiatement dans mon bureau, mademoiselle. Je veux tirer cette affaire au clair une fois pour toutes.

Fanette le suivit, sous le regard malveillant d'Arsène Gagnon.

❧

L'air sentait le tabac refroidi. Prosper Laflèche désigna une chaise à Fanette.

— Assoyez-vous.

La jeune femme obéit, plus morte que vive. Le rédacteur en chef s'installa dans son fauteuil, qui craqua sous son poids.

— Qu'est-ce que tout cela signifie ? Qu'est-il arrivé à votre tante ? Je veux la vérité.

Il fallut toute sa volonté à Fanette pour garder un calme de façade. Son avenir et celui de sa tante dépendaient de ce qu'elle allait répondre.

— Elle a eu un accident de voiture.

— Dans ce cas, comment se fait-il qu'elle ait été capable d'écrire un article ?

Fanette, qui s'attendait à cette question, tendit l'enveloppe au rédacteur en chef.

— Elle me l'a dicté. Le voici.

Laflèche fixa la jeune femme dans les yeux. Elle ne broncha pas. Il déposa sa pipe à l'envers dans le cendrier et sortit quatre feuillets de l'enveloppe. Son visage se contracta de colère.

— Regardez-moi ces ratures, ces taches d'encre ! Comment osez-vous me remettre un torchon pareil ?

Fanette avait réfléchi à une excuse plausible pendant son trajet jusqu'au journal.

— Je suis navrée, monsieur Laflèche. Je ne voulais pas fatiguer ma tante, alors il m'a fallu plus de temps que prévu pour noter ce qu'elle me disait. Je n'ai pas pu recopier les feuillets au propre, comme c'était mon intention.

L'explication de la jeune femme paraissait vraisemblable. Le rédacteur reprit sa pipe, la bourra et fit craquer une allumette.

— Je suis prêt à passer l'éponge pour cette fois. Mais si cela se reproduit, je me verrai dans l'obligation de résilier le contrat de votre tante, point final.

Fanette garda un silence prudent. Elle avait le sentiment d'avoir gagné la première manche, mais la partie était loin d'être terminée.

— Qu'attendez-vous pour partir, mademoiselle ? Vous ne voyez pas que je suis occupé ?

— Ma tante souhaite avoir votre opinion sur son article.

C'était un mensonge, mais Fanette ne voulait pas quitter le bureau sans savoir si l'article serait accepté ou non. Au pire, elle pourrait préparer Madeleine à une mauvaise nouvelle. Au mieux, elle serait la première à lui annoncer que son papier avait été approuvé par Laflèche et serait publié, ce qui ne manquerait pas de la réconforter.

Le rédacteur en chef poussa un grognement et s'absorba dans la lecture des feuillets. Fanette l'observa avec nervosité.

Ses sourcils froncés et sa mine renfrognée ne lui disaient rien qui vaille. Son anxiété s'accrut lorsqu'il s'empara d'une plume et se mit à corriger l'article à grands traits. Des gouttes de sueur perlèrent sur le front de la jeune femme, qui les épongea discrètement avec un mouchoir.

Le rédacteur termina sa lecture et déposa sa plume sur sa table. Il ne dit rien pendant quelques instants, puis s'éclaircit la gorge.

— Il y a des maladresses et quelques longueurs, mais c'est le meilleur papier que j'aie lu depuis longtemps. Un peu plus et l'on s'imaginerait dans la salle d'audience. Votre tante s'est surpassée.

Fanette n'en croyait pas ses oreilles. Tout s'était déroulé au-delà de ses espérances les plus folles. *Le meilleur papier que j'aie lu depuis longtemps...* Elle avait l'impression de rêver tout éveillée. Avec quelle joie elle annoncerait la bonne nouvelle à sa tante !

— Dites à madame Portelance que son article sera publié en manchette dans l'édition de demain, renchérit Laflèche.

Il ajouta, tâchant d'adoucir sa voix :

— Souhaitez-lui un prompt rétablissement de ma part.

— Je n'y manquerai pas.

Lorsque Fanette se leva, elle dut s'appuyer sur le rebord du pupitre tellement ses jambes chancelaient. La journée, fertile en émotions, avait eu raison de sa résistance.

— Qu'avez-vous ? Vous êtes pâle comme un drap, dit Laflèche.

— Ce n'est rien. Je suis heureuse pour ma tante, c'est tout.

— Tenez, reprenez votre enveloppe, je n'en ai pas besoin.

Laflèche fit un geste pour la remettre à Fanette, mais ce faisant, une feuille s'en échappa. Intrigué, il y jeta un coup d'œil. Un visage féminin y avait été dessiné au crayon. L'esquisse était remarquablement exécutée. Fanette reconnut le dessin qu'elle avait fait durant le procès. Elle avait dû le ranger dans cette enveloppe, qu'elle avait ensuite utilisée pour l'article, sans se rendre compte que l'esquisse s'y trouvait toujours.

— Qui est-ce ? demanda Laflèche, les yeux brillants d'intérêt.

— Il s'agit de l'accusée, Aimée Durand.

— Qui est l'auteur de ce dessin ?

— C'est moi.

Le rédacteur posa un regard incrédule sur Fanette.

— Je ne vous crois pas. Jamais une femme ne serait capable de dessiner ainsi.

— J'en suis pourtant l'auteur. J'ai toujours aimé dessiner, du plus loin que je me souvienne.

Il demeurait sceptique.

— Quand l'avez-vous exécuté ?

— Pendant le procès. Ma tante m'avait demandé de l'y accompagner pour prendre des notes.

Il hocha la tête, puis scruta de nouveau le dessin, fasciné malgré lui. Une idée lui vint à l'esprit. Il essaya de prendre un air affable, ce qui lui coûta un gros effort.

— Chère petite, vous avez du talent. Laissez-moi votre dessin, j'aimerais l'examiner à loisir.

Fanette hésita, puis se dit qu'il n'y avait pas de mal à ce que le rédacteur en chef lui emprunte son esquisse.

— Très bien.

Elle ajouta, par un réflexe de prudence :

— À condition que vous me le rendiez.

— Mais bien entendu, cela va sans dire, répliqua-t-il d'un ton doucereux. Et maintenant, ouste, j'ai un journal à produire, moi.

Fanette quitta le bureau, aux anges. Non seulement elle avait pu s'acquitter de sa mission, mais elle avait reçu un compliment inespéré de la part de Point final. Arsène Gagnon l'interpella.

— Je gagerais ma chemise que le patron a refusé le papier de votre tante, lança-t-il, attribuant la pâleur de la jeune femme à du dépit.

— Au contraire. Il a dit que c'était le meilleur article qu'il avait lu depuis longtemps.

Le reporter resta muet de stupéfaction, tandis que Fanette se dirigeait vers la porte. Puis il se secoua. *C'est impossible, elle a inventé cela pour garder la face.* Rempli de confiance, il prit son propre article, qu'il alla porter au bureau du rédacteur en chef.

— Tenez, patron, mon papier sur le procès d'Aimée Durand.

Laflèche jeta un coup d'œil distrait aux feuillets.

— Bon, ça pourra toujours aller en troisième page.

Le reporter blêmit de rage.

— Mais, patron…

Le rédacteur en chef lui tendit le dessin de Fanette.

— Allez porter immédiatement cette esquisse à l'atelier de gravure. Je la veux en première page de l'édition de demain, avec l'article de Madeleine Portelance.

Le reporter regarda l'esquisse. La ressemblance avec Aimée Durand était frappante.

— Réussi, pas vrai ? commenta Laflèche avec un sourire satisfait. Figure-toi que c'est la petite Fanette, la nièce de Madeleine Portelance, qui en est l'auteur. Qui aurait cru qu'une jeune femme pût avoir autant de talent ?

La jalousie broya le cœur du journaliste. Comme s'il ne suffisait pas que Madeleine Portelance, cette harpie en jupons, prenne sa place comme reporter judiciaire, il fallait en plus que sa nièce vienne brouiller les cartes ! La tentation de déchirer l'esquisse le tenailla, mais son patron l'en tiendrait pour responsable et le mettrait à la porte sans état d'âme. Son intuition lui disait que la nièce de Madeleine Portelance avait trouvé un moyen de mener le patron par le bout du nez et qu'elle cachait quelque chose. Il n'avait pas inventé ce que le médecin lui avait confié concernant la santé de la Portelance. « Elle s'en remettra, mais il lui faudra du temps. » *Je découvrirai le pot aux roses, ou bien je ne m'appelle pas Arsène Gagnon,* se dit-il tandis qu'il se rendait à l'atelier de gravure, situé au troisième étage de l'immeuble.

LXII

Lorsque Fanette rentra chez sa tante, elle fut aussitôt accueillie par le docteur Brissette, qui semblait fort embarrassé.

— Ah, ma chère Fanette, j'ai bien peur d'avoir commis une bévue impardonnable, dit-il, la mine penaude.

La jeune femme crut qu'il faisait allusion à l'état de Madeleine.

— Mon Dieu, ma tante…

— Rassurez-vous, il ne s'agit pas d'elle. Enfin, pas directement.

La jeune femme le regarda sans comprendre. Il l'entraîna à l'écart, pour ne pas réveiller sa patiente.

— En sortant d'ici, lors de ma dernière visite, j'ai croisé un homme qui m'a demandé des nouvelles de votre tante. Il affirmait vous avoir croisée au palais de justice et avoir appris par vous qu'elle était souffrante.

— Vous a-t-il dit son nom ?

Le docteur Brissette secoua la tête.

— Il a prétendu être un collègue de madame Portelance. Sur le moment, je ne me suis pas méfié.

Fanette sentit l'inquiétude la gagner.

— Que lui avez-vous répondu ?

Il soupira, visiblement malheureux.

— Qu'elle avait eu un accident et qu'il lui faudrait du temps avant de se rétablir.

— À quoi ressemblait l'homme en question ? demanda-t-elle pour en avoir le cœur net.

— Plutôt petit, maigre, avec une moustache fine, l'air sournois.

Gagnon… C'était donc bien lui ! Fanette sut dès lors comment Arsène Gagnon avait pu être si bien renseigné lorsqu'il l'avait apostrophée à la rédaction du journal. En voyant le visage atterré de Fanette, le médecin se confondit en excuses.

— Pardonnez-moi, je ne croyais pas mal faire. S'il y a une chose importante à mes yeux, à part soigner mes patients, bien entendu, c'est le secret professionnel. Je suis navré.

— Ce n'est pas votre faute.

Après le départ du médecin, Fanette réfléchit à la situation. Elle avait réussi à court-circuiter Gagnon et à faire croire au rédacteur en chef que l'article lui avait été dicté par sa tante, mais pourrait-elle poursuivre ce stratagème bien longtemps ? Maintenant que le reporter était au courant que sa rivale avait eu un grave accident, il ferait tout son possible pour lui nuire.

⁓

Après le souper, lorsque Berthe eut fini de débarrasser la table et de faire la vaisselle, la servante insista pour rester au chevet de sa maîtresse. Fanette en profita pour consacrer du temps à sa fille. Heureusement, Marie-Rosalie avait retrouvé son entrain et insista pour que sa mère joue à la poupée avec elle. La jeune femme tombait de fatigue, mais accepta de bonne grâce.

Quand la fillette fut au lit, Fanette mit un châle sur ses épaules et redescendit au salon. Berthe s'était endormie sur un divan et ronflait légèrement. Bien qu'elle fût épuisée, la jeune femme s'installa dans un fauteuil et veilla sur sa tante. En contemplant les flammes qui pétillaient dans le foyer, elle songea au fait que, le lendemain, son premier article serait publié en première page de *L'Époque*. Peu lui importait que le papier porte la signature de Jacques Gallant : c'était elle qui l'avait écrit, et elle en ressentait une immense fierté. Elle eut une pensée pour Philippe. S'il avait vécu, il aurait accompli son rêve et serait devenu médecin. Ils auraient habité ensemble dans une jolie maison, à Québec. Marie-Rosalie aurait probablement eu d'autres frères ou sœurs. Comme sa vie aurait été différente ! Elle aurait mené une existence paisible de mère de famille, dévouée à son mari et à ses enfants, sans Madeleine, ni le journal *L'Époque*, ni Arsène Gagnon, ni le procès d'Aimée Durand. Et elle n'aurait sans doute jamais revu Julien Vanier. Une émotion indéfinissable l'envahit à cette seule pensée. Elle se leva, se rendit dans le bureau de sa tante, tourna légèrement la mèche de la lampe, prit une feuille de papier et un crayon et se mit à dessiner de mémoire le visage de l'avocat. Sa main crayonnait sur le papier avec assurance. Les traits de Julien Vanier apparurent peu à peu : son front large, son regard intelligent, son sourire narquois. Lorsqu'elle eut terminé l'esquisse, elle la contempla longuement. Son cœur se mit à battre un peu plus vite. Se pouvait-il que cette émotion indéfinissable fût de l'amour ?

∾

Rosalie fixait le plafond. Elle s'était couchée sans attendre Lucien, certaine qu'il ne rentrerait pas avant le petit matin. Les bonnes résolutions de son mari avaient été de courte durée. Une fois passés les émois causés par la perte de leur fils et le sentiment de plénitude que lui procurait le dévouement, l'ennui l'avait vite gagné, et il avait recommencé à fréquenter les salons mondains. Les premiers temps, il avait trouvé des prétextes à ses sorties : la chance d'y rencontrer un éditeur qui aurait peut-être souhaité publier ses poèmes ou l'épouse d'un mécène qui adorait ses œuvres et lui promettait la protection de son mari. Rosalie y avait d'abord cru, ou à tout le moins, avait décidé d'y croire, s'accrochant de toutes ses forces à l'espoir que Lucien finirait par se lasser de cette existence sans but et qu'il reviendrait à de meilleures habitudes. Mais elle avait dû déchanter. Son mari ne se donnait même plus la peine de justifier ses absences, ou s'il le faisait, c'était du bout des lèvres, avec une telle mauvaise foi que Rosalie ne se sentait plus le courage de débusquer ses mensonges. Mais ses inquiétudes ne se limitaient pas aux frasques de Lucien. Celui-ci s'était remis à dépenser sans compter. Rosalie avait tenté à de nombreuses reprises de le ramener à plus de mesure, mais il se braquait chaque fois, prétendant qu'il lui fallait bien paraître en société s'il ambitionnait de devenir un écrivain respecté.

— La seule façon de devenir un écrivain digne de ce nom, c'est d'écrire et de se faire publier ! s'était exclamée Rosalie un jour où elle avait trouvé une dette impayée de plus de deux cents dollars, qu'il avait contractée chez un tailleur renommé de Montréal.

Lucien avait pâli.

— Si c'est toute la confiance que tu as en moi !

C'était du Lucien tout craché, cette façon qu'il avait de reporter sur elle la responsabilité de ses propres fautes. Il ne lui avait pas adressé la parole pendant plusieurs jours. Le climat de la maison était devenu à ce point intenable que Rosalie s'était résignée à s'excuser à son mari pour ne plus avoir à supporter son humeur sombre.

Souvent, Rosalie avait pensé confier ses ennuis conjugaux à Fanette, mais l'orgueil l'en avait empêchée. L'orgueil, et un reste d'espérance. Car il arrivait encore à Lucien de faire l'amour avec elle, bien que cela fût de plus en plus rare. Elle comptait ensuite les jours, rêvant à un petit être qui pousserait en elle, la consolerait de la mort de son fils et donnerait un sens à sa vie, mais jusqu'à présent son désir d'enfant ne s'était pas matérialisé.

❧

Une araignée tissait sa toile dans un coin de la fenêtre. Un rayon de lune faisait luire le délicat réseau. Rosalie tourna la tête et regarda l'horloge. *Quatre heures.* Lucien n'était pas encore rentré. Elle l'imagina habillé avec élégance, faisant un baisemain à une jolie femme, et fut étonnée de ne pas ressentir de jalousie ni même du chagrin. Elle semblait avoir épuisé ses réserves de larmes. L'aimait-elle encore ? Difficile à dire. Peut-on aimer une personne pour laquelle on n'éprouve plus d'estime, ni de cette solidarité qui est le ciment de l'amour ?

L'aube se levait lorsqu'elle entendit la porte s'ouvrir. Lucien entra, tenant ses chaussures à la main pour ne pas la réveiller. Ce geste de courtoisie, ou plutôt de lâcheté, l'irrita.

— Tu rentres tard, lui dit-elle, sachant à l'avance que Lucien trouverait une excuse pour justifier son retour tardif.

— Tu ne dors pas ? se contenta-t-il de répondre.

Il déposa ses chaussures au pied du lit et fit mine de se rendre au cabinet de toilette, qui était contigu à la chambre.

— Où étais-tu ?

— Je croyais te l'avoir dit. J'ai passé la soirée chez madame Beaudry, la femme du maire. J'ai été retenu par monsieur Rolland, tu sais, l'éditeur libraire dont je t'avais déjà parlé ? Figure-toi qu'il a lu mes poèmes, qu'il trouve excellents. Il souhaite les publier.

— Lucien, je t'en prie, cesse de mentir.

— C'est la vérité ! s'exclama le jeune homme.

— Approche-toi.

Il fit quelques pas vers elle, l'air visiblement réticent. Rosalie l'observa dans la lumière grise de l'aurore. Sa cravate était dénouée. Ses yeux étaient injectés de sang et son beau visage, tiré par la fatigue. Elle sentit une odeur d'alcool et de tabac, et une autre, plus suave, d'un parfum de femme.

— Qui est-ce ?

— Je ne comprends pas, balbutia-t-il.

— Qui est ta maîtresse ?

— Je n'ai pas de maîtresse, protesta-t-il faiblement.

— J'ai le droit de savoir. Qui est-ce ? Pour qui flambes-tu l'argent de ma dot ?

Il s'attendait si peu à ce barrage de questions qu'il fut incapable de répondre.

— Dis-moi la vérité, Lucien. Tu me dois au moins cela.

Rosalie n'avait pas quitté son mari des yeux tandis qu'elle l'interrogeait. Lucien n'arrivait pas à soutenir son regard, et son embarras était palpable. *S'il me dit la vérité, je lui pardonnerai*, décida-t-elle tout à coup. *J'effacerai tout, et nous repartirons à neuf.*

— Tu te fais des idées, ma pauvre Rosalie. Ta jalousie maladive te joue de mauvais tours. Il n'y a personne d'autre que toi, tu le sais bien.

Il s'enferma dans le cabinet de toilette attenant à la chambre. Rosalie appuya sa tête sur son oreiller, envahie par une profonde lassitude. Elle savait ce qu'il lui restait à faire. Mais en aurait-elle le courage ?

❧

Une lumière pâle s'infiltrait à travers les rideaux. Fanette se réveilla. Un frisson la parcourut. Le feu s'était éteint dans la cheminée et il faisait froid. Elle regarda la pendule. Il était six heures. Le divan où s'était assoupie Berthe la veille était vide. Son premier geste fut de se lever pour vérifier l'état de sa tante. Celle-ci dormait paisiblement. Rassurée, Fanette étira ses membres endoloris. Elle avait l'impression de ne pas avoir dormi de la nuit.

Berthe entra dans le salon sur ces entrefaites, apportant un plateau sur lequel elle avait disposé du pain, du fromage, une cafetière fumante et un bol de soupe.

— Prenez une bouchée, madame Fanette, puis allez vous reposer. Y manquerait plus que vous tombiez malade d'épuisement.

Fanette mangea avec appétit. Entre-temps, Madeleine se réveilla.

— J'ai faim, se plaignit-elle.

Sa servante lui donna un peu de soupe, qu'elle lui servit à la cuillère, comme pour un enfant. Fanette regarda les deux femmes avec attendrissement. Que ferait Madeleine sans sa dévouée servante ?

Rassurée par la présence de la bonne auprès de sa tante, Fanette décida de se rendre au marché Bonsecours pour y faire des emplettes et se procurer en même temps un exemplaire du journal *L'Époque*. Comme Rosalie habitait à proximité du marché, elle en profiterait pour lui rendre visite. Elles avaient beau vivre dans la même ville, les deux amies se voyaient trop rarement, et c'était toujours Fanette qui prenait l'initiative d'une visite. Fanette sentait que son amie était malheureuse, mais lorsqu'elle tentait de la faire parler, celle-ci se fermait comme une huître et changeait de sujet.

Marie-Rosalie insista pour l'accompagner, ce qu'elle accepta de bon cœur. Depuis l'accident de Madeleine, l'atmosphère de la maison n'était pas gaie pour une fillette de cinq ans, et ce serait une bonne occasion de la distraire.

Il faisait beau et chaud pour avril. Le soleil avait fait fondre le verglas. Il ne restait que quelques flaques d'eau qui finissaient de s'évaporer dans la chaleur. Fanette respira avec délices l'air printanier. Ses angoisses de la veille se dissipèrent devant le spectacle bigarré du marché. La coupole argentée de l'hôtel de ville miroitait comme une pièce neuve dans le ciel céruléen. Quelques marchands intrépides avaient disposé leurs marchandises à l'extérieur, dans la rue Saint-Paul. Un garçon, installé près des portes du marché, vendait des journaux à la criée. Il s'agissait du *press boy* à qui Fanette avait acheté un exemplaire de *L'Époque* devant le palais de justice. La voix grêle de l'adolescent se mêlait aux boniments des commerçants :

— La suite de l'affaire de l'empoisonneuse ! Aimée Durand : coupable ou non coupable ! Achetez *L'Époque* !

Fanette prit sa fille par la main et se dirigea vers le vendeur de journaux. Son pouls s'était accéléré à la perspective de voir son article en manchette. Elle fouilla fébrilement dans sa bourse à la recherche d'une pièce de monnaie. Lorsqu'elle parvint à la hauteur du jeune vendeur, elle se rendit compte que ce dernier n'avait plus de copies du journal.

— J'ai tout vendu ! s'exclama le crieur, ravi d'avoir écoulé aussi rapidement sa pile. Ça s'est envolé comme des p'tits pains chauds !

La déception de Fanette fut telle que des larmes lui vinrent aux yeux. Elle s'en voulut de sa réaction, qu'elle jugea infantile, et regarda autour d'elle en espérant acheter le journal à un autre vendeur. N'en voyant aucun, elle déambula dans la rue Saint-Paul, tenant toujours sa fille par la main pour ne pas la perdre dans la foule. Un jongleur amusait des badauds. Marie-Rosalie s'arrêta devant lui, fascinée par le spectacle des balles qui tournoyaient dans les airs sans tomber. Derrière le bateleur, un homme appuyé sur le chambranle d'une porte cochère, le visage caché en partie par un haut-de-forme, lisait un journal. Fanette put distinguer le nom de la gazette : c'était *L'Époque*. Elle eut envie de demander au badaud la permission de jeter un coup d'œil à sa copie, mais n'osa pas le déranger. Il replia alors son journal. Fanette reconnut l'homme avec surprise.

— Maître Vanier !

Il leva les yeux vers Fanette et parut agréablement surpris de la voir.

— Nous ne sommes pas à la cour. Appelez-moi Julien, je vous en prie.

Ils se regardèrent un moment sans parler, soudain saisis par la timidité. Fanette fut la première à briser le silence.

— J'ai remarqué que vous lisiez le journal *L'Époque*. Moi qui croyais que vous n'aimiez pas les journalistes !

Il sourit.

— Eh bien, j'ai parlé trop vite. L'article de Jacques Gallant est admirable. J'ai été surpris par le portrait flatteur qu'il a tracé de moi, alors qu'il m'avait semblé, dans son premier papier, épouser aveuglément la thèse de la poursuite.

Fanette fut tentée de révéler à l'avocat qu'en réalité c'était elle l'auteur de l'article, mais elle ne le fit pas, par un devoir de solidarité pour sa tante, mais aussi pour ne pas vendre la mèche.

— L'auteur a sûrement eu l'occasion d'approfondir sa connaissance de la cause.

Le rouge aux joues, elle se hâta d'ajouter, pour masquer son embarras :

— Puis-je vous emprunter votre exemplaire ? Le vendeur à la criée a écoulé tous les siens.

— Volontiers.

Il lui tendit le journal. Fanette s'en saisit et y jeta un coup d'œil. Elle ne put s'empêcher de pousser une exclamation en examinant la première page :

— Le méchant homme !

— De qui parlez-vous ? demanda l'avocat, surpris.

Fanette ne pouvait détacher ses yeux du journal. Au beau milieu de la page, sous l'article signé par Jacques Gallant, se trouvait son esquisse d'Aimée Durand. Le dessin, qui avait été reproduit au burin par un graveur, était encore plus saisissant que l'original. La jeune femme était partagée entre la fierté de le voir en manchette et la colère de s'être fait avoir par Prosper Laflèche qui, sous prétexte d'« examiner son dessin à loisir », l'avait utilisé sans lui demander son autorisation.

— Me permettez-vous de garder le journal ? Je vous le rendrai sans faute à la reprise du procès, lundi.

— Prenez-le, je vous le donne, répondit l'avocat.

Les yeux de la jeune femme brillaient de colère. Julien Vanier remarqua qu'ils étaient d'un bleu presque mauve.

— Si je puis être d'une quelconque utilité…

— Ce n'est rien. Un simple malentendu.

Se rendant soudain compte que sa fille avait abandonné sa main, Fanette regarda autour d'elle et ne la vit nulle part. Son cœur bondit dans sa poitrine.

— Excusez-moi.

Elle laissa Julien Vanier en plan et courut à la recherche de Marie-Rosalie. L'avocat observa la jeune femme qui s'éloignait, troublé par leur rencontre fortuite. Il n'avait cessé de penser à elle depuis qu'il l'avait vue au palais de justice, la veille. Il s'était remémoré inlassablement chaque instant dans ses moindres détails : les paroles échangées, la couleur du ciel, l'inflexion douce de sa voix. Un espoir insensé lui serra la gorge. Se pouvait-il que Fanette Grandmont, qui incarnait son idéal féminin, ce rêve amoureux qui lui semblait si inaccessible, partageât ses sentiments ? Lui serait-il permis de rebâtir sa vie sur les décombres de son douloureux passé ?

D'un geste impulsif, il partit à sa suite, fendant la foule tout en cherchant la jeune femme des yeux. Il crut l'entrevoir derrière un badaud, mais ce n'était pas elle. Un désespoir qu'il connaissait trop bien s'insinua dans ses veines. À quoi bon se bercer d'illusions ? Il savait trop bien qu'il devait emmurer ses sentiments, les enterrer au plus profond de sa conscience. Il était rivé à ses chaînes, dont rien ni personne ne pouvait le délivrer. Il retourna lentement vers le logement qu'il habitait seul, à deux pas du marché, avec le sentiment qu'il était condamné à ne jamais connaître le bonheur.

LXIII

L'affolement commença à gagner Fanette, qui avait parcouru tout le marché Bonsecours sans apercevoir sa fille. La crainte qu'il lui soit arrivé quelque chose l'assaillit. Marie-Rosalie avait peut-être été fauchée par une voiture, ou s'était perdue dans les rues achalandées de la ville. Elle se rendit jusqu'à la rue des Commissaires, de l'autre côté du marché. Le fleuve rutilait dans la lumière matinale. Des monceaux de glace striés d'ombres mauves formaient un embâcle au loin. Après avoir exploré une partie de la rue, Fanette vit à distance une petite silhouette. C'était sa fille, qui se tenait près d'un quai et parlait à un inconnu. La jeune femme s'élança dans cette direction, tandis que l'homme, enfonçant son haut-de-forme sur sa tête, s'éloignait.

— Marie-Rosalie !

La fillette tourna la tête vers sa mère en souriant. Elle avait la bouche pleine et tenait un cornet de papier rempli de dragées dans une main.

— Maman, regarde comme elles sont jolies !

— Qui te les a offertes ? demanda Fanette, inquiète.

— Le monsieur. Il était très gentil.

Fanette lança un coup d'œil à la ronde. L'homme avait disparu.

— Marie-Rosalie, combien de fois t'ai-je dit de ne jamais parler à un étranger ni accepter de friandises !

Elle s'empara du cornet de dragées et les examina. Les bonbons semblaient tout à fait inoffensifs, mais elle les jeta dans un contenant à déchets. La fillette éclata en sanglots.

— Mes bonbons ! C'est toi qui es méchante !

Fanette prit sa fille dans ses bras et la serra contre elle.

— Pardonne-moi. J'ai eu si peur ! Ne me laisse plus jamais ainsi, Marie-Rosalie, comprends-tu ? Et n'accepte plus de cadeau d'un inconnu.

ے

Fanette arrêta sa voiture derrière un fiacre, en face de la maison de Rosalie. La porte s'ouvrit. Un cocher chargé d'une grosse malle franchit le seuil et la transporta jusqu'au bas de l'escalier, soufflant sous l'effort. Il s'approcha du fiacre et déposa la malle dans le porte-bagages. Fanette descendit du Phaéton et s'adressa au conducteur.

— Monsieur, que se passe-t-il ?

— Un déménagement, faut croire, répondit-il, le visage rouge et ruisselant de sueur.

Abasourdie, Fanette observa le fiacre. Il y avait quelqu'un à l'intérieur, mais il était à moitié dissimulé par le rideau qui garnissait la fenêtre. Elle aida sa fille à descendre à son tour de la voiture et se dirigea vers le perron, dont la porte était grande ouverte. Hésitant sur le seuil, elle se décida finalement à pénétrer dans le logement avec Marie-Rosalie. Il n'y avait personne dans le hall. Quelques coffres et des valises étaient empilés dans un coin. Fanette s'avança dans le couloir sombre, sentant l'inquiétude monter en elle.

— Rosalie ?

Sa voix se perdit dans le silence. Elle fit asseoir sa fille dans un fauteuil.

— Attends-moi ici, ma chouette.

En arrivant à l'escalier, elle croisa la jeune servante du couple au pied des marches. Cette dernière avait l'air effaré. Ses yeux étaient rouges, comme si elle avait pleuré.

— Agathe, que se passe-t-il ?

La bonne secoua la tête, incapable de parler.

— Où est Rosalie ? demanda Fanette, de plus en plus anxieuse.

— Dans sa chambre, répondit Agathe d'une voix étouffée.

Fanette pria la servante d'avoir l'œil sur Marie-Rosalie et monta l'escalier jusqu'au premier étage. La chambre de son amie se trouvait à droite du palier. La porte était fermée. La jeune femme y frappa.

— Rosalie…

N'obtenant pas de réponse, elle entrouvrit la porte. Rosalie, étendue dans son lit, tenait un mouchoir dans son poing et pleurait en silence. Fanette s'élança vers son amie et lui saisit les mains, qui étaient humides de larmes.

— Rosalie, qu'as-tu ? J'ai vu des malles et des bagages, un homme m'a dit que vous déménagiez.

La jeune femme se redressa et s'appuya sur son oreiller.

— Ce n'est pas moi qui déménage. C'est Lucien.

Elle se tamponna les yeux.

— Je lui ai demandé de partir.

Fanette comprit que la personne qu'elle avait aperçue dans le fiacre était sans doute Lucien. Le claquement d'un fouet et le roulement d'une voiture confirmèrent son hypothèse. Rosalie plaqua son mouchoir sur sa bouche.

— Mon Dieu… Je ne le reverrai plus jamais.

Fanette prit son amie dans ses bras et tâcha de la consoler.

— Vous vous êtes disputés ?

— Si c'était seulement cela…

Rosalie se dégagea doucement et regarda son amie dans les yeux.

— Ses sorties, ses nuits blanches, ses promesses non tenues, son humeur changeante, cela passait encore. Mais il avait une maîtresse. Ou plusieurs, pour ce que j'en sais.

Au mot « maîtresse », Fanette hocha la tête, révoltée.

— Il me trompait sans vergogne. Ces derniers temps, il ne se donnait même plus la peine de s'en cacher.

La jeune femme s'interrompit, trop émue pour poursuivre, puis elle fit un effort pour se maîtriser.

— Tu vas peut-être me trouver folle, mais j'étais prête à tout accepter, à tout pardonner, à une condition : qu'il me dise la vérité. Lorsqu'il est revenu au milieu de la nuit, je l'ai mis à l'épreuve. Je lui ai demandé qui était sa maîtresse. Sais-tu ce qu'il m'a répondu ? « Ta jalousie maladive te joue de mauvais tours. » Il s'est enfermé dans le cabinet de toilette pour ne pas avoir à me faire face. Alors j'ai attendu qu'il ressorte, et je lui ai annoncé que je souhaitais me séparer de lui, qu'il devait préparer ses malles et partir. Au début, il ne m'a pas crue. Puis quand il a constaté que j'étais sérieuse, il m'a promis de s'amender, de changer. Ensuite, il m'a suppliée de le garder. Il s'est même jeté à mes pieds. Mais c'était trop tard.

Sa tête retomba sur son oreiller.

— Que va-t-il devenir ? Je lui ai offert une petite somme pour qu'il puisse tenir le coup pendant quelque temps, mais il n'a jamais travaillé de sa vie.

Médusée que son amie se fasse encore du mauvais sang pour quelqu'un qui avait été la cause de tant de chagrin, Fanette s'empressa de la raisonner.

— Au lieu de te préoccuper de son sort, tu devrais plutôt penser à toi, lui conseilla-t-elle.

Rosalie sourit à travers ses larmes.

— Je te reconnais bien là. Tu es tellement plus forte que moi !

— Pas tant que tu le crois, avoua Fanette. Et toi, tu l'es beaucoup plus que tu ne l'imagines. Il t'a fallu énormément de courage pour te séparer de Lucien comme tu l'as fait. Ce courage te servira pour te rebâtir une nouvelle vie.

Ces paroles apaisèrent Rosalie.

— Si seulement tu pouvais dire vrai ! lança-t-elle.

⁕

Le fiacre s'arrêta devant une jolie maison ornée de corniches. Lucien paya le cocher avec une partie de l'argent que Rosalie lui avait remis et lui demanda de porter ses bagages. Après avoir déposé la lourde malle et une valise devant l'entrée que Lucien lui avait désignée, le cocher regagna sa voiture et partit, satisfait du généreux pourboire que lui avait donné le jeune homme.

Lucien hésita sur le seuil. C'était la première fois qu'il rendait visite à Mathilde le jour. D'habitude, il allait la retrouver le soir, dans sa loge, après le théâtre. Ils allaient ensuite manger dans l'un des meilleurs restaurants de Montréal et revenaient chez elle au milieu de la nuit, grisés par le vin et les transports amoureux, qui les menaient vers l'aube sans qu'ils eussent fermé l'œil. Lucien rentrait alors chez lui, saisi de vagues remords, se promettant de rompre avec Mathilde, de se remettre à écrire, autrement dit, de mériter l'amour que Rosalie lui portait malgré ses manquements, mais quelques jours plus tard, l'évocation du minois de Mathilde, de sa moue délicieuse, de sa magnifique chevelure aux boucles blondes et de son corps aux courbes voluptueuses avait raison de ses meilleures résolutions, et il retournait au théâtre Royal pour revoir sa maîtresse.

Il avait fait la connaissance de Mathilde dans le salon de madame Beaudry, la femme du maire de Montréal, et avait tout de suite été charmé par la jeune femme. Cette dernière n'était encore qu'une figurante, mais aspirait à une grande carrière de comédienne. En attendant, elle fréquentait les meilleurs salons de Montréal, espérant y croiser un mécène ou, encore mieux, un homme riche qui l'aiderait à accomplir son rêve. Jusqu'à présent, elle n'avait rencontré ni l'un ni l'autre, mais elle était tombée éperdument amoureuse de Lucien dès qu'il lui avait été présenté et ne jurait plus que par lui. Certes, le jeune homme n'était pas riche, encore moins célèbre, mais elle était persuadée qu'il irait loin et l'entraînerait avec lui vers les plus hautes sphères de la société. Quant à Lucien, il confondait le désir qu'il éprouvait pour Mathilde avec l'amour, et refusait d'envisager leur avenir autrement qu'en soirées mondaines et en nuits passionnées.

Lucien sonna à la porte et attendit. Les rideaux étaient tirés, de sorte qu'il ne pouvait pas voir à l'intérieur. Il était encore tôt. La jeune femme dormait sans doute. Après quelques minutes d'attente, il sonna à nouveau. Cette fois, la porte s'entrouvrit.

Mathilde apparut sur le seuil, les paupières lourdes, les cheveux en désordre. Sa robe de chambre, mal nouée, laissait voir sa poitrine blanche. Elle sembla heureuse de voir le jeune homme, bien que son visage trahît un certain malaise.

— Lucien ! Tu es bien matinal.

Elle remarqua la malle et la valise.

— Mon Dieu, que t'est-il arrivé ?

Lucien laissa échapper un soupir.

— Ma femme m'a chassé. Je n'ai plus nulle part où aller.

— Mon pauvre chéri. Attends-moi ici, je cours dire à mon palefrenier de venir chercher tes affaires.

Elle disparut à l'intérieur. Lucien la regarda s'éloigner, un peu désarçonné par le comportement de sa maîtresse. Son arrivée inopinée l'avait peut-être dérangée. Il décida d'entrer, laissant ses bagages devant la porte.

La maison était plongée dans une demi-pénombre. Une veilleuse faisait un peu de lumière dans le hall. Il s'engagea dans l'escalier qui menait à l'étage où se situait la chambre de Mathilde et aperçut cette dernière qui mettait fébrilement de l'ordre dans la pièce. Intrigué, Lucien s'approcha et eut le temps de voir sa maîtresse qui rangeait furtivement une paire de gants dans un tiroir. Un soupçon lui traversa l'esprit.

— As-tu reçu une autre visite après mon départ, la nuit dernière ? demanda-t-il.

— Mais non, que vas-tu chercher, mon chéri ?

Elle lui entoura le cou de ses bras fins.

— Ainsi, ta méchante femme t'a chassé ? Alors c'est bien vrai, je t'aurai à moi toute seule ?

Elle l'embrassa sur la bouche avec passion. Lucien lui rendit son baiser, enivré par le parfum légèrement musqué de la jeune femme, la douceur de sa peau et les seins blancs dont il sentait la chaleur sur sa poitrine.

— Ah, Mathilde, je t'aime tant.

Il se laissa entraîner vers le lit encore défait.

Tout au long du trajet la ramenant chez sa tante, Fanette avait songé à sa meilleure amie. Elle admirait son cran d'avoir enfin pris les grands moyens et mis son mari à la porte, mais saurait-elle résister si ce dernier revenait à la charge ? Connaissant Lucien, il ne se tiendrait pas pour battu et réussirait peut-être à convaincre sa femme de le reprendre.

Après avoir servi une tartine à Marie-Rosalie, qui avait l'estomac dans les talons, Fanette se rendit au salon. Sa tante était réveillée. Berthe l'aidait à manger un peu de soupe.

— Vous avez meilleure mine, ma tante.

— Ah, te voilà ! dit Madeleine en voyant sa nièce. Et puis, l'article ?

Fanette tendit l'exemplaire du journal que Julien Vanier lui avait offert.

— Montre de plus près, murmura Madeleine.

La jeune femme déplia le journal et le plaça devant les yeux de sa tante.

— Mon article, en première page. C'est bien, très bien. Et ce dessin, qui l'a fait ?

— C'est moi. Point final l'a trouvé dans une enveloppe et l'a fait imprimer à mon insu.

— Il est magnifique. Pas Point final, le dessin, ajouta Madeleine avec humour.

Sa respiration était redevenue laborieuse. Elle ferma les yeux.

— Je t'en prie, lis-moi le papier à voix haute.

La servante s'interposa fermement.

— Madame Madeleine, il faut dormir.

— Laisse-nous, Berthe.

Cette dernière quitta la pièce en ronchonnant. Fanette s'installa dans le fauteuil près de sa tante et commença à lire l'article. Madeleine écoutait attentivement, ne voulant perdre aucun mot.

Parfois, elle interrompait sa nièce, lui demandant de répéter une phrase ou de lire plus lentement.

Lorsque la lecture fut terminée, Madeleine resta immobile, les yeux fermés, sans dire un mot, au point où Fanette crut que sa tante s'était endormie. Celle-ci ouvrit finalement les yeux et tourna la tête vers la jeune femme.

— Tu as du talent à revendre, ma chère nièce. Maintenant, laisse-moi, j'ai besoin de me reposer.

Fanette aurait voulu se réjouir du compliment, mais quelque chose dans le regard de sa tante, dans l'expression de son visage, l'avait troublée. Une sorte d'envie. La jeune femme chassa aussitôt cette impression. Elle avait dû l'imaginer.

LXIV

Le lendemain

Fanette fut réveillée par le son d'une portière que l'on claquait. Une voix familière résonna dans la maison. La jeune femme sauta à bas de son lit, enfila rapidement sa robe de chambre et ses pantoufles et sortit de sa chambre en coup de vent. Une onde de joie la parcourut en apercevant une silhouette dans le hall qu'elle aurait reconnue entre toutes.

— Maman !

— Ma chère enfant !

Fanette dévala l'escalier et se jeta dans les bras de sa mère, qui portait son éternelle capeline et son manteau de voyage.

— Vous m'avez tellement manqué !

— Et moi donc !

Les deux femmes restèrent longtemps enlacées.

— Comment se porte Madeleine ? finit par dire Emma, la voix enrouée par l'émotion et la fatigue d'un long voyage.

La jeune femme conduisit sa mère au chevet de sa tante. Cette dernière gémissait dans son sommeil. Emma la contempla, dévastée. Sa sœur, déjà mince, n'avait que la peau et les os. Son visage hâve et blême, les cernes mauves sous ses yeux en disaient plus long sur son état que n'importe quelle parole. L'étrange appareillage qui maintenait sa jambe suspendue dans les airs lui fit comprendre que l'accident dont Madeleine avait été victime était sans doute beaucoup plus grave que ce que sa fille lui avait laissé entendre dans son télégramme.

— Pauvre Madeleine. Ma pauvre petite sœur.

Sans prendre le temps d'enlever son chapeau et son manteau, Emma prit place dans le fauteuil à côté du lit. Madeleine se réveilla. Ses yeux étaient vitreux. Elle ne sembla pas reconnaître Emma au premier regard. Puis elle cligna des paupières.

— Emma. Tu es venue.

— Ma petite sœur, ma pauvre chérie. Comment as-tu pu te mettre dans un état pareil !

Un sourire ténu anima le visage émacié de Madeleine.

— Tu me connais. Je ne fais jamais les choses à moitié.

౿

Les retrouvailles d'Emma avec sa petite-fille furent ponctuées par les cris de joie de la fillette, qui adorait sa grand-mère.

— Tu vas rester avec nous pour toujours ?

Emma sourit.

— Pas pour toujours, ma belle puce, mais tout le temps qu'il faudra pour que Madeleine guérisse.

Berthe conduisit Emma dans une chambre d'amis, située au deuxième étage, et en fit le ménage avec entrain. Les deux femmes avaient immédiatement sympathisé lorsque Fanette les avait présentées l'une à l'autre. Née à la campagne, la servante avait reconnu chez la sœur de sa maîtresse un sens commun et une simplicité sans apprêt dans les rapports avec les autres, y compris les domestiques, qui lui allèrent droit au cœur.

Une fois que sa mère fut convenablement installée, Fanette songea au procès qui allait reprendre le lendemain, se demandant s'il ne serait pas plus sage de tout laisser tomber. Elle avait l'impression d'avoir mis le doigt dans un engrenage et ne savait pas comment s'en déprendre. Elle fut tentée de solliciter l'avis d'Emma, mais cette dernière était entièrement accaparée par Madeleine, dont elle refusait de quitter le chevet, même pour manger une bouchée.

La journée passa comme l'éclair. Soulagée par la présence rassurante d'Emma auprès de sa tante, Fanette, après avoir couché Marie-Rosalie, s'assit à son secrétaire et mit un peu d'ordre dans ses papiers. Elle tomba sur l'esquisse qu'elle avait faite de Julien Vanier deux jours auparavant. Une émotion indéfinissable lui gonfla la poitrine. Ce n'était pas seulement le combat de l'avocat pour sauver Aimée Durand qui l'émouvait, mais l'homme lui-même.

Lorsqu'elle se mit au lit, sa décision était prise. Elle retournerait au palais de justice, par sens du devoir vis-à-vis de sa tante, mais surtout parce qu'elle souhaitait ardemment revoir Julien.

LXV

Une cohue impressionnante se pressait sur le parvis du palais de justice. En descendant de sa voiture, Fanette chercha Julien Vanier du regard, mais ne le vit pas. Cette fois encore, la salle d'audience ainsi que le balcon étaient remplis à craquer. La jeune femme remarqua avec déplaisir Arsène Gagnon, qui pérorait avec d'autres journalistes assemblés dans le parterre, près de la tribune du juge. Gagnon la vit à son tour et grimaça un sourire. *Imbécile*, pensa Fanette, qui s'installa dans un coin discret du balcon. Son antipathie pour le reporter augmentait de jour en jour. Il lui faudrait faire montre de la plus grande prudence, car elle craignait qu'il continue à lui chercher noise et finisse par découvrir que c'était elle, et non sa tante, qui écrivait les chroniques judiciaires de Jacques Gallant. Elle n'osait imaginer la réaction de Prosper Laflèche s'il apprenait la vérité.

La prisonnière prit place dans le box des accusés. Elle avait les traits tirés et l'air perdu, comme si elle ne savait pas trop ce qu'elle faisait dans ce lieu bondé, où elle était la proie de regards méprisants et hostiles. La pitié étreignit Fanette. En admettant même qu'Aimée Durand fût coupable, des raisons sérieuses expliquaient sans doute qu'elle en soit arrivée à commettre un geste aussi monstrueux.

La voix du crieur résonna dans la salle, tandis qu'Oscar Lemoyne, qui s'était levé en retard ce matin-là, courait rejoindre le banc réservé aux journalistes.

— La Couronne contre Aimée Durand, accusée du meurtre de son mari, feu Lionel Durand. La cour est ouverte. Levez-vous ! Le juge James Lindsay préside.

L'assistance se mit debout. Le magistrat vint s'asseoir derrière son imposant pupitre. Encore une fois, le nom de la victime éveilla un vague souvenir chez Fanette. *Lionel Durand.* Elle avait beau se creuser la cervelle, elle n'arrivait pas à se rappeler pourquoi ce nom lui disait quelque chose. Elle aperçut avec un pincement au cœur Julien Vanier prendre place du côté de la défense, et ne put résister à la tentation de l'observer avec les jumelles de sa tante. Il adressa quelques mots à l'accusée, qui hocha la tête sans rien dire. Le jeune avocat semblait anxieux. Ses belles mains fines compulsaient nerveusement ses dossiers. Elle pensa à la vivacité de son sourire lorsqu'elle l'avait abordé au marché Bonsecours, à la lueur de sympathie qui allumait son regard. Se pouvait-il qu'il eût des sentiments pour elle qui dépassaient la simple estime ?

— J'appelle monsieur Sansregret à la barre !

Quelques rires accueillirent l'énoncé du nom, que le juge fit taire d'un geste. Un homme maigre, au teint jaunâtre, s'avança vers le box des témoins. L'avocat de la Couronne s'adressa au témoin.

— Monsieur Sansregret, vous êtes apothicaire et tenez commerce rue Saint-Paul, n'est-ce pas ?

— Oui, c'est exact.

— Le 12 novembre 1863, avez-vous vendu vingt grammes d'arsenic à l'accusée ici présente ?

— Oui. Je lui ai vendu vingt grammes, c'est-à-dire l'équivalent de six dragmes.

Des murmures ponctuèrent sa réponse.

— Êtes-vous bien certain que votre cliente était l'accusée, Aimée Durand ?

L'apothicaire se tourna vers la prisonnière.

— J'en suis absolument certain, répondit l'homme avec conviction. Ce n'est pas tous les jours qu'une femme achète une quantité aussi importante d'arsenic. La majorité de mes acheteurs sont des médecins.

— Quelle raison l'accusée a-t-elle invoquée pour vouloir se procurer ce poison ?

— Elle m'a dit qu'elle en avait besoin pour se débarrasser d'une colonie de rats qui avaient envahi la cave de son logement.

Maître Craig hocha la tête.

— L'accusée a bien dit « la cave de son logement » ? Ce sont ses mots exacts ?

— J'ai une excellente mémoire. C'est bien ce qu'elle a dit.

L'avocat s'adressa au jury.

— Comme c'est curieux. L'accusée habite au troisième étage d'un immeuble de location et n'a pas accès à un sous-sol.

Sa répartie provoqua des exclamations accompagnées de rires. Certains membres du jury échangèrent des regards entendus. Julien Vanier bondit de sa chaise.

— Objection, Votre Seigneurie ! Mon confrère fait une insinuation calomnieuse qui n'a pas sa place dans cette cour. Je demande à ce qu'il retire ses propos.

— Objection rejetée, décréta le juge. Maître Craig a fait un lien qui peut être utile pour mieux comprendre les faits.

Le magistrat fit un signe de tête au greffier.

— Veuillez consigner le commentaire de maître Craig au procès-verbal.

— Je n'ai plus d'autres questions, dit l'avocat de la Couronne, qui retourna s'asseoir, cachant mal sa satisfaction.

Fanette scruta les membres du jury avec ses jumelles. De toute évidence, l'interrogatoire de l'apothicaire leur avait fait une forte impression. Certains griffonnaient des notes. D'autres chuchotaient entre eux. L'étau se refermait sur l'accusée. Elle observa Aimée Durand. Celle-ci paraissait calme, presque amorphe, comme si rien de tout cela ne la concernait. Fanette n'arrivait pas à comprendre une telle passivité. Peut-être était-ce une façon de se protéger.

Le juge tourna la tête vers Julien Vanier.

— Votre témoin, maître.

Le jeune avocat se leva.

— Je n'ai pas de questions, Votre Seigneurie. Je vous demande un ajournement de l'audience, afin d'avoir un entretien avec ma cliente.

— Ajournement accordé. Nous reprendrons le procès demain matin, à neuf heures précises.

Alors que Fanette s'apprêtait à quitter le balcon, elle distingua, parmi la foule du parterre qui se massait vers la sortie, un homme vêtu de noir et portant un haut-de-forme. L'homme lui tournait le dos, mais quelque chose dans sa façon de marcher lui était familier. Elle saisit ses jumelles et l'observa, se faisant bousculer par des spectatrices impatientes de partir. L'homme se retourna. Fanette se sentit défaillir. Ce visage pâle et mince, ces traits coupés au couteau… C'était lui, ça ne pouvait être que lui… *Auguste Lenoir*. Elle se rappelait maintenant où elle avait vu le nom de Lionel Durand.

LXVI

Fanette cherchait désespérément Julien Vanier dans la foule nombreuse qui s'entassait à la sortie de la salle d'audience, tout en tâchant de calmer la panique qui la gagnait. Que faisait Auguste Lenoir au procès d'Aimée Durand ? Sa présence avait-elle un lien avec le mari de la prisonnière ? Il fallait à tout prix qu'elle trouve l'avocat et lui fasse part de sa découverte, qui pourrait peut-être changer complètement la donne du procès. Quelqu'un lui saisit le bras. Elle se retourna vivement, craignant qu'il s'agisse d'Auguste Lenoir. Un vieux monsieur en redingote lui tendit un carnet.

— Mademoiselle, vous avez laissé tomber ce calepin.

Elle s'en saisit, reconnaissante.

— Merci, monsieur.

Après avoir parcouru le premier étage, elle s'aventura vers le deuxième palier, où se trouvaient des bureaux. Des juges et des avocats, revêtus d'une toge ou habillés en civil, allaient et venaient. Certains lui jetaient un coup d'œil surpris, d'autres, complètement absorbés par leurs affaires, l'ignoraient. Il n'y avait de trace du jeune avocat nulle part.

En désespoir de cause, elle se résigna à regagner l'escalier lorsqu'elle passa devant une porte entrouverte. Un homme était assis derrière un pupitre, penché au-dessus d'une pile de dossiers, la mine préoccupée. C'était Julien Vanier. Elle cogna à la porte et demeura sur le seuil.

— Monsieur Vanier ! Dieu merci, vous êtes là. Je vous ai cherché partout. Il faut absolument que je vous parle.

Saisi par la véhémence de la jeune femme, l'avocat se leva en lui faisant signe d'entrer et alla refermer la porte derrière elle. La présence de Fanette Grandmont dans son bureau le troublait plus qu'il ne l'aurait souhaité.

— Je vous en prie, assoyez-vous.

Fanette resta debout tellement elle était pressée de parler.

— J'ai quelque chose d'important à vous dire concernant la victime, Lionel Durand.

Julien la regarda, stupéfait. Il s'attendait à tout, sauf à cette déclaration. Ses réflexes d'avocat prirent le dessus sur ses velléités sentimentales.

— De quoi s'agit-il ?

— Lionel Durand devait une somme importante à un agent de renseignement du nom d'Auguste Lenoir, qui possède une agence à Montréal.

L'avocat fronça les sourcils, tâchant de comprendre le lien que cette révélation pouvait avoir avec sa cause.

— Vous rappelez-vous le montant ?

— Quelque chose comme cent cinquante dollars, si ma mémoire est bonne. Une partie de la dette avait été payée, mais pas entièrement.

— Comment avez-vous pu savoir que Durand devait une telle somme à cet agent ?

Fanette s'attendait à cette question, mais elle avait promis à Marguerite la plus stricte confidentialité.

— Il m'est impossible de vous le révéler. Sachez seulement que j'ai vu cette facture de mes propres yeux.

Julien Vanier fit quelques pas dans son bureau pour réfléchir plus à son aise. Il pressentait que le renseignement que la jeune femme lui avait fourni pouvait être de la plus grande importance, mais n'en savait pas assez pour qu'il lui soit encore vraiment utile.

— Pour quelle raison Lionel Durand faisait-il affaire avec cet agent ?

— Je l'ignore, admit Fanette.

Lionel Durand était peut-être un client, pensa l'avocat. Si c'était le cas, cela pourrait mener à des découvertes intéressantes.

— Ce n'est pas tout, ajouta Fanette, la gorge étranglée par l'émotion. J'ai vu cet Auguste Lenoir dans la salle d'audience. Je ne sais pas ce qu'il y faisait, mais sa présence doit sûrement avoir un lien avec le procès.

Julien Vanier remarqua la soudaine pâleur de la jeune femme et le léger tremblement de ses mains. De toute évidence, elle avait peur de cet homme.

— Vous le connaissez ?

— Peu importe. L'important, c'est de savoir pourquoi il était au procès de votre cliente. Peut-être cherche-t-il à récupérer le solde du montant que lui devait la victime ?

L'avocat observa pensivement la jeune femme. Il ne pouvait s'empêcher de s'interroger sur les circonstances dans lesquelles elle avait pu rencontrer un agent de renseignement. Il en avait connu quelques-uns dans l'exercice de sa profession. Il s'agissait en général de gens peu recommandables, au passé plus que douteux. Mais pour l'instant, ce qui comptait, c'était de pouvoir tirer profit de ce qu'il venait d'apprendre.

— J'ai un grand service à vous demander, finit-il par dire. Ne vous sentez surtout pas obligée d'accepter.

Fanette attendit qu'il poursuive.

— Comme vous l'avez sûrement constaté, ma cliente est plutôt renfermée sur elle-même. C'est à peine si j'ai réussi à lui tirer quelques mots depuis que j'assume sa défense.

— Vous souhaitez que je la rencontre ? devina Fanette.

— Avec une femme, elle consentirait sûrement à s'ouvrir davantage. Son mari était criblé de dettes. Elle était peut-être au courant qu'il devait cette somme, et de la raison pour laquelle il était ainsi redevable à ce Lenoir.

Fanette prit le temps de réfléchir à la proposition de l'avocat. L'idée de mettre à nouveau les pieds dans une prison la révulsait, mais c'était sans doute le seul moyen d'aller au fond de cette affaire. Sans compter que sa curiosité avait été piquée par la découverte d'un lien entre Lionel Durand et l'agent de renseignement. Elle imaginait déjà le papier qu'elle pourrait écrire si cette piste se révélait prometteuse.

— J'accepte, dit-elle.

L'avocat lui saisit spontanément les mains.

— Je vous en sais gré.

Les deux jeunes gens restèrent immobiles, goûtant cet instant d'intimité. L'avocat fut pris d'une envie folle d'embrasser Fanette. Il se pencha vers elle, respira son parfum en fermant les yeux. *Un parfum de femme.* Comme cela lui manquait ! Il sentait avec ravissement la douceur de sa paume contre la sienne, la chaleur qui s'en dégageait. Sa conscience le rappela à l'ordre. *Tu n'as pas le droit.* Il se dégagea avec un regret poignant.

— Ma cliente est à la prison du Pied-du-Courant, en face du fleuve, affirma-t-il d'une voix altérée par l'émotion. Je n'ai pas de voiture, mais je pourrais vous y conduire en fiacre.

— Prenons plutôt mon Phaéton, suggéra Fanette.

Il acquiesça avec reconnaissance. Fanette regarda le jeune homme, encore ébranlée par l'intensité des sentiments qu'elle avait éprouvés lorsqu'il avait serré ses mains dans les siennes. Elle aurait juré qu'il s'apprêtait à l'embrasser.

— Allons-y maintenant, dit-elle, faisant un pas vers la porte.

L'avocat la suivit, soulagé d'avoir réussi à surmonter ce moment de faiblesse.

Les deux jeunes gens sortirent du palais de justice et prirent place dans la voiture de Fanette. Un homme portant une redingote et un haut-de-forme élimés les observait à distance. Lorsqu'il vit la voiture s'éloigner, il courut vers un fiacre et y monta.

— Suivez cette voiture !

❧

Le Phaéton s'arrêta à proximité de la prison. Julien aida Fanette à descendre de la voiture.

— Nous y voilà, déclara-t-il.

Les murs gris du Pied-du-Courant se dressaient dans le ciel ennuagé, telle une sentinelle. Les nombreuses fenêtres auraient pu laisser croire qu'il s'agissait d'un lieu comme les autres, mais elles étaient munies de barreaux et claquemurées aux trois quarts par des volets solides qui ne laissaient aucun doute sur le fait qu'on se trouvait bel et bien devant un pénitencier. Des échafaudages, des amas de pierres et de briques en rendaient l'accès difficile. Julien expliqua à la jeune femme que des travaux d'agrandissement avaient été entrepris.

— On agrandit la prison au lieu d'éduquer les gens, commenta-t-il avec ironie.

Comme il a raison ! pensa Fanette. Plus elle connaissait le jeune avocat, plus elle appréciait sa droiture, la force de ses idées.

En s'approchant du portail de la prison, elle fit un effort sur elle-même pour dominer sa répulsion devant ce lieu qu'elle voyait pour la première fois, mais qui lui rappelait les souvenirs de l'incarcération de sa sœur. L'avocat lui effleura le coude.

— Permettez-moi de vous accompagner à la guérite. Je dirai aux gardiens que vous êtes une dame de charité rendant visite à la prisonnière.

Fanette accepta avec soulagement. Il lui serait moins pénible de pénétrer en ces lieux sinistres en compagnie du jeune homme.

Une fois l'entrée franchie, Fanette fut escortée par un gardien vers la cellule de la prisonnière. La jeune femme garda les yeux fixés devant elle pour éviter de regarder les murs suintants d'humidité, se concentrant sur sa rencontre avec l'accusée. Elle savait que la tâche qui l'attendait était délicate. Il lui faudrait gagner la confiance d'Aimée Durand, ce qui ne serait pas chose facile.

Après être parvenue au premier étage, la visiteuse suivit le gardien dans le long couloir où s'alignaient les portes des geôles, brièvement éclairées par la lumière de la lanterne que l'homme tenait devant lui, pour replonger aussitôt dans l'obscurité.

— C'est ici, dit-il enfin.

Fanette glissa un œil à travers l'étroite ouverture munie de barreaux qui avait été aménagée dans la porte, mais elle ne vit que des ombres indistinctes à l'intérieur. Le gardien ouvrit la porte, qui céda en grinçant. La prisonnière était assise sur un grabat de paille, ses mains croisées posées sur ses genoux. Fanette prit place sur un tabouret de bois, en face de l'accusée.

— Bonjour.

La prisonnière resta immobile, le regard perdu dans le vague, comme si elle n'avait rien entendu. Un lourd silence les entourait, interrompu parfois par des éclats de voix ou le roulement d'une voiture provenant de l'extérieur, étouffé par les murs épais de la prison.

— Je m'appelle Fanette Grandmont. Je suis venue pour vous apporter un peu de réconfort.

Aimée Durand resta muette. Son visage à la peau bistrée n'exprimait aucune émotion. .

— Je sais que des accusations très graves pèsent contre vous, mais votre avocat est convaincu de votre innocence, et il remue ciel et terre pour en faire la preuve.

Les mains de la prisonnière s'agitèrent. Ses prunelles noires luisaient dans la demi-obscurité.

— J'ai pas tué mon mari.

Il y avait une telle certitude dans sa voix pourtant frêle que Fanette en fut impressionnée. Si seulement l'accusée pouvait montrer la même détermination durant le procès ! Les traits habituellement impassibles d'Aimée Durand s'animèrent. Pour la première fois, elle leva les yeux vers Fanette.

— J'ai pas tué mon mari, répéta-t-elle. Lionel souffrait de coliques nerveuses. C'est ça qui l'a tué à petit feu. Y faut me croire.

Fanette eut un élan de compassion devant la détresse de l'accusée.

— Je vous crois.

Un silence s'ensuivit. Fanette sentit que le moment était approprié pour aborder l'objet de sa visite.

— Votre avocat m'a dit que votre mari avait des dettes.

La prisonnière acquiesça sans répondre.

— Étiez-vous au courant qu'il devait la somme de cent cinquante dollars à un nommé Auguste Lenoir ?

L'accusée plissa son front étroit. Fanette guettait sa réponse avec anxiété. Après un long silence, la jeune femme finit par secouer la tête.

— Non, ça me rappelle rien.

— Vous en êtes bien certaine ?

Aimée Durand fit signe que oui. Fanette ne se laissa pas décourager.

— Le nom d'Auguste Lenoir vous est-il familier ?

L'accusée réfléchit, puis haussa les épaules.

— Jamais entendu parler.

La jeune femme semblait avoir retrouvé sa passivité coutumière. Fanette comprit qu'elle n'arriverait à lui soutirer rien de plus.

— Je vous souhaite bon courage.

Elle se leva. La prisonnière l'interpella.

— Mademoiselle !

Fanette se tourna vers l'accusée, remplie d'espoir. La prisonnière hésita, comme si elle s'apprêtait à faire un aveu, puis se ravisa.

— Merci de m'avoir rendu visite. Vous êtes une bonne personne.

La déception envahit Fanette. Pourtant, elle aurait juré qu'Aimée Durand était sur le point de lui faire une confidence. Elle se résigna à quitter la geôle.

LXVII

Julien Vanier arpentait la cour située devant la prison. Le ciel s'était couvert de lourds nuages gris fer auréolés d'une lumière blanche. Soudain, il vit Fanette sortir de l'édifice. Il s'élança vers elle. L'anxiété qu'il crut déceler dans ses traits lui parut de mauvais augure.

— Et puis ? dit-il, la voix pressante.

— Aimée Durand ne semblait pas être au courant du fait que son mari avait contracté une dette de cent cinquante dollars, pas plus qu'elle ne semblait connaître l'existence d'Auguste Lenoir.

Julien Vanier la regarda attentivement.

— Vous avez dit deux fois le mot « semblait ». Croyez-vous qu'elle vous a menti ?

Fanette réfléchit.

— Je ne dirais pas qu'elle m'a menti. J'ai eu l'impression pendant un moment qu'elle cherchait à me révéler quelque chose, mais elle s'est ravisée.

L'avocat hocha la tête. Pour la première fois depuis le début du procès, il éprouvait un profond découragement.

— Elle m'a affirmé avec conviction qu'elle n'avait pas tué son mari, qu'il souffrait de coliques nerveuses, ajouta la jeune femme.

Il haussa les épaules.

— Qui la croira ? Si cela continue, je ne pourrai pas la sauver de la pendaison.

— Vous y parviendrez, Julien.

La confiance qu'il lut dans les yeux de Fanette, sa façon de prononcer son prénom, comme si elle le connaissait depuis toujours, le bouleversèrent. Une violente averse se mit subitement à tomber, martelant le trottoir de bois.

— Venez ! cria Julien à la jeune femme pour couvrir le crépitement de la pluie.

Il prit Fanette par le bras et l'entraîna vers une porte cochère. Les deux jeunes gens s'y mirent à l'abri. Un coup de tonnerre éclata, suivi d'un éclair. Un torrent d'eau bouillonnait sur la chaussée. Julien saisit un pan de son manteau et le posa sur les épaules de la jeune femme pour la protéger de la pluie. Il sentit la chaleur de son corps contre le sien, la caresse d'une mèche de cheveux qui s'était détachée de son chignon sur sa joue. Il posa doucement ses lèvres sur sa tempe, si douce, s'enivrant de son parfum délicat, puis embrassa son visage humide, cherchant sa bouche, qui s'ouvrit comme une fleur sous la sienne. La pluie continuait de se déverser, formant un rideau qui les séparait du reste du monde.

Ils attendirent la fin de l'averse, blottis l'un contre l'autre, bercés par le tambourinement de la pluie, espérant qu'elle ne finirait jamais. Aucune parole n'avait été échangée, comme s'ils savaient à l'avance que les mots ne pouvaient traduire l'intensité de leurs sentiments. Julien ne se lassait pas de contempler le visage de la jeune femme, effleurant ses joues satinées du bout des lèvres, embrassant ses lèvres tendres, oubliant le malheur qui avait gâché sa vie, les remords et le désespoir qui le traquaient chaque jour, oubliant jusqu'au procès d'Aimée Durand, sa crainte que sa cliente soit condamnée. Tout ce qui le coupait du moment présent, tout ce qui faisait de l'ombre sur son bonheur avait été momentanément effacé. Car il était heureux, il n'avait pas été heureux ainsi depuis des siècles, lui semblait-il. L'amour avait fait renaître l'espoir. Dans les yeux améthyste de Fanette, il entrevoyait enfin la promesse d'un avenir, lui qui en avait cru les portes à jamais fermées.

La pluie cessa. Un rayon de soleil perça les nuages et fit scintiller le fleuve. Les jeunes gens, incapables de s'arracher à leur étreinte, restèrent immobiles. Julien ferma les yeux, savourant chaque instant comme s'il devait être le dernier.

— Quoi qu'il arrive, sachez que vous m'avez rendu plus heureux que je ne l'avais jamais été dans toute ma vie.

Il l'étreignit une dernière fois et s'éloigna d'un pas rapide. Fanette le suivit des yeux jusqu'à ce qu'il ait disparu au tournant de la rue. Elle retourna lentement vers sa voiture, songeant avec émoi à Julien, à leur baiser grisant, aux mots passionnés qu'il lui avait murmurés à l'oreille avant de la quitter. *Quoi qu'il arrive, sachez que vous m'avez rendu plus heureux que je ne l'avais jamais été dans toute ma vie.* Cette phrase supposait qu'il avait été malheureux auparavant. Quelque chose dans le passé du jeune homme lui échappait. Il y avait une aura de mystère autour de lui, qui ne le rendait que plus attirant à ses yeux. *Je saurai te rendre heureux,* se surprit-elle à se dire. Elle prit place sur le siège du conducteur sans apercevoir une ombre qui se glissa derrière le Phaéton et se hissa avec précaution sur le marchepied de la voiture.

LXVIII

Fanette était à mi-chemin de la maison de sa tante lorsqu'elle décida de revenir à la prison. Plus elle y pensait, plus elle était persuadée que la prisonnière avait cherché à lui avouer quelque chose, et qu'une sorte de crainte l'en avait empêchée. Il ne lui restait pas beaucoup de temps pour écrire son article avant l'heure de tombée, mais elle sentait qu'un élément essentiel du casse-tête lui manquait.

Lorsque la jeune femme parvint au Pied-du-Courant, le ciel s'était de nouveau assombri, à tel point qu'on se serait cru à la nuit tombée. Le tonnerre grondait et des éclairs zébraient le ciel. Fanette descendit de la voiture et se dirigea vers la prison. Une angoisse sourde s'insinua en elle. Elle regretta soudain d'être revenue dans cet endroit lugubre et faillit rebrousser chemin, mais elle s'en voulut de son manque de courage et marcha d'un pas plus résolu vers l'enceinte de la prison. Lorsqu'elle s'approcha de la guérite, l'un des gardiens la reconnut avec étonnement.

— Encore vous ?

— J'ai oublié un mouchoir de dentelle dans la cellule de la prisonnière, expliqua-t-elle. J'y tiens beaucoup, c'était un présent de ma défunte mère.

Le gardien la scruta avec méfiance, mais Fanette lui fit le sourire le plus innocent qu'elle put trouver dans son répertoire. L'autre gardien, un jeune homme dans la vingtaine, intervint.

— Laisse-la. C'est pas une visite de plus ou de moins qui va faire une différence.

Le plus vieux haussa les épaules et permit à Fanette de franchir la guérite. Le jeune gardien l'escorta jusqu'à la cellule d'Aimée Durand.

— Je vous donne cinq minutes. Le vieux est pas à prendre avec des pincettes, ces temps-ci, à cause d'un abcès à une dent.

Il ouvrit la porte de la geôle et attendit à l'extérieur, tandis que Fanette s'avançait vers la prisonnière. Cette dernière, qui était toujours assise sur son grabat, tourna la tête et parut surprise de revoir la jeune femme.

Fanette prit place sur le banc et s'adressa à l'accusée.

— Lorsque je vous ai rendu visite tout à l'heure, j'ai eu le sentiment que vous étiez sur le point de me dire quelque chose. Est-ce que je me trompe ?

La prisonnière resta silencieuse.

— Vous m'avez convaincue de votre innocence, madame Durand, poursuivit Fanette avec chaleur. Maintenant, il vous reste à convaincre le jury. Et ce ne sera pas chose facile. S'il y a un élément, le moindre fait qui pourrait aider votre avocat dans votre défense, je vous en prie, dites-le-moi.

Les yeux d'Aimée Durand clignèrent, comme si elle était troublée. Sentant qu'elle avait capté l'intérêt de l'accusée, Fanette reprit :

— Étiez-vous au courant que votre mari avait une dette envers Auguste Lenoir ?

L'accusée secoua la tête.

— C'est pas ça.

Fanette la regarda avec intensité.

— Que voulez-vous dire ?

— Je n'étais pas au courant, pour la dette de mon mari. C'est autre chose.

Elle leva les yeux vers Fanette. Son visage mat était presque beau dans la demi-pénombre.

— Je vous fais confiance, mais avant que je parle, faut que vous me juriez de ne pas dire un mot de ce que je vais vous raconter à mon avocat.

Fanette réfléchit à une réponse qui serait honnête, mais ne la condamnerait pas au silence.

— Je ne ferai jamais rien qui puisse vous nuire, Aimée.

Le regard de la prisonnière s'embua. Elle se racla la gorge.

— C'est au sujet de l'arsenic.

༄

Fanette était dans tous ses états lorsqu'elle sortit de la geôle de la prisonnière. Ce que cette dernière lui avait avoué au sujet de l'achat d'arsenic changeait la cause du tout au tout. Elle aurait tout donné pour savoir où habitait Julien Vanier. Il faudrait qu'elle trouve le moyen de rencontrer l'avocat avant l'ouverture du procès, le lendemain matin. *Pourvu que je puisse lui parler avant qu'il soit trop tard...*

La jeune femme franchit la guérite d'un pas machinal, saluant à peine les gardiens tellement l'aveu d'Aimée Durand l'avait bouleversée. Une fois dehors, elle s'aperçut qu'il avait recommencé à pleuvoir. Une brume épaisse s'était levée. N'ayant pas apporté de parapluie, elle releva le capuchon de son manteau et marcha vers sa voiture. Elle perçut un bruit de pas derrière elle. Elle se retourna, mais il n'y avait personne. La rue luisante de pluie était déserte.

Sentant l'anxiété la gagner, Fanette pressa le pas. Soudain, un claquement sec retentit. Cette fois, elle crut entrevoir une silhouette à travers le brouillard, mais celle-ci disparut aussitôt derrière une porte cochère. Son cœur se mit à battre plus vite.

— Qui va là ? dit-elle.

Sa voix résonna étrangement dans le silence. Retenant son souffle, Fanette fit quelques pas en direction de la porte cochère et constata que celle-ci était entrouverte. Elle tendit l'oreille, mais ne perçut que le bruissement de la pluie. Elle répéta, la gorge nouée par l'inquiétude :

— Il y a quelqu'un ?

Tout à coup, une ombre surgit. Une main lui agrippa brusquement un bras et la tira en avant. Fanette laissa échapper un cri de frayeur et tenta de se dégager, mais l'inconnu resserra son étau et l'entraîna vers ce qui semblait être une cour intérieure. La porte se referma avec un grincement sinistre. La jeune femme sentit un souffle chaud effleurer sa joue. Elle distingua un haut-de-forme, puis des traits en lame de couteau. *Mon Dieu, ce visage...* Une voix rauque s'éleva :

— Ce n'est pas prudent pour une jeune et jolie femme de se promener toute seule.

Cette voix...

— Il y a longtemps que je souhaitais vous revoir, mademoiselle.

L'homme souleva son chapeau, révélant ainsi son visage. Lorsqu'elle le reconnut, son sang se glaça dans ses veines. C'était Auguste Lenoir. Il la fixait de ses yeux d'onyx.

— Comme on se retrouve, poursuivit-il. Toujours aussi charmante.

Fanette était paralysée par la peur. Il approcha son visage du sien. L'odeur de tabac lui donna la nausée.

— Je vous ai aperçue au palais de justice en compagnie de Julien Vanier, l'avocat d'Aimée Durand, dit-il de sa voix rauque. Je vous ai suivis jusqu'à la prison. Pour quelle raison avez-vous rendu visite à deux reprises à la prisonnière ?

— Je voulais simplement lui tenir un peu compagnie, répondit Fanette, plus morte que vive.

— Ne me prenez pas pour un imbécile. Vous savez beaucoup de choses sur moi. Beaucoup trop pour votre propre bien.

Il serra encore davantage les poignets de la jeune femme, qui retint un gémissement de douleur.

— Vous êtes la mère d'une gentille petite fille. Je l'ai croisée au marché Bonsecours et lui ai offert des dragées. Très mignonne, bien élevée, comme sa mère, tiens.

Fanette blêmit. *C'était donc lui...*

— Votre fille m'a dit que vous habitiez chez votre tante, rue Saint-Denis. J'ai un conseil à vous donner, mademoiselle. Ne vous mêlez plus de l'affaire Durand. Ne vous mêlez plus de mes affaires, tout court, sinon votre charmante petite fille pourrait en pâtir.

Il relâcha son étreinte et s'inclina avec politesse.

— Au revoir, mademoiselle. Ou devrais-je plutôt dire, *madame* Grandmont. N'oubliez surtout pas mon conseil.

Il partit, laissant Fanette pantelante de terreur.

Mot de l'auteure et remerciements

L'affaire Aimée Durand, surnommée « l'empoisonneuse » par la presse à sensation, m'a été inspirée par l'affaire Anaïs Toussaint, accusée d'avoir empoisonné son mari, Joseph Bisson, en 1857. Après un procès couru tant par la presse que par le public, la jeune femme de dix-huit ans fut jugée coupable et condamnée à la pendaison. À l'occasion d'une lecture publique donnée à l'Institut canadien, le docteur J. Émery-Coderre constata plusieurs erreurs de méthodologie et une approche scientifique déficiente lors de l'examen médico-légal de la victime, ce qui l'amena à conclure que celle-ci n'avait pas nécessairement succombé à un empoisonnement à l'arsenic et qu'Anaïs Toussaint avait peut-être été condamnée à tort. Ce compte rendu, publié en 1857, m'a été fort utile dans l'élaboration de cette intrigue.

J'ai trouvé la légende huronne de la chute Kabir Kouba sur le site de la ville de Wendake : http://www.wendake.com/informations.html. Quant à l'incendie de l'église Notre-Dame-de-Lorette que je décris dans mon roman, il s'est bel et bien produit en juin 1862, et des objets du culte ont pu être sauvés du désastre, mais j'ai bien sûr inventé la scène où Noël Picard entre dans l'église en flammes afin de sauver l'enfant de chœur.

Je remercie de tout cœur Mireille Sioui, chargée de recherche du projet Yawenda : revitalisation de la langue huronne-wendat, qui a eu l'amabilité de traduire quelques passages de mon roman en langue huronne.

La rencontre fortuite entre mon personnage Sean O'Brennan et l'écrivain et poète Louis Fréchette est le fruit de mon imagination, ainsi que la visite de ce dernier à la Grosse Isle. Pour ce qui est de la scène de la prise d'habit de sœur Marie de la Visitation, je me suis servie du récit de Gabrielle K.-L. Verge, intitulé *Pensionnaire chez les Ursulines dans les années 1920-1930*, publié par Les Cahiers du Septentrion, en 1998.

Le chant de marins « Hô les gars » figure dans *Au temps des voiliers long-courriers*, de Jean-Jacques Antier (éditions France-Empire). Les paroles de la chanson folklorique irlandaise *Old Skibbereen*, qui prend la forme d'un dialogue entre un père et son fils, sont attribuées à Patrick Carpenter et ont été publiées dans *The Irish Singer's Own Book*, en 1880.

Le livre de ma sœur, Danielle Aubry, *Du roman-feuilleton à la série télévisuelle* (éditions Peter Lang), m'a beaucoup servi en ce qui concerne l'évolution des techniques d'impression qui ont mené à l'apparition des journaux à grand tirage. Un autre écrit, *1870 – Du journal d'opinion à la presse de masse*, sous la direction d'Éric Leroux, publié par le Petit musée de l'impression en 2010, m'a éclairée sur ce sujet.

Enfin, ma plus grande reconnaissance va aux personnes qui m'ont appuyée tout au long de l'écriture de ma saga : Monique H. Messier, Johanne Guay, Jean Baril et la formidable équipe de Libre Expression ; Martina Branagan, ma traductrice en gaélique ; Robert Armstrong, mon pilier ; Évelyne Saint-Pierre, ma loyale agente littéraire, et Françoise Mhun, ma fidèle amie et lectrice.

La suite de la saga historique Fanette

Fanette, tome 6

Montréal, avril 1864. Auguste Lenoir, le mystérieux et sinistre agent de renseignement, continue de rôder autour de Fanette, qui craint pour sa vie et celle de sa fille. Pendant ce temps, le procès d'Aimée Durand, accusée d'avoir empoisonné son mari à l'arsenic, se poursuit. Julien Vanier parviendra-t-il à sauver celle-ci de la pendaison ? Son amour grandissant pour Fanette connaîtra-t-il une heureuse issue, malgré le secret qui assombrit son passé ?

Entre-temps, les révolutionnaires irlandais, avec Andrew et Sean à leur tête, se préparent à s'attaquer aux forces britanniques. Noël Picard, à titre d'ancien officier de la marine, est mobilisé, au grand désespoir d'Amanda, qui craint de le perdre. La situation se corse lorsque son fils, Ian, devenu marin dans la marine marchande, décide de s'engager du côté des Fenians.

Retrouvez Fanette sur le blogue :
www.fanette.ca

Suivez les Éditions Libre Expression sur le Web :
www.edlibreexpression.com

Cet ouvrage a été composé en Cochin 12,25/14,7
et achevé d'imprimé en septembre 2012 sur les presses de
Marquis imprimeur, Québec, Canada

certifié   procédé   100% post-   archives   énergie
      sans chlore   consommation   permanentes   biogaz

Imprimé sur du papier 100 % postconsommation,
traité sans chlore, accrédité Éco-Logo et fait à partir de biogaz.